LES CHEMINS
DE KATMANDOU

RENÉ BARJAVEL

LES CHEMINS DE KATMANDOU

roman

PRESSES DE LA CITÉ

PARIS

*A la Déesse Orange
de Katmandou*

Ceux qui se rendront à Katmandou ne reconnaîtront pas ce qui est écrit dans ce livre.

Ceux qui suivront les chemins qui y mènent ne reconnaîtront pas les chemins de ce livre.

Chacun suit son chemin, qui n'est pareil à aucun autre, et personne n'aboutit au même lieu, dans la vie ni dans la mort.

Ce livre ne cherche pas à donner une idée de la réalité, mais à s'approcher de la vérité.

Celle de Jane, et celle d'Olivier, dont il raconte l'histoire.

UN INCENDIE BRU-
lait derrière le brouillard. Jane en voyait la lumière vague en haut et à droite du pare-brise. Cela
donnait à l'image floue encadrée dans la vitre l'apparence d'une pellicule voilée par un coup de soleil rouge. Mais à gauche et à droite de la voiture,
le brouillard gris continuait à couler lentement,
comme le fond d'un fleuve dans lequel se déversent
des égouts depuis l'éternité.

Jane ne savait pas où elle se trouvait, ne savait
pas ce qui brûlait, commençait à ne plus savoir
qui elle était. Elle aurait voulu ne plus rien savoir,
plus rien, rien, et que le monde entier brûlât et s'é-
croulât sur elle pour écraser dans sa tête ce qu'elle
avait vu, ce qu'elle avait entendu, le visage sou-
dain figé de son père, le geste surpris interrompu,
les mots de l'Autre, la main, le rire de l'Autre, le
regard éperdu de son père sur elle, le désespoir
dans le regard de son père, toute la scène immobile,
gravée pour toujours, en blanc et noir, au fond de
sa mémoire glacée.

Pourquoi avait-elle ouvert cette porte? Pourquoi? Pourquoi quoi? Elle ne savait plus pourquoi,
elle ne savait plus quoi, elle ne savait plus... Elle

était sortie de la maison en courant, se mordant les lèvres pour ne pas hurler, s'était jetée dans sa voiture, avait bousculé le pare-chocs de la voiture avant, de la voiture arrière, avait grincé contre un autobus couleur de sang voilé, s'était enfoncée dans le fleuve du brouillard gris. Depuis des heures, des jours peut-être, depuis quand? Il n'y avait plus de jour, il n'y avait plus de temps, elle roulait, s'arrêtait, repartait, accrochée par les yeux au halo des feux de la voiture qui la précédait lentement, qui s'arrêtait, qui repartait, au fond du fleuve mort qui noyait la ville.

Les feux qui la précédaient s'arrêtèrent et ne repartirent plus. La lueur rouge en haut et à droite du pare-brise palpitait. Il y avait dans le fleuve gris en dehors de la voiture des bruits de cloches et de sirène étouffés, des cris et des paroles, et des sifflets entourés de coton. Jane sortit de sa voiture sans arrêter le moteur. C'était une belle petite sportive du continent, couleur de citron, que le brouillard recouvrait comme une housse de toile sale. Jane sortit et s'en alla, laissant la portière ouverte. Elle parvint jusqu'au trottoir. La grille d'un jardin devant une maison l'arrêta. Elle repartit en longeant la grille. Le brouillard était un des plus épais brouillards que Londres eût jamais suinté. Il sentait la suie, le mazout, la poubelle et le rat. Il se posa sur Jane, l'enlaça de ses bras mouillés, glacés, baisa ses yeux pervenche, accrocha des larmes à ses cils, trempa ses cheveux, leur donna la couleur de l'acajou ciré, coula avec eux sur ses épaules, et mouilla sa robe.

Jane ne sentait ni le froid ni l'odeur du brouillard. Elle marchait le long d'une grille devant une maison, puis encore le long d'une grille devant une maison, et encore et encore une grille interminablement toujours la même. Elle n'en voyait ni le commencement ni la fin, trois barreaux à la fois, du coin de l'œil gauche, le fleuve gris noyait le reste.

Sa courte robe de soie verte, trempée, sous laquelle elle ne portait qu'un slip orange, était devenue presque transparente, moulait ses hanches à peine dessinées, ses petits seins tendres que le froid crispait. Elle marchait le long d'une grille, et d'une grille... Elle se heurta à une forme sombre, lourde, plus haute et plus large qu'elle. L'homme la regarda et de tout près il la vit nue sous le brouillard. Elle voulut repartir. Il écarta un bras devant elle. Elle s'arrêta. Il la prit par la main, la conduisit au bout de la grille, entra avec elle dans une étroite allée, lui fit descendre quelques marches, ouvrit une porte, la poussa doucement dans une pièce et ferma la porte derrière eux.

La pièce était sombre et sentait le hareng salé. Il tourna un bouton. Une faible ampoule s'éclaira au plafond, entourée d'un abat-jour rose. Il y avait le long du mur à gauche un lit étroit, soigneusement fait, recouvert d'un couvre-lit de crochet blanc, dont le dessin représentait des anges avec des trompettes et qui pendait sur les côtés avec des pointes de losanges terminées par des glands. L'homme plia le couvre-lit et le posa sur le dossier d'une chaise à la tête du lit. Sur la chaise il y avait un transistor et un livre fermé. Il appuya sur le bouton noir du transistor et les Beatles se mirent à chanter dans la pièce entière. Jane les entendit et cela lui donna une sorte de chaleur intérieure, un réconfort familier. Elle était restée debout près de la porte et ne bougeait pas. L'homme vint la prendre par la main, la conduisit jusqu'au lit, la fit asseoir, lui ôta son slip, la coucha et lui écarta les jambes. Quand il s'allongea sur elle, elle se mit à crier. Il lui demanda pourquoi elle criait. Elle ne savait pas pourquoi elle criait. Elle ne cria plus.

Les Beatles avaient fini de chanter, remplacés par une voix triste et mesurée. C'était le Premier ministre. Jane se taisait. L'homme sur elle haletait discrètement, occupé avec soin à son plaisir. Avant que le Premier ministre eût commencé à énumérer les mauvaises nouvelles, l'homme se tut. Au bout de quelques secondes il soupira, se releva, s'essuya avec le slip orange tombé au pied du lit, vint jusqu'à la petite table près du fourneau à gaz, vida dans un verre ce qui restait de la bouteille de bière, et but.

Il retourna près du lit, fit relever Jane avec des gestes et des mots gentils, remonta avec elle les quelques marches, la conduisit au bout de la petite allée, l'accompagna quelques pas le long de la grille puis la poussa doucement dans le brouillard. Elle fut pendant un instant une pâle esquisse verte, puis disparut. Lui restait là, immobile. Il avait gardé à la main le slip orange qui dessinait au bout de son bras le fantôme flou d'une petite tache gaie. Il le mit dans sa poche et rentra chez lui.

Sven ÉTAIT DEPUIS
deux semaines à Londres. C'était la première étape
de son voyage. Il ne connaissait pas Londres,
mais il avait trouvé refuge chez des amis, un couple
de hippies allemands, qui l'avaient familiarisé avec
les endroits sympathiques de la ville. Eux étaient
venus à Londres parce que c'était la ville de la
jeunesse, mais lui était parti de chez lui pour aller
beaucoup plus loin.

Tous les après-midi, il se rendait à Hyde Park,
s'asseyait au pied d'un arbre, et disposait autour de
lui sur le gazon des images de fleurs, d'oiseaux, du
Bouddha, de Jésus, de Krishma, du croissant mu-
sulman, du sceau de Salomon, de la svastika, de
la croix égyptienne, et de quelques autres visages
ou symboles religieux dessinés par lui-même sur
des papiers de toutes couleurs, ainsi qu'une photo
de Krishnamurti jeune beau comme Rudolph
Valentino, et une de Gourdieff avec son crâne nu et
ses moustaches de cosaque. Tous ces papiers multicolores fleurissaient l'herbe autour de lui et témoi-
gnaient à ses yeux de la multiplicité fleurie et
joyeuse des apparences de l'Unique Vérité. Une
Vérité dont il savait qu'elle existait et qu'il vou-

lait connaître. C'était sa raison de vivre et le but de son voyage. Il avait quitté la Norvège pour aller la chercher à Katmandou. Londres était sa première étape. Katmandou se trouvait de l'autre côté de la Terre. Pour poursuivre son voyage, il lui fallait au moins un peu d'argent. Il disposait au centre de ses papiers fleuris un écriteau portant l'inscription : « Prenez une image et donnez une pièce pour Katmandou. » Il posait sur l'écriteau une boîte de conserves vide, s'asseyait le dos contre le tronc de l'arbre et commençait à chanter des chansons qu'il inventait en caressant sa guitare. C'étaient des chansons presque sans paroles, avec quelques mots qu'il répétait ; Dieu, amour, lumière, et les oiseaux et les fleurs. Pour lui, tous ces mots désignaient la même chose. C'était leur visage commun qu'il espérait découvrir à Katmandou, la ville la plus sainte du monde, où toutes les religions de l'Asie se côtoyaient et se confondaient.

Les Londoniens qui passaient ne savaient pas où était Katmandou. Certains croyaient que ce nom qu'ils lisaient sur l'écriteau était celui de ce garçon à la barbe blonde et aux longs cheveux, beau comme devait l'être Jésus adolescent pendant les années mystérieuses de sa vie, quand nul ne sait où il était, et peut-être simplement se cachait-il pour se protéger pendant qu'il fleurissait, trop tendre et trop beau, avant d'être un homme assez dur pour être cloué. Ils écoutaient quelques instants la chanson nostalgique dont ils ne comprenaient que quelques mots — mais il n'y en avait pas d'autres — en regardant ce garçon si beau et si lumineux, avec sa courte barbe d'or frisée et ses longs cheveux, et sa guitare dont le bois était usé à l'endroit où battent les doigts de la main droite, et les fleurs de

vingt couleurs qu'il avait posées autour de lui.
Ils comprenaient qu'ils ne comprenaient pas, que
quelque chose, là, leur échappait. Ils hochaient un
peu la tête, ils éprouvaient une sorte de remords et
ils donnaient quelque monnaie avant de s'en aller
et d'oublier bien vite l'image de ce garçon et l'air de
sa chanson afin que leur vie n'en soit point trou-
blée. Ceux qui prenaient un papier fleuri le regardaient en s'en allant et ne savaient qu'en faire.
Séparé des autres papiers, il leur paraissait moins
gai. Il était comme une fleur qu'on a coupée, en
passant, parmi d'autres fleurs, et qui tout à coup,
au bout des doigts, n'est plus qu'une petite chose
quelconque, embarrassante, et qui meurt. Ils re-
grettaient de l'avoir pris, ils ne savaient comment
s'en séparer, ils le pliaient et le mettaient dans leur
poche ou dans leur sac, où bien le déposaient rapidement dans une corbeille à déchets.

Les femmes parfois — certaines femmes fati-
guées et plus très jeunes — regardaient Sven longuement et enviaient sa mère. Et elles se penchaient
pour glisser dans la boîte une pièce d'argent.

La mère de Sven ne savait pas où était son fils.
Elle ne se souciait pas de le savoir. Il avait l'âge
d'être libre et de faire ce qu'il voulait.

Cet après-midi, il s'était assis à l'endroit habituel, il avait disposé ses dessins fleuris, son écriteau et sa boîte vide, et il avait commencé à chanter. Le brouillard lui était tombé dessus d'un seul
coup. Il avait replié son jardin, coiffé le capuchon
de son duffle-coat et continué de chanter, non plus
dans l'espoir des pièces, mais parce qu'il faut aussi
chanter dans le brouillard. L'humidité détendait
les cordes de sa guitare, et par fractions de tons il
descendait à la mélancolie du mineur. Le fond du

fleuve lent poussa devant lui le corps de Jane. A la
hauteur de ses yeux il vit passer le bas de sa robe
de noyée, ses longues jambes mouillées, une main
ouverte qui pendait. Il leva les yeux mais le haut
de la tête et du corps étaient fondus dans l'eau grise.
Il saisit la main glacée au moment où elle allait disparaître, se leva et découvrit le visage de Jane.
Il était comme une fleur qui s'est ouverte après le
crépuscule, et qui croit que seule existe la nuit.
Sven comprit en un instant qu'il devait lui ensei-
gner le soleil. Il ôta son duffle-coat, le lui posa sur
les épaules et le ferma soigneusement autour d'elle
et de la chaleur qu'il lui donnait.

M. SEIGNEUR SE SOU-
leva sur un coude et essaya de s'asseoir au bord du
lit. Il n'y parvint pas. Tout le poids de la Terre
pesait dans son ventre et l'écrasait contre le matelas. Mais qu'est-ce qu'il avait ? Qu'est-ce qu'il
avait là-dedans ? Non, ce n'était pas le... Non,
ce n'était pas un... Non, il ne fallait même pas penser à ce mot-là... Le médecin avait dit entéro...
quelque chose, congestion, adhérences... Des maladies qu'on guérit. Pas le... N'y pensons pas...
Il faut se soigner, patienter, ce sera long... Mais on
guérit tout, aujourd'hui... la médecine c'est quelque chose... le progrès... On n'est plus comme avant,
quand les médecins ne savaient pas... Ils tâtaient
le pouls. « Tirez la langue »... La langue !... Les pauvres gens qui vivaient dans ce temps-là... Aujour-
d'hui on soigne... Les médecins ont fait des études...
Ils savent... On m'a fait des analyses... Ils ont bien
vu que c'était pas le... Le docteur Viret est un bon
docteur. Il est jeune, il est énergique...

M. Seigneur regarda la table de nuit sur laquelle
s'élevait la grappe serrée des boîtes de médica-
ments, comme une réduction massive des gratte-
ciel de New York. M. Seigneur avait lu tous les

prospectus contenus dans les boîtes. Il y avait beaucoup de mots qu'il n'avait pas compris, qu'il avait même eu de la peine à lire. Les médecins, eux, comprennent. Ils ont fait des études, ils comprennent, ils savent. Ils vous soignent. Les prospectus sont écrits par des savants. C'est sérieux. Les médecins, les savants, c'est le progrès. C'est moderne. Avec eux, on ne risque rien.

M. Seigneur se laissa retomber sur l'oreiller. Son visage était couvert de sueur. Son ventre énorme n'avait pas voulu bouger. Et de l'autre côté de son ventre, il savait à peine s'il avait encore des jambes. Il appela Mme Muret, la femme de ménage. Mais la cuisine, où Mme Muret était en train de préparer le déjeuner, était emplie par Mireille Mathieu qui criait sa peine de sa voix de cuivre car l'homme qu'elle aimait venait de prendre le train. Elle lui criait qu'elle ne l'oublierait jamais, qu'elle l'attendrait toute sa vie, tous les jours et toutes les nuits... Mais Mme Muret savait bien qu'il ne reviendrait pas. Un homme qui prend le train sans se retourner, cet homme-là ne revient jamais... Elle hocha la tête, goûta la sauce de la blanquette et ajouta un peu de poivre. Mireille était au bout de son dernier sanglot. Il y eut un centième de seconde de silence pendant lequel Mme Muret entendit l'appel de M. Seigneur.

Elle prit son transistor et ouvrit la porte de la chambre. C'était un beau petit transistor, un japonais, tout enveloppé de cuir, avec des trous d'un côté, comme une passoire. C'était Martine qui le lui avait offert. Elle n'aurait jamais osé s'en acheter un. Elle était toujours juste ; la mère d'Olivier était souvent en retard pour envoyer les mandats. Heureusement, depuis que M. Seigneur était malade, avec Mme Seigneur occupée au magasin, ils la gardaient toute la journée, à quatre cents francs de l'heure, ça faisait des bonnes semaines, et à midi elle était nourrie. Le soir, elle emportait ce qui restait dans une gamelle, pour Olivier. En rentrant, elle le mettait sur le gaz et elle l'arrangeait un peu, elle rajoutait de la sauce ou des pommes de terre, pour que ça ait l'air d'un plat nouveau qu'elle avait fait rien que pour eux deux. C'était toujours très bon. Elle était bonne cuisinière. Olivier n'y faisait pas attention, il avait l'habitude de sa bonne cuisine, ça lui paraissait tout naturel. L'essentiel, c'est qu'il se portait bien. C'était presque un homme, maintenant, et il était si beau et si gentil... Elle avait beaucoup de chance, c'était un grand bonheur...

Elle ne se séparait jamais de son transistor. Depuis qu'elle l'avait, elle n'était plus jamais seule. Il n'y avait plus jamais ces silences terribles où on réfléchit. C'était toute la vie autour d'elle, tout le temps. Evidemment, il y avait les nouvelles qui n'étaient pas toujours bonnes, mais on sait bien que le monde est comme il est, ça ne s'explique pas, on n'y peut rien, l'essentiel c'est de bien faire ce qu'on a à faire, et de causer du mal à personne, si chacun en faisait autant, les choses iraient moins de travers. Et puis il y avait toutes ces chansons, tous ces garçons et ces filles, si jeunes, qui chantaient toute la journée. Ça lui chauffait le cœur. Elle, elle n'avait jamais su chanter. Elle n'avait jamais osé. Alors, elle écoutait. De temps en temps, quand un garçon ou une fille recommençait une fois de plus une chanson qu'elle avait déjà beaucoup entendue, elle se laissait entraîner, mutine, à fredonner un peu avec lui ou avec elle. Mais elle s'arrêtait vite. Elle savait que sa voix n'était pas belle.

Un chœur d'annonceurs entra avec elle dans la chambre de M. Seigneur.

— Les pâtes Petitjean sont les seules qui contiennent du nutrigent !

M. Seigneur gémit.

— Vous ne pouvez pas arrêter ce machin, une minute ?

— Oui, oui, dit Mme Muret conciliante. Je vais l'arrêter. Qu'est-ce qui va pas ?

— Grâce au nutrigent, les pâtes Petitjean vous nourrissent sans grossir !

— Allez chercher ma femme, j'ai besoin du bassin...

— Vous n'y pensez pas, à cette heure-ci, c'est le coup de feu, elle suffit pas dans la boutique avec les deux petites. Je vais vous le passer.

Elle posa le transistor sur la table de nuit près des gratte-ciel.

— Quand on est malade, y a pas à avoir honte. Tournez-vous sur le côté. Un peu, là, encore un peu... Revenez... Voilà !

— Grâce au nutrigent qui dissout les féculents, les pâtes Petitjean vous nourrissent sans encombrer les cellules de votre corps.

— Je vais vous les faire essayer, dit Mme Muret. Je dirai à Mme Seigneur d'en monter un paquet de la boutique. C'est ce qu'il vous faut, avec votre gros ventre.

Maintenant, c'était Dalida qui chantait, tragique. Elle aussi était abandonnée. On dirait que les femmes sont faites pour ça, les malheureuses. Mme Muret se demanda si elle emporterait un paquet de pâtes Petitjean pour Olivier. Avec du râpé et un bon bout de beurre. Mais Olivier avait plutôt besoin de s'étoffer. Il avait poussé si vite, et il travaillait tant. Elle aurait bien voulu qu'il prenne un peu de poids.

OLIVIER S'ARRÊTA.
Quelque chose bougeait à sa droite, sur le gazon,
une palpitation claire qui accrochait sur le fond
sombre de l'herbe gelée les restes des dernières
lueurs du crépuscule. C'était un pigeon blessé qui
essayait de fuir à son approche. Olivier le cueillit
avec précaution. Ses doigts s'enfoncèrent sous la
plume tiède et sentirent battre le cœur emballé. Il
entrouvrit sa canadienne de velours marron et
logea l'oiseau épouvanté dans la chaleur de la laine.

Il y eut une clarté soudaine. Les projecteurs
venaient de s'allumer sur le Palais de Chaillot, ses
jardins et ses jets d'eau. Olivier voyait la colline
illuminée encadrée par les piliers sombres de la
Tour Eiffel, comme un décor de théâtre qui attend
l'entrée du premier personnage. Il respira profondément, exalté par la lumière et la solitude. Le
Champ-de-Mars était désert et sombre. Toute la
nuit fermait autour de lui sa sphère infinie, de froid,
de malheur et d'injustice. Lui était là, debout,
face à la lumière, au centre de ce monde noir dont
la rumeur venait de partout vers lui, sourdement,
comme la plainte d'un malade. Et, devant lui, il y
avait cette lumière vers laquelle il suffisait de mar-

cher en levant la tête. La nuit, l'injustice, le malheur seraient chassés, la lumière emplirait le monde, il n'y aurait plus d'hommes exploités par les hommes, plus de femmes harassées, lavant interminablement les vaisselles, plus d'enfants qui pleurent dans les taudis, plus d'oiseaux blessés... Il fallait chasser la nuit, briser la nuit, le noir, l'injustice, mettre partout la lumière. Il fallait *vouloir* le faire. Il fallait le faire. On le ferait...

La Tour s'illumina, dressant vers le ciel sa longue jambe rousse. Olivier dut se courber en arrière pour en voir la pointe où le phare tournait parmi les étoiles. Le ciel était clair, la nuit serait froide. Olivier glissa sa main droite dans la fente de sa veste pour empêcher le pigeon de tomber, et se dirigea vers la maison de Patrick. Il y était déjà venu, accompagnant son copain à pied depuis la Faculté de Droit. Patrick souriait un peu tandis qu'Olivier parlait avec passion de ce qu'il fallait défaire, de ce qu'il fallait faire, de ce qu'il fallait construire, de ce qu'il fallait détruire, du monde injuste et absurde qu'il fallait raser, du monde nouveau que tous les hommes ensemble, ensuite, construiraient. Les parents de Patrick habitaient en bordure du Champ-de-Mars. Olivier n'y était jamais entré. Il sonna de la main gauche.

Ce fut André, le secrétaire privé de Mme de Vibier, qui vint lui ouvrir.

Monsieur Patrick n'était pas encore rentré, mais il ne tarderait pas.

André alla prévenir Mme de Vibier qu'un ami de son fils attendait celui-ci au salon. Elle posa son stylo et plia ses lunettes. Elle était en train de corriger le discours qu'elle devait prononcer le surlendemain à Stockholm. Elle demanda à André de téléphoner à Mrs Cooban, à l'UNESCO, pour vérifier les chiffres des récoltes de riz en 64 et 65 en Indonésie, et tâcher d'avoir ceux de 66. Il n'était pas 18 heures, Mrs Cooban devait être encore à son bureau. En tout cas, sa secrétaire. Et qu'il revoie un peu la conclusion. Elle était trop lyrique, pas assez précise. Ce que réclament les congressistes, ce sont des faits. Elle serait de retour mardi par l'avion de 9 heures. Qu'il prépare les réponses au courrier, enfin celles qu'il pourrait, le plus possible, elle n'aurait pas beaucoup de temps, elle repartirait à 17 heures pour Genève et elle avait rendez-vous à 14 heures chez Carita.

— Vous ne verrez pas Monsieur ? demanda André. Il ne rentre que mercredi...

— Nous nous retrouverons dimanche à Londres, dit-elle. Patrick gardera peut-être ce garçon à dîner. Prévenez Mariette. Le mâcon que nous avons bu à midi était plat. C'est le dernier que Fourquet a livré ?

— Oui, madame.

— Téléphonez-lui de le reprendre, je n'en veux pas. S'il n'a rien de mieux en beaujolais, qu'il me donne un petit bordeaux, pas trop fruité, pour tous les jours. Quand je dis un vin courant pour tous les jours, ça ne veut pas dire un vin quelconque !

— Bien, madame. Il a envoyé sa facture du trimestre.

— Il est bien pressé. Qu'il nous donne d'abord satisfaction. Goûtez son bordeaux quand il arrivera.

— Oui, madame.

Elle se leva pour aller voir ce garçon qui attendait son fils. Elle aimait garder contact avec la jeunesse. Avec Patrick, il n'y avait pas de contact possible. Quand elle essayait de lui parler, il la regardait en souriant un tout petit peu, comme si ce qu'elle disait ne pouvait pas avoir d'importance. Il répondait « oui, maman », avec beaucoup de douceur, jusqu'à ce qu'elle cessât de parler, découragée.

Il y avait, presque au milieu du salon, une grande gerbe de roses dans un vase ancien de porcelaine vert pâle, posé à même le sol, sur l'extrémité d'un tapis de Chine, près du clavecin vert pâle peint de guirlandes roses. En entrant, Olivier était allé droit vers les fleurs et s'était penché sur elles, mais au bout de leurs longues tiges, elles ne sentaient rien. Entre les deux fenêtres, qui s'ouvraient sur la Tour et sur Chaillot, il y avait un autre bouquet sur une table basse. Celui-là était de fleurs séchées, de plumets et de palmes, et un oiseau mort aux plumes moirées était posé presque au sommet, les ailes ouvertes comme un papillon.

Olivier s'assit sur un fauteuil vert pâle aux pieds tordus filetés de vieil or, et regarda. Au-dessus du bouquet sec, il y avait un Gauguin avec des filles violettes et pourpres et un cheval jaune, au-dessus du clavecin une baigneuse de Renoir, toute mangée de soleil, et au milieu du panneau qui faisait face aux fenêtres, un grand cardinal rouge, austère, un peu craquelé.

En le regardant, Olivier reconnut les yeux et le nez de Patrick, et quand Mme de Vibier ouvrit la porte, il crut voir entrer le cardinal qui s'était fait couper les cheveux, la barbe et la robe.

Il se leva. Elle venait à lui en souriant et lui tendait la main.

Il sortit vivement de sa canadienne sa main droite qui tenait le pigeon, prit l'oiseau dans sa main gauche et tendit sa main droite vers Mme de Vibier.

Sa main droite était souillée de sang, et dans sa main gauche, le pigeon était mort.

— Ah mon Dieu! dit Mme de Vibier, vous chassez les pigeons!

— Moi? dit Olivier stupéfait.

— Pauvre bête! Quelle horreur!

Mme de Vibier avait ramené sa main vers elle et la serrait sur sa poitrine en regardant le pigeon dont la tête pendait entre le pouce et l'index d'Olivier, le bec ouvert et l'œil voilé.

Olivier se sentit devenir pourpre de confusion et de colère. Comment pouvait-on croire que lui... Ses oreilles brûlaient. Il jeta le pigeon aux pieds du cardinal et traversa le salon en trois pas. Dans l'entrée, il se trompa de porte, ouvrit une penderie, un bureau et l'office, trouva enfin la sortie dissimulée sous un rideau de velours prune, claqua la porte, courut jusqu'au milieu du Champ-de-Mars, courut jusqu'à l'École militaire. L'air glacé lui brûlait les bronches. Il se mit à tousser et s'arrêta.

— Qu'est-ce que tu
voulais qu'elle pense? demanda Patrick. Mets-toi
à sa place...

Il regardait Olivier avec un soupçon de moquerie
et beaucoup d'amitié. Ils étaient assis à la terrasse
du Sélect. Olivier buvait un jus d'orange et Patrick
de l'eau minérale. Patrick ressemblait à sa mère,
en modèle réduit. Il était aussi grand qu'elle, qui
était aussi grande que le grand portrait du cardinal.
Il était réduit dans le sens de l'épaisseur. Il semblait que les dernières réserves de force vitale de
sa race se fussent épuisées à lui construire une char-
pente osseuse étirée en hauteur. Et il n'était rien
resté pour bâtir de la chair autour. Ses cheveux
d'un blond pâle étaient coupés presque ras, avec
une frange très courte en haut du front. Des lunettes
sans monture chevauchaient son grand nez mince,
aigu, un peu cassé et tordu vers la gauche, comme
celui de sa mère et celui du cardinal. A l'endroit
de la cassure, la blancheur de l'os se devinait. Sa
bouche était grande et ses lèvres pâles mais ouvertes,
des lèvres qui aimaient la vie et auraient pu être
gourmandes si elles avaient eu du sang derrière
la peau. Ses oreilles étaient petites et d'une forme
parfaite. Des oreilles de fille, disait sa mère. L'une

était toujours plus rose que l'autre, jamais la même, cela dépendait d'un coup de vent, d'un rayon de soleil, d'une émotion. Quand il souriait, il découvrait des dents très blanches, translucides à leur extrémité. Elles semblaient neuves et fragiles.

Dans toute cette pâleur, cette minceur, cette fragilité, on découvrait tout à coup un élément solide : le regard des yeux bruns, extraordinairement éveillé et présent à la vie.

— Mais qu'est-ce que tu venais faire à la maison ? demanda-t-il.

— Carlo venait juste de me dire que tu partais, je pensais que je pouvais encore te faire changer d'avis...

— Tu sais bien que j'étais décidé depuis longtemps...

— Je croyais que tu blaguais, que tu en parlais comme ça, mais qu'au moment de partir...

— Je pars demain.

— Tu es complètement dingue! Ils sont huit cents millions!...

— Cinq cents!...

— Cinq cents millions, tu trouves que c'est pas assez ? Qu'ils ont encore besoin de toi, *en plus*, pour creuser des puits ?

— Là où je vais, oui...

— Tu parles! Du vent! C'est pas pour eux que tu y vas, c'est pour toi... Tu fous le camp, tu désertes...

Patrick, très calme, regarda Olivier en souriant doucement.

— Tout ce que nous faisons, c'est d'abord pour nous-mêmes. Même Dieu sur la croix. Il n'était pas très content de ce que les hommes étaient devenus. Ça le tourmentait. Il s'est fait clouer pour mettre fin à ce tourment. Il a agonisé un bon coup, mais après il était tranquille...

— Et maintenant, tu crois qu'il est encore tranquille quand il nous regarde du haut de ses nuages, ton barbu ?

Le sourire de Patrick s'effaça.

— Je ne sais pas... je ne crois pas...

Il répéta, presque dans un souffle :

— Je ne crois pas...

Il était devenu très grave. Il murmura :

— Il doit souffrir de nouveau, il doit saigner...

— Me fais pas rigoler, dit Olivier... Tu fous le camp en Inde, tu fous le camp dans les nuages, tu fous toujours le camp, tu nous laisses tomber...

— Vous n'avez pas besoin de moi... Vous avez des tas de types costauds...

— D'accord! Pour casser la baraque, quand on s'y mettra, on n'aura pas besoin de toi, mais pour reconstruire, des types comme toi il y en aura jamais assez... Il faut trouver du nouveau!... Tu as entendu ce que disait Cohen, hier soir, c'est la base qu'il faut réinventer!... L'important, c'est de définir des rapports de l'homme avec...

Patrick se plaqua les mains sur les oreilles. Il grimaçait comme s'il entendait grincer une scie sur du verre.

— Je t'en prie! dit-il... Des mots, des mots, des discours, et encore des discours! J'en suis plein, j'en déborde, ça ne peut plus entrer, ça me sort par les oreilles!

Il soupira et but une gorgée de Vichy.

— Des discours? C'est pas des discours, dit Olivier un peu interloqué. Il faut bien...

— La barbe, dit tranquillement Patrick. Chaque fois que mon père et ma mère sont à la maison, je les entends parler des mesures qu'il *faut* prendre contre la faim dans le monde, des plans qu'il *faut* élaborer pour venir en aide à ceci et à cela... Et quand ils ne sont pas à la maison, c'est qu'ils sont en train de faire des discours sur le même sujet devant leurs comités ou leurs sous-commissions, à Genève, à Bruxelles, à Washington, à Singapour ou à Tokyo, partout où il y a une salle de réunion assez grande pour recevoir les délégués du monde entier, qui ont tous un discours à placer contre la faim! Et toi et tes copains vous êtes pareils! Vous parlez, vous parlez, et vous ne dites rien. Qu'est-ce que c'est, la société de consommation? Un garga-risme! Quatre mots qui vous chatouillent la gorge et la cervelle en passant. Un petit plaisir... Vous vous masturbez avec des mots. Tu en connais, toi, des sociétés qui ne consomment pas? Moi j'en connais... Celle où je vais, par exemple. Les types se couchent par terre et ils ne consomment plus parce qu'il n'y a rien à consommer. Et quand ils ont fini de ne pas consommer, c'est les asticots qui les consomment. Pendant ce temps, on fait des discours partout. Vous parlez, vous parlez, et les crevards crèvent. Ils n'ont même pas la consolation d'entendre qu'on se fait du souci pour eux et qu'on va un jour ou l'autre réinventer les bases de la société. Même si c'est la semaine prochaine, votre révolution, ça ne les concerne pas, ils seront déjà morts...

— Eh bien dis donc! dit Olivier. Toi qui aimes pas les discours!...

— C'est fini, dit Patrick. Je m'en vais. Je m'en vais parce que j'ai honte. Honte pour nous tous. Je vais faire des petits trous dans le sable, comme tu dis. Et même si je ne réussis qu'à en tirer trois gouttes d'eau pour faire pousser un radis pour faire bouffer un type pendant trois secondes, au moins ça sera ça de fait.

ET PUIS EST VENU
le mois de mai. Pendant que l'hiver passait, Jane
a oublié peu à peu le choc terrible qu'elle avait
subi cet après-midi de novembre où le brouillard
noyait la ville comme un fleuve mort. Oublié n'est
pas exact. L'image en noir et blanc, l'instantané
figé, est resté gravé au fond de sa mémoire, mais
elle n'y attache plus d'importance. Il n'y a plus
rien de tragique dans son monde, tout a changé
autour d'elle.

Elle n'est pas retournée habiter dans la maison
de son père. Sa mère est à Liverpool, remariée à un
homme qui possède des bateaux sur toutes les mers.
Jane comprend maintenant pourquoi sa mère a
voulu divorcer. A moins que ce ne soit parce que son
père est resté seul qu'il... Peu importe. Son père est
libre. Sven lui a dit : liberté, amour. Love. Amour
pour toutes les créatures. Dieu est amour. L'homme
doit retrouver la voie de l'amour. Au bout de
l'amour, il trouvera Dieu. Parfois, il lui fait fumer
quelques bouffées de marihuana. Alors elle s'enfonce
de nouveau dans le fleuve de brouillard, mais c'est
un brouillard tiède et rose, dans lequel elle se sent
bien, comme lorsqu'on est sur le point de s'endormir
et qu'on se détache du poids du monde.

Elle habite avec Sven, Karl et Brigit, dans une chambre que Karl a louée. Il y a deux lits pas très larges, un réchaud à gaz et un poêle à pétrole. Sven a peint des fleurs sur les murs. Karl et Brigit sont de Hambourg. Depuis que Sven leur a parlé de Katmandou, ils ont décidé de partir avec lui. Le soir, ils allument le poêle à pétrole et des bougies. Ils n'aiment pas l'électricité. A la flamme d'une bougie, Sven allume une cigarette qu'ils se passent de l'un à l'autre. Elles sont difficiles à trouver, et chères. A Katmandou, on trouve le hachisch au marché, en vente libre, tout naturellement, comme le persil en Europe. Et personne ne vous interdit quoi que ce soit. C'est le pays de Dieu. Liberté, *Love*. Le hachisch n'est pas plus cher que le persil, peut-être moins.

Jour après jour, Jane a senti la carapace de peur, d'égoïsme, d'interdictions, d'obligations, de rancunes, que son éducation et ses relations avec les autres humains avaient cimentée autour d'elle, se fendre, s'écailler, tomber, disparaître entièrement. Elle est délivrée, il lui semble qu'elle est née une deuxième fois, ou plutôt qu'elle vient seulement de naître, dans un monde où les êtres ne se font plus la guerre, mais se tendent les mains avec le sourire de l'amitié.

Sven lui a expliqué : la société qui oblige et qui interdit est mauvaise. Elle rend l'homme malheureux, car l'homme est fait pour être libre, comme un oiseau dans la forêt. Rien n'appartient à personne, tout est à chacun. L'argent qui permet d'accumuler des biens personnels est mauvais. Le travail, qui est une obligation, est mauvais. Il faut quitter cette société, vivre en marge d'elle, ou ailleurs. La combattre est mauvais. La violence est mauvaise car elle crée des vainqueurs et des vaincus, elle remplace d'anciennes contraintes par des obligations nouvelles. Toutes les relations entre humains qui ne sont pas celles de l'amour sont mauvaises. Il faut quitter la société, s'en aller. Quand nous serons assez nombreux à l'avoir quittée, elle s'écroulera d'elle-même.

Sven prend sa guitare et chante. Jane se sent légère, libérée. Elle sait que le monde où elle vivait auparavant est horrible et absurde. Elle est maintenant en dehors de lui. Elle le regarde comme une prison dont elle vient de sortir. Derrière ses portes de fer et ses murs hérissés de verre, les prisonniers continuent de se battre et de se déchirer. Elle a pitié d'eux, elle les aime, mais elle ne peut rien pour eux, il faut qu'ils fassent eux-mêmes l'effort de sortir. Elle peut les appeler et leur tendre les mains, elle ne peut pas briser les portes. Elle, maintenant, est dehors au soleil, dans la paix, avec ses amis, dans l'amour. Ils ont jeté les armures et les armes, ils sont nus, ils sont libres.

La cigarette passe de l'un à l'autre. Sven chante le nom de Dieu. *God. Love.* Dehors il y a du brouillard ou pas, c'est sans importance. Dans la chambre, il y a la lumière d'or des bougies. L'odeur de la marihuana se mélange à celle de la cire et du pétrole. Ils sont délivrés. Ils font l'amour, un peu, comme un rêve. *Love.*

POUR FRANCHIR LES

frontières, Jane a besoin de son passeport et de la signature de son père. Elle est retournée le voir et lui a annoncé son départ. La police avait ramené la voiture le lendemain du brouillard. Il n'avait pas parlé de la disparition de sa fille, à cause du scandale. Il s'était adressé à une agence privée, sérieuse, qui lui avait très rapidement donné des nouvelles.

Il est médecin. Il a reconnu la marihuana dans les yeux de Jane. Inquiet, il a tendu la main vers elle, l'a posée sur son bras. Jane lui a souri. Il lui a semblé que ce sourire lui parvenait d'une distance incroyable, à travers des années d'épaisseur de vide. Il a retiré sa main.

C'est un long et dangereux voyage qu'elle a commencé. Il le sait. Mais il ne peut rien faire, rien lui dire, il a perdu le droit d'interdire ou de conseiller. Il lui propose de l'argent, elle le refuse. Ils se regardent quelques instants, puis il dit *good luck*... Elle le regarde, elle ouvre la bouche pour parler, elle ne dit rien, elle sort.

Ils sont partis tous les quatre serrés dans la voiture couleur citron. A Milan, ils n'avaient plus d'argent. Jane a vendu sa voiture et sa bague, et Brigit son collier d'or. Cela leur a donné de quoi payer quatre billets d'avion pour Bombay. Sven désirait traverser l'Inde avant d'arriver au Népal, mais au consulat on leur a refusé le visa s'ils ne présentaient pas leur billet de retour. L'Inde n'a pas les moyens d'accueillir et de garder des bouches inutiles. Ils ont changé deux allers contre deux retours, et avec les lires qui leur restaient, acheté une moto d'occasion et un petit paquet de dollars qu'ils ont partagé en deux.

Karl et Brigit ont accompagné Sven et Jane à l'aérodrome. Ils ont regardé l'avion décoller, monter vers le ciel en s'appuyant sur quatre piliers de fumée grise, tourner comme un pigeon voyageur pour chercher l'appel de l'Orient, puis disparaître vers l'horizon d'où chaque matin arrive le soleil.

Karl est remonté sur la moto, Brigit s'est assise derrière lui, il a mis le moteur en marche d'une détente joyeuse du jarret, il lui a fait cracher tout son bruit et sa fumée en signe de joyeux départ, puis il l'a calmée, et ils ont démarré doucement vers l'est, la Yougoslavie, la Grèce, la Turquie, l'Iran, l'Afghànistàn, le Pàkhistàn. l'Inde, le Népal, Katmandou...

C'était un merveilleux voyage, ils étaient libres, le temps ne comptait pas, il leur restait assez de dollars pour acheter de l'essence jusqu'au bout. Pour manger, on verrait. Et pour coucher, il y a toujours de la place sous le ciel.

La moto était rouge, Karl était roux. Ses cheveux lui tombaient en boucles épaisses jusqu'aux épaules, comme une perruque de grand seigneur du XVIIe siècle. Sa barbe et sa moustache flambaient autour de son visage. Toute sa tête était comme un soleil.

Il avait des lèvres épaisses et très roses et de grands yeux couleur de feuille de menthe, brillants de gaieté. Pour rouler, il avait acheté des lunettes bleues, larges comme des hublots, et pour empêcher ses cheveux de lui revenir dans le visage, noué autour de sa tête un cordon de soie verte dont les pompons lui pendaient sur la nuque. Il portait un pantalon à rayures verticales multicolores et une chemise rouille imprimée de tournesols. Brigit se tenait appuyée contre son large dos, les bras serrés autour de sa taille. Elle était un peu endormie. Elle fumait la marihuana dès le matin. Elle portait un blue-jean et un polo de coton bleu délavé, avec un long collier de perles de bois d'olivier. Elle était très mince. Ses cheveux noirs étaient coupés court, sans forme. Elle les entretenait elle-même avec des ciseaux.

Leur voyage s'acheva alors qu'ils avaient à peine franchi la moitié du chemin. Ils avaient, depuis plusieurs jours, après de nombreuses pannes et des difficultés de plus en plus grandes pour se ravitailler en essence, abandonné la moto aux pneus définitivement éventrés par les cailloux de la route. Ils continuaient à pied, parfois recueillis par un camion ou une voiture d'avant le déluge, la plupart du temps seuls sur la route interminable, entre un pauvre village et un autre village misérable, exténués par le manque de drogue et de nourriture, écrasés de soleil, brûlés de soif et de poussière.

Ce jour-là, ils avaient marché pendant des heures sans voir un être humain ou un animal, à part les mouches, qui les suivaient et les harcelaient, surgies semblait-il du néant. Des taons énormes tournaient autour d'eux, dans l'odeur de leur sueur, attendant un instant d'inattention pour se poser

sur un coin de peau nue et y planter leur trépan.
De part et d'autre de la route s'étendait un paysage
de collines rouges sculptées par l'érosion de l'eau et
du vent, sans un arbre, sans un brin d'herbe, se
chevauchant jusqu'à l'horizon et au-delà, dans une
désolation calcinée.

Le soleil baissait derrière eux, projetant devant
leurs pas une ombre de plus en plus longue que per-
çaient les éclats blancs des cailloux. Ils continuaient
d'avancer malgré leur fatigue, dans l'espoir de trouver
avant la nuit un village avec de l'eau et peut-être de
quoi manger. Chacun portait tout ce qu'il possédait
dans un petit sac cylindrique balancé dans le dos
autour de la corde qui le fermait. Celui de Brigit
était de toile blanche et celui de Karl bouton d'or,
rendus pareils par la poussière rousse que la sueur
de leur dos transformait en mastic.

Karl entendit le premier le bruit du moteur. Il
s'arrêta et se retourna. Empourpré par l'énorme
boule du soleil déclinant, un nuage de poussière
venait vers eux du fond de la route. Ensuite ils
virent le camion. Dès que celui-ci arriva à proximité,
Karl fit de grands gestes et le camion s'arrêta à leur
hauteur. C'était un ancien camion militaire allemand, qui semblait avoir traversé trente guerres.
Le pare-brise était fendu et les portes de la cabine
manquaient. Un géant au crâne rasé et à la peau
presque noire tenait le volant. Il regardait Karl et
Brigit en riant sous son énorme moustache. Deux
autres hommes assis à côté de lui riaient et plai-
santaient en criant presque. Sur le plateau, il y
avait un chargement de briques, et une dizaine
d'hommes assis ou debout. Les uns étaient vêtus
de loques européennes, d'autres du costume local,
tous couverts de la même poussière. En riant, ils

leur firent signe de monter. Le plateau était haut.
Karl poussa Brigit qui n'avait plus de forces. Un
moustachu la prit par les poignets et la souleva
comme une plume. Karl se hissa à son tour. Le
camion repartit. Un homme fit asseoir Brigit sur
des briques, devant lui. Quand elle fut assise, en
riant, il lui mit les mains sur les seins. Elle le frappa
pour le faire lâcher prise. Il se baissa, prit le polo
de coton par le bas, le souleva avec violence et le lui
arracha par-dessus la tête, l'obligeant à lever les bras
sans qu'elle pût résister. Un autre déjà déchirait
les bretelles de son soutien-gorge. Karl se jeta sur
eux. Un homme le frappa à la tête avec une brique.
La brique se cassa, Karl tomba. Ils couchèrent
Brigit sur les briques. Elle se débattit encore pendant qu'ils lui ôtaient son blue-jean. La vue de son
petit slip bleu pâle les fit rire énormément. Ils lui
tinrent les bras et les jambes et elle ne bougea plus.
Le premier en eut très vite fini avec elle. Le poids de
l'homme l'écrasait contre les briques. Au quatrième,
elle s'évanouit. Le chauffeur arrêta son camion et
vint avec ses deux compagnons rejoindre les hommes
du plateau. Le soleil se couchait. Le ciel à l'ouest
était rouge comme une forge, et presque noir à
l'autre horizon où brillait déjà une énorme étoile.
Le chauffeur n'eut pas la patience d'attendre son
tour. Il saisit Karl, inconscient, dont le sang coulait
dans les cheveux rouges, et le jeta sur la route. Il
lui arracha son pantalon et son slip et entreprit de
se satisfaire avec lui. Deux autres l'avaient suivi
et regardaient en riant, dont un vieux à barbe
blanche, coiffé d'un turban crasseux. La douleur
ranima Karl qui cria. Le vieux lui mit son pied nu
sur la bouche. Le dessous de son pied était dur
comme de la pierre crevassée. Karl tourna sa tête

fendue, dégagea sa bouche, cria et se débattit. Le
vieux se baissa et lui planta son couteau dans la
gorge. C'était un couteau qu'il avait fait lui-même.
La lame en était large, longue et courbe, et des
incrustations de cuivre ornaient son manche d'os
blanc. C'était un bel objet d'artisanat, qui aurait
fait la joie d'un touriste.

Quand ils se furent tous satisfaits, même le vieux,
soit avec elle soit avec lui, ou avec les deux, ils
cassèrent la tête de Brigit avec une brique et traî-
nèrent les deux corps nus derrière un monticule.
Ils prirent la bague de Karl, le collier et le bra-
celet de Brigit, et emportèrent tous leurs vêtements.

L'horizon était sombre et brûlant comme un
charbon qui s'éteint, avec un ourlet de feu qui faisait briller du même reflet rouge sur les deux corps
pâles le sperme et le sang répandus.

Un chien sauvage, impatient, fou de faim, hurlait
derrière les collines. D'autres voix lui répondirent
du fond de la nuit qui venait.

Le camion repartit en crachant et grinçant de
tous ses joints. Sur le plateau, ils vidaient en jacassant le sac jaune et le sac blanc et se disputaient
leur contenu. Le vieux passa à son cou le collier de
bois d'olivier. Il riait. Sa bouche était un trou noir.
Le chauffeur alluma le phare, celui de gauche. Celui
de droite n'existait plus.

LE MIEUX ÉTAIT DE descendre à la station Odéon, mais la police l'avait déjà probablement fermée. La rame pourtant s'arrêta. Il n'y avait personne sur le quai. Nous fûmes trois à descendre. Les deux autres étaient une vieille femme qui portait un cabas usé et parlait toute seule à voix basse, le regard perdu, et un grand nègre très maigre, vêtu d'un pantalon bois de rose et d'une veste verdâtre qui flottait autour de lui. Chaussé d'immenses souliers jaunes pointus, il marchait nonchalamment à grandes enjambées molles. J'arrivai avant lui à l'escalier. La vieille femme, derrière, raclait le ciment râpeux de ses pantoufles usées. Les grilles étaient normalement ouvertes. Je sortis sans difficultés.

C'était le lundi 6 mai 1968, celui que les journaux du lendemain allaient nommer « le lundi rouge » parce qu'ils ignoraient que d'autres jours, plus rouges encore, allaient lui succéder. Les étudiants qui depuis des semaines démolissaient les structures de la Faculté de Nanterre avaient annoncé le samedi précédent qu'ils viendraient manifester aujourd'hui devant la

Sorbonne. C'était comme s'ils avaient annoncé qu'ils allaient allumer un feu de camp dans un grenier à foin. Toute la maison risquait de flamber. Ils le savaient. C'était sans doute ce qu'ils désiraient. Brûler la baraque. Les cendres, paraît-il, sont un bon engrais pour les récoltes nouvelles.

On a rarement l'occasion d'apprendre par la presse, la radio et la télévision, qu'une révolution commencera lundi à deux heures de l'après-midi, entre la place Maubert et Saint-Germain-des-Prés.

Je suis dévoré par une curiosité qui ne sera jamais satisfaite, je voudrais tout savoir et tout voir. Et par une anxiété perpétuelle concernant le sort de ceux et de ce que j'aime. Et j'aime tout. Je ne pouvais pas ne pas être là ce lundi après-midi. J'avais laissé ma voiture aux Invalides et pris le métro. La station Odéon était ouverte. Je sortis.

Je surgis de terre dans l'insolite. Le boulevard Saint-Germain était vide. Le flot des voitures avait totalement disparu, laissant à nu le fond du fleuve. Quelques garçons et filles s'agitaient, se déplaçaient rapidement sur le bitume, comme des poissons à la recherche d'une flaque. A l'ouest, une foule assez clairsemée d'étudiants qui étaient, eux aussi, « venus voir », occupait le carrefour Mabillon et celui de la rue de Seine. Ils parlaient par petits groupes, ils bougeaient à peine. Ils ne s'étaient pas encore engagés dans l'événement. A l'est, un mince cordon de policiers casqués barraient la chaussée un peu avant le carrefour Saint-Michel et semblaient attendre que l'événement se précisât. A mi-chemin entre eux et la foule, le boulevard était coupé par une esquisse dérisoire de barricade, composée de quelques panneaux de bois posés à plat sur la chaussée, de cageots, de poubelles et de deux ou trois caisses. Une centaine d'étudiants s'agitaient autour d'elle comme des fourmis qui viennent de découvrir le mince cadavre d'une libellule et veulent le faire savoir à la fourmilière entière. Sur la plus haute caisse, Olivier était debout.

En sortant du métro, je sentis que je pénétrais dans un instant fragile, bref et tendu, comme lorsque le percuteur a frappé l'amorce et que le coup n'est pas parti. On ne sait pas si la cartouche est mauvaise ou si le fusil va éclater. On le regarde et on attend, en silence.

C'était un grand silence, malgré les explosions sourdes qu'on entendait du côté de la place Maubert, et les traînées de cris qui se déchiraient le long du boulevard et s'enflaient parfois en clameurs ou en slogans scandés. Rien de cela ne parvenait à emplir le vide laissé par l'énorme absence du flot et du bruit des voitures. C'était comme la disparition soudaine de la mer au ras du rivage. Quelque chose allait venir et s'installer dans ce vide. C'était inévitable, physique, cosmique. Il y avait un trou dans l'univers des habitudes, quelque chose allait le combler, personne encore ne savait quoi.

Autour du schéma de la barricade, l'agitation croissait. Les étudiants arrachaient à la chaussée des fragments de bitume et les lançaient aux policiers qui les leur renvoyaient. Quelques garçons parfois franchissaient la barricade, couraient pour donner de l'élan à leur projectile et sau-

taient en le lançant accompagné d'injures.
C'était une sorte de danse vive et légère, ces
garçons étaient jeunes et sans poids, tout en mouvements vifs, en grands gestes de tout leur corps
vers le haut. La foule du carrefour de la rue de
Seine s'épaississait rapidement et se mettait à
bouger. Des groupes rejoignaient en courant la
barricade et la dépassaient, lançant des morceaux
de bois, des fragments d'asphalte, et poussant
de plus en plus fort leurs cris de défi.

Les policiers ripostèrent par quelques grenades
lacrymogènes, qui éclatèrent avec un bruit mou,
libérant au ras du sol des jets tourbillonnants de
fumée blanche. Les assaillants refluèrent en
courant pour éviter leurs effets immédiats, puis
repartirent à l'assaut, provoquant une nouvelle
chute de grenades. Ils refluèrent de nouveau,
puis recommencèrent.

Il y avait encore à ce moment-là dans l'action
engagée quelque chose de joyeux et d'allègre.
Ce fut un moment très court, comme celui qui
prélude aux grands orages, quand, sous un ciel
encore bleu, les coups de vent brusques troussent
les branches et leur arrachent déjà des feuilles.
Si on tourne le dos à l'horizon où s'entassent
les ténèbres et la fournaise, on ne voit que les
gestes des arbres que le vent invite à se libérer de
l'esclavage de leurs racines, et qui craquent et
gémissent dans leurs efforts pour s'envoler.

Pour toute la jeunesse de Paris, c'était une
énorme récréation qui avait interrompu les disci-
plines et les devoirs. Ces deux camps face à face,
ces courses aller-retour sur la grande chaussée
vide me faisaient penser au vieux jeu de « barres »
dont il est déjà question dans les romans de la

Table Ronde et qu'on jouait encore dans les cours des collèges lorsque j'étais élève ou pion. Une grenade éclata à quelques pas de moi. L'acidité lacrymogène me viola les narines. Je me mis à pleurer, mais je cessai tout à coup d'être specta-teur absent, comme au cinéma, pour devenir témoin.

Avec une sorte d'alacrité, débarrassé du poids des règles et des ans, je me mêlai aux gar-çons et aux filles qui fluaient et refluaient sur le grand terrain de ce jeu sans arbitre et sans lois. Ils couraient dans un sens puis dans un autre, passaient de chaque côté de moi sans me voir, comme l'eau de la marée montante et retombante autour d'une barque pleine de sable. Une vieille dame effarée, un peu grosse, un peu bête, avait choisi ce moment pour promener son chien, un fox noir et blanc. Un garçon se prit les pieds dans la laisse, fit tomber la femme, projeta au loin le chien hurlant sans voir ni lui ni sa maîtresse. Elle était par terre, ahurie, tremblante, elle avait perdu une chaussure, son talon saignait, elle avait peur, elle ne comprenait rien. Ils couraient autour d'elle, autour de moi, ils ne nous voyaient pas, nous n'étions pas dans les dimensions de leur univers.

Debout sur la plus haute caisse au milieu de l'embryon de barricade, Olivier faisait des gestes et criait. Un mouchoir pressé sur mon nez, les joues mouillées de larmes, je m'approchai pour voir et savoir ce qu'il disait.

Il portait sa canadienne de velours marron, dans le dos de laquelle flottait le pan d'une écharpe capucine qui lui enveloppait le cou. C'était sa grand-mère qui la lui avait tricotée. Elle avait insisté ce matin pour qu'il la prît, parce qu'il toussait un peu et se plaignait de la gorge.

Ses cheveux lisses, fins, couleur de soie sauvage, coulaient jusqu'au bas de ses joues dont ils cachaient en partie le creux juvénile. Sa peau était mate, comme hâlée, mais blêmie en dessous par une longue fatigue. Entre ses cils noirs, si épais qu'ils semblaient fardés, ses yeux avaient la couleur claire des noisettes mûres tombées dans l'herbe et que la rosée et le soleil du matin font briller.

Le bras droit dressé, il criait à ses camarades de quitter ces lieux où leur action était inutile et d'aller se joindre au défilé de Denfert-Rochereau. Mais ils n'entendaient plus rien que le battement de leur propre sang. Ils commençaient à jouir de leurs mouvements et de leurs cris. Les va-et-vient de leur masse de plus en plus dense les excitaient de plus en plus. Leurs attaques devenaient plus dures, plus rapides, s'enfonçaient plus loin dans le boulevard. De la pointe de leur violence jaillissaient maintenant des pavés et des débris de fonte.

En face d'eux, le cordon de police était devenu un bouchon compact. Coude à coude, dos contre poitrine, sur vingt mètres d'épaisseur, casqués, vêtus de cirés qui brillaient comme sous la pluie, les policiers constituaient une masse effrayante de silence et d'immobilité. Derrière eux se rangeaient lentement des cars aux fenêtres grillagées, roue dans roue, côte à côte, d'un trottoir à l'autre et sur plusieurs épaisseurs. Quand tout fut prêt, cela se mit en mouvement avec une lenteur écrasante, comme un de ces monstrueux reptiles du secondaire dont les déplacements nivelaient le sol et faisaient déborder les étangs. La bête projetait devant elle de lourdes trompes d'eau, qui nettoyaient les trottoirs, renversaient et catapultaient les panneaux, les poubelles et les hommes, faisaient éclater les fenêtres, noyaient les appartements. Les grenades lacrymogènes roulaient et explosaient partout. Dans le crépuscule qui venait, leurs rubans de fumée paraissaient plus blancs. Les étudiants avaient fui rapidement dans toutes les petites rues. Des groupes de policiers les poursuivaient. Rue des Quatre-Vents, un clochard qui dormait sur le tas de sable d'un chantier se réveilla brusquement. C'était un ancien légionnaire, encore costaud, perdu de nostalgie et de vin. Il se leva et vit des uniformes monter à l'assaut, il se mit au garde-à-vous et salua.

Au coin de la rue de Seine, une pluie de pavés arrêta les policiers qui arrivaient. Ils noyèrent la rue sous un flot de grenades. Un brouillard blanc monta jusqu'aux étages. De grands nuages gris roulaient au-dessus des toits. Une motocyclette pétaradait, portant deux journalistes masqués de blanc, coiffés d'énormes casques jaunes imprimés du nom de leur agence. Celui qui conduisait reçut un pavé dans les côtes, tandis qu'une grenade éclatait sous sa roue avant. La moto s'écrasa sur le trottoir devant la devanture d'un chemisier. Celui-ci avait déjà tiré sa grille. Hagard, il essayait de distinguer à travers la vitre ce qui arrivait dans la fumée. C'était le commencement de la fin de son monde. Il s'efforçait de sauver ses chemises. Il les ôtait rapidement de la vitrine, il les passait à sa femme, qui les cachait dans des tiroirs.

A CINQ HEURES DU matin, Mme Muret, emportant son transistor, descendit l'escalier de son petit logement, traversa les deux cours pavées du vieil immeuble, sortit et s'arrêta sur le trottoir. Elle regarda à gauche et à droite, espérant voir surgir la grande silhouette d'Olivier, avec son écharpe autour du cou. Mais la rue du Cherche-Midi était vide. C'était la fin de la nuit, la lumière des lampadaires devenait blême et semblait exténuée. L'air avait une odeur acide qui lui fit cligner les yeux comme lorsqu'elle épluchait des oignons. Le transistor chantonnait. Elle s'assit sur la borne de pierre au coin de la porte cochère. Ses jambes n'en pouvaient plus. Une 2 CV passa, pressée, bruyante, comme un insecte. Il n'y avait qu'une personne à l'intérieur. Elle ne put pas voir si c'était un homme ou une femme.

Elle avait tout entendu sur son transistor, les barricades, les voitures brûlées, les batailles entre les étudiants et la police. Et par sa fenêtre elle avait entendu des explosions, sans arrêt, là-bas, du côté de la rue de Rennes, les pin-pon pin-pon des cars de police qui tournaient dans tout le quartier, et les avertisseurs des ambulances, à toute vitesse.

Chaque fois son cœur s'arrêtait. Olivier, mon petit, mon grand, mon nourrisson, c'est pas possible, c'est pas toi qu'ils emportent ? Dès qu'il est sorti de la maternité, elle l'a pris dans ses bras et elle l'a toujours gardé. Il avait quelques jours ; maintenant il a vingt ans. Parfois, quand il était petit, sa mère passait, le prenait, l'emportait une semaine ou deux sur la Côte d'Azur ou à Saint-Moritz, ou Dieu sait où. Elle le lui rendait enrhumé, amaigri, les yeux battus, émerveillé, plein d'histoires qu'il ne parvenait pas à raconter jusqu'au bout. Il s'éveillait la nuit en criant, le jour il rêvait, il lui fallait très longtemps pour retrouver son calme.

A mesure qu'il grandit, sa mère trouva de plus en plus de raisons pour ne pas l'emmener. Olivier attendait toujours de reprendre à ses côtés ses rêves interrompus, mais elle passait rapidement, l'embrassait, lui disait « la prochaine fois, bientôt », le quittait en lui laissant un vêtement de luxe trop grand ou trop petit, que la grand-mère ensuite allait échanger, ou un jouet qui n'était pas de son âge. Elle ne savait pas ce qu'est un enfant, un garçon, un jeune homme. Après chacune de ses visites éclair, qui laissait dans le petit logement de la rue du Cherche-Midi un parfum long à se faire oublier, Olivier restait sombre, rageur, coléreux, pendant des jours ou des semaines. Elle apportait parfois des paquets de revues, de tous les pays, pleines de photos d'elle en couleurs. Il y en avait même du Japon, de l'Inde, avec des caractères étranges qui ressemblaient à des dessins. Olivier en avait tapissé le mur de sa chambre au-dessus de son lit. Certaines en pleine page telles que le magazine les avait publiées, d'autres en gros plans, soigneusement découpées avec les vieux ciseaux à broder de sa grand-mère, et recollées sur des papiers à dessin crème, bleu, vert ou anthracite.

Tous ces visages dissemblables de sa mère, avec ou sans chapeau, avec des cheveux longs ou courts, plats ou bouclés, noirs, blonds ou roux, ou même argent, avec une bouche pâle ou saignante, avaient un trait commun : les yeux bleu pâle, très grands, et qui semblaient toujours étonnés et un peu effrayés, comme ceux d'une fillette qui découvre la mer. La foule des visages montait jusqu'au plafond de la petite chambre d'Olivier. C'était comme un ciel où toutes les étoiles auraient eu le regard de sa mère. Dans une grande enveloppe commerciale, au fond du tiroir de la vieille table qui lui servait de bureau, sous des cahiers et des notes de cours, il gardait celles de ses photos où elle était presque nue.

Le jour de son dix-septième anniversaire, elle lui offrit une pipe et un paquet de tabac hollandais. La grand-mère avait fait faire un moka chez le pâtissier de la rue de Rennes. Il lui avait promis de n'y mettre que du beurre, c'était une vieille cliente, il fallait lui faire plaisir. Mais il l'avait fait à la margarine, comme d'habitude, avec un soupçon de beurre pour donner l'arôme. On a le droit, on peut écrire sur la devanture « Pâtisserie au beurre » du moment qu'on en met un peu, c'est légal. Le plaisir des clients, c'est ce qu'ils croient, si on faisait rien qu'au beurre, ils apprécieraient même pas. La grand-mère avait dressé la petite table ronde de la cuisine avec la nappe blanche brodée, et trois assiettes à filets dorés, et les vieux couverts d'argent. Elle avait acheté une bouteille de champagne à Prisunic et planté sur le moka dix-sept petites bougies bleues. Sur le réchaud à gaz, dans la coquelle de fonte, un beau poulet finissait de se dorer au milieu de pommes

de terre nouvelles et de gousses d'ail. C'était une
recette qu'elle tenait de Mme Seigneur, qui était
d'Avignon. Les gousses d'ail cuites de cette façon dans
le jus, on n'imaginerait pas comme c'est bon,
comme c'est doux. De la moelle.

Olivier, qui guettait à la fenêtre, vit une petite
Austin rouge franchir le portail entre les deux cours,
virer presque sur place, reculer jusqu'à la porte de
l'escalier et s'arrêter pile. Sa mère en sortit. Elle
était vêtue d'un tailleur de cuir vert d'eau à la jupe
très courte, avec un léger chemisier bleu et un long
collier de jade. Ses cheveux, ce jour-là, étaient blond
pâle et lisses comme ceux de son fils. Elle plongea
le buste dans la voiture et se redressa en étreignant
à deux bras un pot enveloppé de papier d'argent,
d'où s'élançait une énorme azalée rose. A son index
pendait un petit paquet bleu au bout d'un fil
havane, et, à son coude, son sac de cuir vert, un peu
plus foncé que son tailleur.

Le visage enfoui dans les fleurs, elle chercha du
pied l'entrée de l'escalier. Elle était comique,
embarrassée, et ravissante. Olivier, heureux, dévala
les marches pour venir l'aider. La grand-mère reçut
l'azalée en hochant la tête. Où c'est qu'elle allait
bien pouvoir la mettre? Elle fit le tour des deux
chambres et revint dans la cuisine avec la plante.
Elle était trop grande et ne tenait nulle part. Finalement, elle la posa dans l'évier. Elle montait bien
plus haut que le robinet, jusqu'à la moitié du
garde-manger. Elle débordait jusqu'au dossier de
la chaise d'Olivier. Elle gênerait partout, on pourrait plus bouger, on pourrait pas la garder. Elle
demanderait à Mme Seigneur de la lui prendre dans
sa salle à manger. Mais comment faire pour la porter
jusque là-bas? Dans l'autobus, on la laisserait pas

monter. Il faudrait un taxi. Ça allait lui coûter le prix d'une heure de travail... Ah décidément, elle était bien gentille, mais elle pensait à rien, comme toujours.

Olivier s'était assis pour ouvrir son paquet. Effaré, il regardait la blague en peau de gazelle à coins d'or, la pipe à fourneau d'écume enrobé de cuir, à tuyau d'ambre. Il s'efforça de sourire avant de relever la tête pour regarder sa mère. Il lui avait pourtant écrit au début du trimestre qu'avec Patrick et Carlo, ils avaient décidé de ne jamais fumer tant qu'il y aurait dans le monde des hommes que le prix d'une cigarette aurait pu empêcher de mourir de faim. Chacun d'eux s'était engagé en face des deux autres. C'était un engagement solennel, presque un vœu. Cette décision avait eu une grande importance pour Olivier, il en avait fait part à sa mère et lui en avait exposé les motifs dans une longue lettre. L'avait-elle déjà oublié ? Peut-être ne lisait-elle pas ses lettres... Elle n'envoyait que des cartes postales... Peut-être ne l'avait-elle jamais reçue... Son courrier devait lui courir après à travers le monde...

Il se tourna vers elle, elle était penchée vers le réchaud à gaz, humait le parfum qui montait de la coquelle.

— Oh! un poulet cocotte!

On aurait dit qu'elle découvrait un mets rarissime, une merveille comme on n'a jamais l'occasion d'en manger.

— Qu'il sent bon! Quel dommage! Je prends l'avion à deux heures quinze... Il faut que je file, j'ai à peine le temps. Pourvu qu'il y ait pas de bouchon d'ici la porte d'Orléans!

Elle les embrassa rapidement, promit de revenir

bientôt les voir, engagea Olivier à « être sage »,
descendit vivement l'escalier, tap-tap-tap-tap, leva
la tête vers la fenêtre, leur fit un sourire et un signe
de la main avant de s'engouffrer dans l'Austin
rouge qui vrombit, cria, démarra en trombe et
disparut sous le porche de la première cour.

C'était un vieil immeuble divisé en deux parties.
Celle qui entourait la première cour avait quatre
étages. Elle était principalement occupée, jusqu'en
1914, par des familles d'officiers. Le dernier général
était mort à temps, juste avant la guerre. La
deuxième cour était entourée par les écuries et les
remises de voitures, surmontées des chambres des
cochers et des ordonnances. Les écuries servaient
maintenant de dépôts ou d'ateliers aux artisans du
quartier, et les chambres avaient été réunies par
deux ou trois, pour composer des logements bon
marché. Il y avait quatre montées d'escalier. Entre
les deux du fond subsistait la fontaine avec son
auge de pierre où venaient boire les chevaux, et
son énorme robinet de cuivre d'où ne coulait plus
rien.

Olivier resta un moment immobile, les dents
serrées, les muscles des mâchoires crispés, fixant
le porche sombre où la petite voiture couleur de
coquelicot s'était enfoncée et avait disparu.

Sa grand-mère, un peu en retrait, le regardait
avec inquiétude, sans rien dire. Elle savait que dans
de tels moments il vaut mieux ne rien dire, on est
toujours maladroit, on croit apaiser et on blesse.
Le bruit du moteur de la petite voiture s'était perdu
dans la rumeur lointaine du quartier. Les bruits
de la rue ne parvenaient au fond de la deuxième
cour que comme un grondement assourdi et un peu
monotone qu'on finissait par ne plus entendre. Il

était rare de trouver tant de calme dans un quartier aussi vivant. C'était ce qui avait décidé M. Palairac, qui avait sa boucherie sur la façade, à acheter toute l'aile gauche. Il s'y était fait installer un appartement moderne, éclairé au néon, en indirect dans les corniches du plafond. Il utilisait ses écuries pour garer sa camionnette et ses deux voitures. Celle du fond lui servait à entreposer dans des paniers de fer les os et les déchets qu'un camion anonyme venait ramasser tous les mardis. Palairac disait que ça servait à fabriquer des engrais, mais des gens du quartier prétendaient que c'était le camion d'une usine de margarine, d'autres d'une fabrique de « bouillons » en comprimés. L'hiver, ça ne gênait pas, mais dès que les chaleurs commençaient, ce coin de la cour sentait le sang pourri, et l'odeur attirait de grosses mouches noires dans tous les appartements.

Olivier se détourna de la fenêtre, revint lentement vers la table, poussa la chaise pour pouvoir passer sans bousculer l'azalée, s'arrêta et regarda son assiette. La pipe rare et la blague de luxe y reposaient sur le papier déplié qui les avait enveloppées. Le ruban havane pendait sur la nappe blanche. Il portait en lettres plus foncées, ton sur ton, le nom du magasin qui avait vendu les deux objets. Olivier replia le papier autour d'eux et les tendit à sa grand-mère.

— Tiens, tu te feras rembourser. Tu auras de quoi t'acheter un manteau pour l'hiver prochain...

Il entra dans sa chambre, ôta ses chaussures, monta sur son lit et, en commençant par le haut, se mit à ôter du mur les portraits de sa mère. Certains étaient fixés avec du scotch, d'autres avec des punaises. S'ils ne venaient pas facilement, il tirait et déchirait. Quand il eut terminé, il revint dans la cuisine, tenant entre les deux mains, à plat, la liasse de photos. Il ouvrit avec le pied la porte du placard à poubelle, sous l'évier, et se baissa au-dessous de l'azalée.

— Olivier! dit sa grand-mère.

Il interrompit son geste, eut un instant d'immobilité, puis se redressa et regarda autour de lui, cherchant un endroit où poser ce qu'il tenait entre les mains et ne voulait plus voir.

— Donne-moi ça, dit sa grand-mère. Il faut quand même pas... Elle fait ce qu'elle peut... Si tu crois que c'est facile, la vie...

Elle alla porter les photos dans sa chambre. Elle ne savait pas où les mettre. Elle trouverait bien une place dans l'armoire. En attendant, elle les posa sur le marbre de sa table de nuit, sous le transistor. Elle ne le faisait pas marcher quand Olivier était là, ça l'énervait. D'ailleurs, quand il était là elle n'avait pas besoin de musique.

Le transistor an-
nonça que tout était fini, les derniers manifes-
tants dispersés, les incendies éteints, et les barricades en cours de déblaiement. Olivier n'était pas
rentré. Elle eut la certitude qu'il avait été blessé
et emmené à l'hôpital. L'angoisse lui écrasa le
cœur. Elle sentit la borne de pierre fondre sous elle
et le mur basculer derrière son dos. Elle ferma les
yeux très fort et secoua la tête. Il fallait tenir bon,
aller au commissariat, se renseigner. Au moment
où elle se levait, elle entendit la pétarade de la moto
de Robert, le commis de Palairac. C'était lui qui
arrivait le premier, le matin, il avait la clef de la
boutique, il commençait la mise en place. Il était
entré chez Palairac en 1946, il avait cinquante-
deux ans, il connaissait les clientes mieux que le
patron.

Il arrêta son moteur et descendit de moto. Il
vit Mme Muret passer à côté de lui comme un fantôme. Il l'arrêta du bras.

— Où c'est qu'on va comme ça ? Qu'est-ce qui
vous arrive ?

— Olivier est pas rentré. Je vais au commissariat. Il lui est sûrement arrivé quelque chose.

— Pensez-vous! Ils ont fait une belle mayonnaise, cette nuit, avec ses copains!... Ils doivent être en train d'arroser ça!

— Il boit pas! Même pas de la bière!

— Ils l'arrosent au jus de fruits, c'est leur vice... C'est pas la peine d'aller au quart, on va leur téléphoner, attendez une minute, je vais ouvrir la grille, vous téléphonerez de la caisse.

Il poussa sa moto dans la cour. Il était grand et sec, avec des bras durs comme du fer. Au moment de téléphoner, il dit qu'il avait réfléchi, il valait peut-être mieux pas. C'était pas la peine de donner le nom d'Olivier à la police, ils risquaient de le mettre sur leur liste. Une fois qu'on est sur une liste, c'est pour la vie.

— Oh mon Dieu! dit Mme Muret.

Elle aurait voulu s'asseoir, il n'y avait pas de chaise dans la boutique, sauf celle de la caissière, qui était encastrée. Robert voulut la raccompagner chez elle, elle dit qu'elle aimait mieux rester en bas, dans son logement elle devenait folle. Elle retourna s'asseoir sur la borne. Le transistor avait repris la chansonnette. Toute la nuit il n'avait joué que de la musique. S'il recommençait les chansons, c'est que ça allait mieux.

Olivier rentra à sept heures moins le quart. Il était harassé et radieux. Il avait une traînée noire sur la joue droite et sur le devant de sa canadienne. Il s'étonna de trouver sa grand-mère en bas. Il l'embrassa et la gronda doucement. Il l'aida à remonter l'escalier, en la rassurant, elle ne devait pas avoir peur, ils étaient les plus forts, quand ils recommenceraient, tout le peuple de Paris les suivrait et le régime s'écroulerait. Alors on pourrait reconstruire. Et cette fois, ils ne se laisseraient pas posséder par les politiciens, qu'ils soient de gauche ou de droite.

Le cœur de Mme Muret battait à tous petits coups, à toute vitesse, dans sa poitrine, comme celui du pigeon blessé. Elle avait cru que le cauchemar s'était achevé avec la nuit, et elle comprenait que ça ne faisait que commencer. Elle s'efforça de cacher le tremblement de ses mains, elle mit une casserole d'eau sur le feu et dit à Olivier de s'allonger pendant qu'elle lui préparait un café au lait et des tartines. Mais quand le café au lait fut prêt, Olivier s'était endormi. Ses pieds pendaient hors du lit parce qu'il n'avait même pas pris la peine de retirer ses chaussures et il ne voulait pas salir la couverture. Avec précautions, elle lui ôta ses souliers, souleva ses jambes et l'allongea. Il ouvrit un peu les yeux et lui sourit, puis se rendormit. Elle alla chercher un duvet dans l'armoire pour le couvrir. C'était un édredon américain en piqué rouge, devenu vieux rose avec le temps. Elle le posa sur lui, se redressa et resta debout, immobile, près du lit. De le voir là, si paisible, abandonné dans le sommeil comme un enfant, elle sentait ses forces lui revenir. Il respirait calmement, ses traits étaient détendus, ses cheveux souples coulaient sur l'oreiller et découvraient le bas de ses oreilles. Le sourire qu'il lui avait donné était resté un peu accroché à ses lèvres et mettait une lumière de tendresse sur son visage. Il était beau, il était heureux, il était tendre comme un bourgeon, il croyait que tout allait fleurir...

Mme Muret soupira et retourna à la cuisine. Elle revida le bol de café au lait dans la casserole qu'elle posa sur le réchaud. Il n'aurait qu'à allumer le gaz. Il fallait qu'elle s'en aille chez M. Seigneur, elle ne pouvait pas le laisser comme ça, ce pauvre homme, comme il était...

Quand elle rentra, le soir, Olivier était parti. Il avait bu le café au lait, mangé les tartines, mangé aussi le reste de l'épaule de mouton et la moitié du reblochon. Il avait lavé le bol, la casserole, et tout le reste. Sur la table de la cuisine, il avait laissé un mot : « Ne t'inquiète pas, même si je ne rentre pas de la nuit. »

Il ne rentra qu'au mois de juin.

L'HOTEL PARTICU-
lier de Closterwein occupait le cœur de cet oasis de
verdure et de paix que constitue, au bord du grand
tumulte des boulevards extérieurs, la Villa Mont-
morency. La grille qui entourait son parc était dou-
blée jusqu'à son sommet de plaques de métal
peintes de vert neutre. De l'extérieur, on n'apercevait que le sommet des arbres et même lorsqu'on
franchissait le portail, on ne voyait pas encore la
demeure, habilement entourée d'arbres de toutes
tailles, avec une quantité suffisante de feuillages
persistants pour la protéger des regards même en
hiver. Il fallait franchir ce rideau par un double
virage pour découvrir, derrière un gazon parfait,
une grande et harmonieuse maison blanche, horizontale, précédée d'un petit perron à colonnes dans
le style colonial américain, qui surprenait et dépay-
sait les visiteurs, frappait les plus pauvres d'une
admiration désintéressée car cela dépassait leurs
envies et leurs rêves, et faisait gonfler de dépit le
foie des plus riches. Il n'y avait pas un autre milliardaire dans Paris qui possédât une telle maison
dans un tel emplacement. Ce n'était pas seulement
une question d'argent ; il avait fallu aussi de la

chance et du goût. Les Closterwein avaient du goût, et l'argent et la chance les servaient depuis plusieurs siècles.

On entrait dans la maison par trois larges basses marches de marbre blanc, accueillantes, apaisantes. Au milieu du hall était mis en évidence le dernier chef-d'œuvre de César : sur une stèle de bronze, un bouquet de tubes dentifrices aplatis et tordus en hélice.

C'était le sourire ironique par lequel Romain Closterwein signifiait qu'il n'ignorait pas le snobisme nécessaire, et qu'il y sacrifiait volontiers. Mais cela n'allait pas plus loin que le hall. Sa collection particulière, soigneusement entreposée dans sa cave blindée et climatisée, comportait un millier de tableaux qui allaient des primitifs aux fauves et à quelques contemporains pour la plupart inconnus des critiques, en passant par Botticelli, Brueghel et Gustave Moreau, Van Gogh, Paul Klee et Carzou. Il n'achetait que ce qu'il aimait. Il avait refusé un Rubens qui était pourtant une affaire, et si par hasard un Picasso se fût glissé dans sa cave, il aurait payé pour qu'on l'en balayât.

De temps en temps, selon la saison, son humeur et son goût du moment, il faisait changer les toiles accrochées dans les appartements. Mais il gardait en permanence dans sa chambre à coucher un coq de Lartigue, rouge, orangé et jaune, explosion de joie sur laquelle il aimait, le matin, ouvrir les yeux, et un panneau inconnu de la Dame à la Licorne, celui qui expliquait le mystère de tous les autres et que le conservateur du Musée de Cluny le suppliait en vain, depuis des années, de le laisser au moins regarder.

Dans son bureau, pour retrouver sa sérénité

après les journées d'affaires, il avait fait accrocher, juste en face de son fauteuil de travail, un grand panneau à la mine de plomb de Rémy Hétreau. Il lui suffisait de lever les yeux pour se perdre dans un paysage féerique, où des arbres en dentelles sortaient des fenêtres et des toits d'un château baroque entouré par les mille vagues brodées d'une mer contenue. Des personnages jouaient avec des ballons de verre ou des harpes épanouies comme des aloès. Sur un radeau de trois pieds carrés, où poussait un arbre, une femme gantée jusqu'aux épaules se préparait à aborder et tendait vers le rivage une main gracieuse d'où pendait un sac à la mode. Sa robe l'enveloppait depuis les chevilles et laissait nus ses seins menus, à peine perceptibles. Pour garder son équilibre, elle avait enroulé autour de l'arbre ses longs cheveux blonds. A la proue d'un petit bateau de bois taillé à la main, dont un mameluk tendait les voiles, une fille debout sur la pointe d'un pied lançait un ballon à un garçon à chapeau pointu qui l'attendait sur la rive. Elle avait omis de boutonner le pont arrière de sa jupe plissée et montrait innocemment les candides rondeurs de son derrière. A l'horizon, de minuscules pèlerins s'appuyant sur leur canne montaient sans se presser vers les montagnes modérées. Il émanait de ce tableau une telle paix, une telle grâce, qu'il suffisait à Romain de le regarder pendant deux minutes pour oublier qu'il était un forban intelligent se taillant un chemin à coups de sabre dans la foule des forbans imbéciles, et pour retrouver la certitude qu'il existait, ou qu'il avait existé, ou qu'il existerait quelque jour quelque part un paradis pour les âmes qui sont pareilles à celles des enfants. Il n'aurait pas fallu qu'il le regardât plus longtemps, il y aurait perdu l'indifférence glacée qui lui était nécessaire. Son âme était peut-être comme celle d'un enfant, puisqu'il se sentait chez lui quand il entrait dans ce paysage, mais son esprit n'était qu'une intelligence objective et son cœur un muscle qui fonctionnait parfaitement. Sans cet esprit et ce cœur blindés, il n'aurait pas possédé la douce maison blanche au bord du gazon parfait, ni les mille tableaux dans la cave.

Grand, large, massif mais sans ventre, il paraissait à peine plus de quarante ans. Il en avait cinquante-cinq. Il tenait de ses ancêtres baltes des cheveux blonds très clairs, qu'il faisait couper court, et des yeux couleur de glace. Il aimait être à l'aise dans ses vêtements et ne pas sentir ce qu'il portait. Il s'habillait chez Lanvin et choisissait ses vins chez Chaudet, aidé des conseils d'Henry Gault ou de François Millau, car il reconnaissait qu'il n'était pas très fin du palais. L'un et l'autre étaient ses amis, autant qu'il pouvait avoir des amis. Il les invitait parfois à sa table pour avoir leur avis sur une nouvelle ou une classique préparation de son chef, un cuisinier inspiré, élève du grand Soustelle, qu'il avait volé à Lucas-Carton et admis dans sa cuisine après lui avoir fait faire un stage chez Denis.

Mathilde frappa à la porte de son bureau et entra avant qu'il l'y eût invitée. Elle lui ressemblait d'une façon saisissante, peut-être parce qu'elle portait les cheveux presque aussi courts que les siens. Elle avait le même regard glacé, la même résolution dans les mâchoires, la même bouche mince, mais plus dure. Elle était vêtue d'un blouson de gabardine culotté, à grosse fermeture éclair, d'un blue-jean délavé, et chaussée de mocassins marron avec des chaussettes noires. Elle portait un foulard noir autour du cou.

Elle vint jusqu'au bureau, regarda son père avec une sorte de défi et lui dit :

— Je vais à la mani.

Il lui sourit avec affection, et un peu d'ironie. Elle était la plus jeune de ses enfants. Un peu bizarre. Ça lui passerait, c'était l'âge, tous ceux de son âge étaient bizarres, elle avait dix-huit ans. Il comprenait mieux ses fils. L'aîné apprenait une partie du métier à la Lloyds de Londres, l'autre, après une licence de droit rapidement obtenue, élargissait à Harvard ses connaissances théoriques, avant d'entrer en stage à la Deutsche Bank. Mathilde, elle, ne savait pas bien ce qu'elle voulait. Pour le moment, elle suivait des cours de sociologie.

Il s'étonna qu'elle fût venue lui dire où elle allait. D'habitude, elle ne le lui disait ni avant ni après.

— Tu vas où tu veux, dit-il doucement.

Puis il se reprit, il y avait un mot qu'il ne comprenait pas.

— Qu'est-ce que c'est, la mani ?

Elle haussa les épaules.

— La manifestation... Cette fois, on passe sur la Rive Droite. On se réunit à la Bastille, à Saint-Lazare et à la gare du Nord. Ils s'imaginent qu'ils nous tiennent enfermés au Quartier, qu'ils n'ont qu'à faire le mur autour, avec leurs cars et leurs salauds de C.R.S. ! Ils vont voir...

Romain Closterwein cessa lentement de sourire. Il demanda :

— « Ils », à ton idée, qui est-ce, « ils » ?

— Eux, dit-elle. Toi !...

Elle était là, debout devant lui, raide, tendue

3

par une passion froide... Si pareille à lui et en même temps si différente... Une fille... Sa fille... Il pensa qu'il était temps d'intervenir.

— Tu ne veux pas t'asseoir, une minute ?

Elle hésita un instant, puis s'assit sur une chaise, celle où prenait place la secrétaire, Mme de Stanislas, lorsqu'elle venait noter les instructions pour la journée.

— C'est très bien d'être révolutionnaire à ton âge, dit-il ; Léon Daudet a écrit quelque part qu'il n'avait aucune estime pour un homme qui n'avait pas été royaliste ou communiste à vingt ans. Aujourd'hui, royaliste ne signifie plus rien. On dit « fasciste ». Et les communistes sont devenus les radicaux-socialistes du marxisme. Les mots ont changé, la remarque reste juste. Il faut faire sa rougeole politique infantile. Ça purge l'intelligence. Mais si on se remue trop, on risque de rester malade pour la vie...

Elle écoutait sans le quitter des yeux. Il lui tendit ouvert le coffret de cigarettes. Elle fit « non » de la tête. Il en prit une mais l'écrasa dans le cendrier à la deuxième bouffée.

— Tu me fais devenir nerveux, dit-il. Tu es ma fille, et tu te conduis comme si tu étais bête... Tu sais bien que tout ce mouvement est fabriqué... Bien sûr, tes petits amis sont sincères, mais le cheval qui galope vers le poteau est sincère aussi. Il a cependant un cocher sur le dos...

— Un jockey, dit-elle.

Il fut surpris, puis sourit.

— Tu vois, je ne sais plus mes mots... Tes amis ignorent qu'ils sont « drivés », mais toi tu devrais le savoir... Tu n'es quand même pas la fille d'un épicier... Tu as entendu George avant-hier... Il s'est tu quand tu es entrée, mais tu en avais assez entendu... Tu sais qu'il travaille pour Wilson, mais avec du dollar, la livre est trop pauvre. Il fait subventionner quelques groupes, des chinois, des anarchistes. A travers deux ou trois épaisseurs d'intermédiaires. Et pas très cher, pour qu'ils restent purs. C'est de l'argent qui est prétendu venir des collectes. Il paie aussi quelques individus, plus solidement. Oh, pas ceux dont on entend les noms à la radio... D'autres plus obscurs et plus efficaces... Et il n'y a pas que George, tu penses bien... Il y a aussi les Américains qui travaillent avec du mark. Il y a aussi Van Booken, tu le connais, le Hollandais? Lui, je ne sais pas comment, il a des roubles... Il y a même un Italien, mais il n'a que des mots...

Il espérait qu'elle allait sourire, mais elle restait glaciale, muette. Il continua :

— Il y a même moi! Je donne ma publicité au *Monde*, qui encourage ces jeunes gens avec beaucoup de sérieux. C'est ma façon d'intervenir. Tu vois, je reste dans la légalité. Toutes ces actions s'embrouillent un petit peu, évidemment, mais elles sont efficaces. Ce sont des levures différentes, mais la pâte n'en lève que mieux. Elle est bonne. Les Français sont jobards, et la jeunesse aussi. Alors, les deux... Tu n'imagines pas, bien entendu, qu'aucun de nous ait l'intention de subventionner une révolution jusqu'à la réussite? Il s'agit seulement de casser de Gaulle. Les Américains parce qu'il les empêche de s'installer en France, les Anglais parce qu'il est en train de les asphyxier, ce que ni Napoléon ni Hitler n'ont réussi, les Hollandais parce qu'ils veulent vendre leur margarine à l'Angleterre, les Italiens simplement parce qu'il les ignore.

Les Allemands ne font rien. De toute façon, ils sont gagnants.

« Nous, mon groupe, nous voulons simplement qu'il s'en aille avant qu'il essaie de réaliser ce projet de « participation » qui est la grande idée de sa vieillesse. Participer! C'est bien une idée de vieux militaire, c'est-à-dire une idée infantile... Les ouvriers et les chefs d'entreprises ont autant envie de participer que les chiens et les chats! Les patrons ne voudront rien donner, naturellement, et les ouvriers, naturellement, veulent tout prendre...

Elle regardait son père comme s'il eût été un enfant qui essayait de se rendre intéressant en débitant des mots incohérents. Il prenait peu à peu conscience qu'il avait devant lui une étrangère, une sorte d'être au visage de femme, mais qui venait d'un autre univers, et dans les veines de qui coulait un sang aussi froid que celui d'un poisson. Il se tut un instant, alluma une nouvelle cigarette, ferma les yeux comme s'il était gêné par la fumée, et quand il les rouvrit, termina rapidement.

— Alors je t'en prie, va à la mani si ça t'amuse, mais ne sois pas dupe! Et tâche de ne pas prendre de risques, ça ne vaut pas le coup!...

Elle se leva, s'approcha du bureau, regarda son père de haut en bas.

— Tout ça, nous le savons, dit-elle très calmement. Vos petits jeux imbéciles... Vous croyez que vous avez allumé le feu... Vous croyez que vous l'éteindrez quand vous voudrez?... Nous brûlerons tout! Dans le monde entier!... Vous ne vous rendez compte de rien, vous êtes encore à l'autre bout du siècle, vous êtes trop loin même pour nous voir, vous êtes répugnants, vous êtes morts, vous êtes pourris, vous tenez encore debout parce que vous vous imaginez que vous êtes vivants, mais nous allons vous balayer comme de la charogne!

Elle marcha à grands pas raides vers la porte. Lorsqu'elle y fut parvenue, elle se tourna une dernière fois vers lui. Il y avait des larmes sur la glace de ses yeux.

— Je te hais, dit-elle, je te ferai fusiller!

Elle sortit.

Il se leva, lentement, au bout de quelques minutes, en s'appuyant des deux mains aux accoudoirs du fauteuil. L'univers autour de lui n'était plus le même. Il n'y avait plus que des ruines.

SA MÈRE!... C'EST SA mère qui doit s'occuper d'elle!...

Quand elle rentrerait, ce soir, il fallait qu'elle trouve sa mère à la maison. Sa mère saurait lui parler, lui s'était montré complètement stupide, il lui avait parlé comme à un garçon. Ce n'est pas à la raison d'une fille qu'il faut s'adresser, même si elle est intelligente. D'ailleurs, même la fille la plus intelligente du monde n'est pas réellement intelligente au sens où l'entend un esprit masculin. Il ne faut pas « expliquer » à une fille, ça ne sert à rien, il faut la toucher par un autre moyen, il ne savait pas exactement comment, il ne s'était jamais posé la question, cela n'avait pas été nécessaire, il s'était marié, il avait eu des maîtresses sans avoir à faire aucun effort, son argent le rendait comme un dieu, et avec sa propre fille il s'était toujours parfaitement entendu, il lui avait donné toujours tout ce qu'elle désirait, et laissé la liberté la plus grande, il lui avait fait confiance, il ne pensait pas avoir eu tort, s'être mal conduit, s'être trompé... Alors, cette phrase horrible, pourquoi?... A cause de ce qu'il avait dit, certainement, il l'avait blessée dans ses sentiments, profondément, il l'avait outragée. Seule sa mère pouvait rattraper ça, lui expliquer... Non, pas expliquer, lui parler, la reprendre, l'emmener quelque part loin de ce troupeau imbécile. Ça risquait toujours de devenir grave, elle risquait d'être blessée, de se faire tripoter par des voyous. Elle prenait des risques pour rien. C'était trop bête, bête, bête!

Mais où donc était sa mère? Il ne s'en souvenait plus. Ah oui, en Sardaigne, chez les Khan... Il téléphona. Il ne put pas obtenir la communication. La liaison était interrompue. Il demanda si c'était une grève. Une voix masculine à l'accent méridional lui dit qu'on ne savait pas. Puis on ne répondit plus.

Il appela Jacques, son premier pilote, lui donna l'ordre d'aller chercher Madame en Sardaigne. Il ne savait pas s'il y avait un aérodrome. S'il n'y en avait pas, qu'il atterrisse en Italie et loue un bateau. Envol immédiat.

Jacques répondit qu'il regrettait, c'était impossible, le réseau de contrôle était en grève, aucun avion ne pouvait plus s'envoler d'aucun terrain.

Il appela le général Cartot. Bien entendu, voyons! Le réseau de contrôle militaire fonctionnait... Romain obtint une liaison radio avec Toulon, un hydravion de l'aéronavale pour aller en Sardaigne, et l'assurance qu'on ramènerait Mme Closterwein jusqu'à Brétigny.

Mais Mme Closterwein avait quitté le village des Khan depuis une semaine sur le yacht de Niarkos. Elle avait débarqué à Naples d'où elle s'était envolée pour Rome, et de Rome pour New York. Elle allait passer Pentecôte chez les cousins de Philadelphie. Elle lui avait écrit tout cela, mais la lettre n'arriva à Paris qu'en juillet.

De toute façon, sa présence à Paris n'aurait servi à rien. Mathilde ne rentra ni le soir ni le lendemain, mais seulement le 29 juin. Ses cheveux avaient poussé. Elle était maigre et sale. Elle portait les mêmes chaussettes. Elle n'avait plus son foulard. Elle alla tout droit à la salle de bains sans regarder personne. Les domestiques n'osèrent pas lui adresser la parole, mais Gabriel, le maître d'hôtel, téléphona à Monsieur, à la Banque, qui n'avait fermé que trois jours, pour une grève symbolique. Gabriel lui dit « Mademoiselle est rentrée ». Il répondit « Merci Gabriel ». Il l'avait cherchée à la Sorbonne, à l'Odéon, partout où il avait pu entrer. Il savait par le préfet qu'elle n'était pas dans un hôpital, et qu'elle n'avait jamais été arrêtée. Un matin, il décida de ne plus la chercher et de ne plus l'attendre. Quand il se retrouva en face d'elle, c'était lui qui s'était mis à ressembler à sa fille : il avait perdu toute tendresse pour cette inconnue qui avait son visage.

Elle s'était lavée, décapée, fardée, parfumée, habillée. Elle avait soigné ses mains, mais son visage amaigri était dur comme de la pierre, et son regard encore plus froid que le jour de son départ. Elle n'avait certainement pas oublié la petite phrase qu'elle lui avait dite, et elle savait qu'il ne pouvait pas l'avoir oubliée. Il se demandait si elle regrettait de l'avoir prononcée, ou de n'avoir pas pu faire ce qu'elle avait promis.

Elle s'était assise dans le fauteuil de velours vert. Ils n'échangèrent aucune parole concernant son absence ou son retour, ou exprimant une émotion ou de la simple courtoisie. Ce fut elle qui parla la première. Elle dit qu'elle pensait être enceinte et désirait aller se faire avorter en Suisse. Elle avait déjà sur son passeport toutes les autorisations nécessaires pour franchir les frontières. Il lui fallait seulement de l'argent. Il lui donna un chèque sur une banque de Genève. Elle partit dans sa Porsche. Il n'eut plus de nouvelles jusqu'au télégramme de l'ambassade de France à Katmandou.

A LA SORBONNE, Olivier occupait avec Carlo un petit bureau en haut d'un escalier. Il avait collé sur la porte une des affiches tirées par les élèves des Beaux-Arts. Elle portait en grosses lettres les mots : POUVOIR ETUDIANT. Il avait écrit au-dessous, à la craie, « Discussion permanente ». Constamment, des garçons et des filles montaient jusque-là, poussaient la porte, jetaient leurs affirmations, posaient des questions, redescendaient pousser d'autres portes, poser d'autres questions, affirmer leurs certitudes et leurs incertitudes. Dans la lumière glauque qui tombait de sa verrière, le grand amphithéâtre abritait une foire permanente d'idées. Et c'était vraiment comme un grand marché libre où chacun vantait sa marchandise avec la conviction passionnée qu'elle était la meilleure.

Olivier n'avait que quelques pas à franchir pour passer de son bureau à une des galeries supérieures de l'amphi. Il y venait parfois, jetait un regard vertical vers les rangées de bancs presque toujours entièrement occupés. C'était une mosaïque de chemises blanches et de pulls de couleurs. Le rouge dominait. Et les têtes rondes posées sur ce fond comme des billes. A la tribune, devant les drapeaux noir et rouge, les orateurs se succédaient. Olivier écoutait, s'énervait de ne pas toujours comprendre ce que désirait celui-ci ou celui-là. Il trouvait qu'ils étaient confus, diffus, et parfois vaseux, qu'ils perdaient leur temps à des querelles de mots, alors que tout était si simple : il fallait démolir, raser le vieux monde, et en reconstruire un neuf, dans une justice et une fraternité totales, sans classes, sans frontières, sans haine.

« Pouvoir Étudiant ». Oui, c'était à eux, les étudiants, qui avaient eu le privilège d'acquérir de la culture, de conduire leurs frères ouvriers à la conquête d'une vie délivrée de l'esclavage du capitalisme et des contraintes des bureaucraties socialistes. Le vieux slogan de la République lui faisait battre le cœur. Liberté, Égalité, Fraternité. Ces trois mots disaient tout. Mais depuis que la bourgeoisie les avait gravés sur les façades de ses mairies où elle enregistrait les noms de ses esclaves, et brodés sur ses drapeaux qui les entraînaient vers les tueries, les trois mots étaient devenus des mensonges qui dissimulaient le contraire de ce qu'ils proclamaient : l'Oppression, l'Exploitation, le Mépris. Il fallait les purifier au grand feu de la révolte et de la joie. C'était simple, simple, simple. Tous ces types derrière leurs micros, en train de couper les idées en quatre et de sodomiser les mouches, allaient asphyxier la Révolution sous leurs phrases.

En sortant de la galerie, un après-midi, il écrivit sur le mur du couloir : « Orateurs de malheur! » et souligna d'un trait furieux où il brisa sa craie. Il jeta dans l'escalier le fragment qui lui restait aux doigts, haussa les épaules et rentra dans le bureau. Il y trouva une fille assise sur le coin de la table, en train de discuter avec Carlo. Olivier la connaissait vaguement. Elle préparait le certificat de sociologie comme lui. Il l'avait vue parfois au cours. On lui avait dit que son père était banquier.

Carlo, debout, exécutait devant elle son numéro de charme italien. Il parlait, marchait, faisait des gestes, souriait, portait les mots vers elle avec les mains. Elle le fixait d'un regard bleu glacé. Il exposait le point de vue d'Olivier sur le rôle que devaient jouer les étudiants auprès des ouvriers. Il n'avait pas beaucoup d'idées personnelles, il était l'écho de son ami.

Elle l'interrompit d'une voix sèche :

— Vous êtes prétentieux comme des poux! Qu'est-ce que vous voulez apprendre aux ouvriers ? Il faudrait que vous sachiez quelque chose! Qu'est-ce que tu sais, toi ? Qu'est-ce qu'on t'a appris, à la fac ?

— On nous a appris à penser! dit Olivier.

Elle se tourna vers lui :

— Tu penses, toi ? Tu en as de la chance!

Elle se leva.

— Votre « Pouvoir Étudiant », c'est une histoire de petits cons... Tu as vu, Mao, ce qu'il en fait des étudiants ? A l'usine, d'accord, mais à la chaîne! et les profs, à la commune rurale! A ramasser le fumier!

— Je sais, dit Carlo, mais à quoi ça sert ?

— Et toi ? Tu sers à quoi ? Vous avez brûlé quelques vieilles bagnoles et maintenant vous faites de la mousse avec des mots... Vous occupez la Sorbonne au lieu de la démolir!... Vous n'avez même pas tué un C.R.S.! Ils sont tous au complet, bien rouges et bien gras, à cent mètres d'ici, en train d'attendre en jouant à la belote que vous soyez endormis par vos propres discours pour vous foutre dehors! «Pouvoir Étudiant»! Vous me faites rigoler. Pouvoir de mes couilles!

— Tu en as pas, dit Carlo.

— Vous non plus! Vous êtes des petits bourgeois cons!...

— Toi, tu es pas une petite bourgeoise, dit Olivier, tu couches dans le caviar, et tu as bu de l'or à tous tes repas depuis que tu es née...

— Ce que j'ai bu, je le vomis!

Elle sortit brusquement. Carlo eut un élan pour la suivre, puis se ravisa. Il aurait aimé lui démontrer qu'il possédait bien ce qu'elle l'accusait de ne pas avoir. Mais une fille comme ça, il faudrait la convaincre, lui démontrer que... Il n'aimait pas ce genre. Des filles qui restent sur la défensive, même quand elles sont en train de jouir, ça enlève tout le plaisir. Qu'elle aille donc se masturber avec le petit Livre Rouge...

Il Y EUT CE DIMAN-
che étonnant où tout Paris vint visiter ses enfants
retranchés dans le Quartier Latin. Il faisait beau,
c'était comme un jour de fête, les Parisiens en ves-
tons neufs, leurs femmes en chemisiers légers de
printemps, s'aggloméraient sur les trottoirs du
boulevard Saint-Michel, ou place de la Sorbonne,
autour des jeunes orateurs qui exposaient leurs idées.
Des camelots profitaient de ce public inespéré, étalaient leur marchandise, des cravates, des porte-
feuilles, des cartes postales, des bijoux fantaisie qui
brillaient au soleil comme des fleurs. Un petit vieux
à barbe jaune vendait des dragons chinois en papier.

Les curieux emplissaient la cour de la Sorbonne,
ses couloirs et ses escaliers, d'une foule lente qui
lisait les affiches et les inscriptions avec stupéfaction.
Une phrase verticale partait du milieu d'un mur et
s'achevait sur le sol d'un palier. Elle ordonnait :
« Agenouille-toi et regarde! » Il n'y avait rien à voir
que la poussière.

Un peu après quinze heures, Romain Closterwein
faillit rencontrer sa fille. Il avait fait le tour de tous
les bureaux et de tous les amphis sans la voir. Il
redescendit dans la cour, passa devant une pan-

carte qui indiquait, en lettres rouges sur du carton
ondulé, qu'il y avait une garderie d'enfants au
troisième étage, escalier C, à droite, et s'arrêta,
songeur devant une affiche, qui semblait trahir,
avec humour et gentillesse, un commencement
de lassitude, et peut-être aussi un soupçon de ran-
cœur en face des revendications matérielles des
ouvriers en grève. Elle représentait une barricade
de petits pavés noirs sur laquelle se dressait un
groupe d'étudiants colorés et serrés comme un
bouquet. Ils brandissaient un drapeau rouge dont
la flamme horizontale portait les mots : « Nous exi-
geons la satisfaction de nos revendications : PAS
PLUS DE QUARANTE HEURES DE BARRI-
CADES PAR SEMAINE! »

Mathilde passa derrière lui, à quelques pas. Elle
ne le vit pas plus qu'il ne la vit. Un lent, épais
courant de foule les séparait. Elle entra par la porte
d'où il était sorti. Elle se frayait un chemin à coups
de coudes dans le couloir. Elle était pleine de fureur
contre les épiciers qui venaient voir la révolte
comme ils seraient venus au cirque. Elle commença
à monter l'escalier.

Les premières inscriptions à la craie sur le mur
commençaient à s'effacer : *Oublie tout ce qu'ils t'ont
appris, commence par rêver!* Quelqu'un avait barré
le mot « rêver » et écrit au-dessus : « brûler ». Une
autre main avait barré « brûler » et écrit au-dessus :
« baiser ». En face de la porte du bureau du « Pouvoir
Étudiant » une inscription toute récente, tracée en
noir au pistolet, affirmait : « Les syndicats sont des
bordels. » La porte du bureau était grande ouverte.
Des curieux entraient, regardaient les quatre murs,
la petite table, les chaises, parfois l'un d'eux
s'asseyait pour se reposer un peu. Ils ressortaient

en emportant leur étonnement et leur curiosité insatisfaite.

Mathilde avait eu le désir de revoir Olivier. Elle s'était souvenue de sa phrase : « On nous a appris à penser » ou quelque chose de semblable. Il fallait le délivrer de cette erreur énorme. Elle était partie trop vite. Ce type avait l'air d'être un type bien. Elle avait pensé à lui en se réveillant dans la chambre d'hôtel miteuse où elle avait passé la nuit avec un noir, par conviction antiraciste. Ça n'avait pas été plus moche qu'avec un blanc. Elle avait bien dormi, après. C'est lui qui l'avait réveillée. Il voulait recommencer. Elle l'avait repoussé, il avait failli la battre, mais il avait eu peur de ses yeux. Elle avait pensé à ces deux types du petit bureau en haut de l'escalier, et surtout à celui qui avait des yeux noisette et des cheveux de soie, le long de ses joues. Un type qui croyait, mais ce qu'il croyait était idiot. Elle était revenue, pour le convaincre.

Dans le petit bureau, elle ne trouva que les curieux qui entraient et sortaient lentement. Carlo était sur la place de la Sorbonne à cheval sur le dos d'un penseur de pierre. Il regardait avec amusement un camelot anarchiste rigolard, qui avait, pour un jour, remplacé son éventaire de stylos à bille par des dépliants politiques illustrés, et qui bonimentait contre Dassault et les Rothschild.

Olivier avait fui, écœuré, devant le morne flot des curieux. Il avait essayé de discuter avec les premiers. Ils répondaient des idioties ou le regardaient avec stupeur, comme s'il descendait d'une soucoupe volante. Il était parti déjeuner chez sa grand-mère. Il l'avait trouvée toute bouleversée : M. Seigneur était mort dans la nuit de vendredi, tout d'un coup. C'étaient les événements qui l'avaient démonté,

il avait pas pu mettre ça au-dessus de lui, il s'était
laissé aller. Depuis si longtemps qu'il se retenait de
mourir, on pensait plus qu'il en était si près. Et
ses malheurs étaient pas finis, le pauvre : les pompes *funerals*
funèbres étaient en grève, y avait personne pour
l'enterrer. Mme Seigneur s'était adressée au commissariat, c'était des soldats qui étaient venus, avec
un cercueil trop petit, gros comme il était, y avait
personne pour en faire un sur mesures, tout le
monde était en grève, alors ils l'avaient emporté
comme ça, dans leur camion, enveloppé dans une
couverture, le pauvre, Mme Seigneur savait même
pas où il était, et elle avait quand même fermé la
crémerie tout un jour plein, il fallait bien quand
même, le samedi toute la journée, au moment où
tout se vendait si bien ; les clientes emportaient
des pleins cabas à chaque bras, n'importe quoi,
des conserves, du riz, du sucre, tout ce qui se mange,
pour mettre dans leurs placards, elles avaient peur.

MATHILDE REDES-
cendit l'escalier et ne le remonta plus. Les curieux
s'écoulèrent de la Sorbonne et du Quartier Latin.
L'action violente reprit. Mathilde s'intégra à un
petit groupe actif qui se procurait mystérieusement
des scies mécaniques pour couper les arbres, des
barres à mine pour desceller les pavés, des casques
de motocyclistes, des manches de pioches et des
lunettes étanches anti lacrymogènes, pour les com-
battants. Pendant les journées d'accalmie, le groupe
allait d'une faculté à l'autre, faisait voter des
motions, constituait des comités d'action. Mathilde
oublia complètement les deux garçons du petit
bureau. Carlo oublia Mathilde. Mais Olivier ne
l'oublia pas. Ce qu'elle avait dit l'avait frappé. Il
n'allait pas se laisser endoctriner par une punaise
milliardaire maoïste, mais une partie de ses affirmations avait trouvé en lui des cordes tendues
toutes prêtes à entrer en résonance. Oui, trop de
mots, oui, trop de prétention intellectuelle. Oui,
trop de petits bourgeois cons qui se payaient une
petite récréation révolutionnaire sans danger. Taper
sur les flics, casser les carreaux, flamber les bagnoles,
hurler les slogans, c'était plus excitant qu'une sur-

prise-partie. Si ça devenait tout à coup dangereux, on rentrerait vite chez papa-maman. Chaque fois qu'ils pouvaient attraper un micro, ils faisaient des laïus contre la société de consommation, mais ils avaient toujours bien consommé, depuis leur premier biberon.

Oui, la vérité était chez les ouvriers. Eux connaissaient vraiment, parce qu'ils les subissaient dans leur chair, chaque minute de leur vie, l'injustice et l'esclavage.

Olivier s'apercevait que même sans parler, lorsqu'il essayait seulement de formuler sa pensée et ses sentiments au-dedans de lui-même, il ressassait les mêmes images creuses, les mêmes clichés que tous les vaseux accrochés à un micro. Il ne fallait plus *parler*, même au-dedans de soi-même, il fallait *agir*.

Il entraîna Carlo dans le cortège qui se rendit à Billancourt, pour apporter aux ouvriers de Renault en grève l'appui et l'amitié des étudiants révoltés. L'accueil des grévistes fut plus que réservé. Ils ne laissèrent entrer personne à l'intérieur de l'usine occupée. Ils n'avaient pas besoin de ces gamins pour mener leur affaire. Aucun des ouvriers, même les plus jeunes, ne pouvait croire à la vérité d'une révolte qui n'amenait aucune véritable répression. Ces barricades du Quartier Latin, c'était un jeu d'enfants gâtés. Les C.R.S. mettaient des gants avant de foncer sur les enfants de bourgeois. Le matraquage, ce n'est qu'une forme un peu plus vive de la fessée. Quand les ouvriers, eux, arrachent les pavés, ça ne traîne pas, on leur tire dessus. Pas de gants, du plomb. Mais les bourgeois ne peuvent pas faire tirer sur leurs enfants. Ils ont installé l'ordre bourgeois, en 89, en liquidant une classe entière à la guillotine. Ils liquideraient aussi bien la classe ouvrière s'ils n'avaient pas besoin d'elle pour fabriquer et acheter. Mais ils ne peuvent pas tuer leurs enfants, même si ceux-ci cassent les meubles et mettent le feu aux rideaux.

Les ouvriers et les étudiants se regardaient à travers les barreaux du portail de l'usine. Ils échangeaient des phrases banales. Le calicot « Étudiants ouvriers unis » que deux garçons avaient apporté depuis la Sorbonne pendait mollement entre ses deux supports. Le drapeau rouge et le drapeau noir avaient l'air fatigué. Il aurait fallu un peu de vent, un peu de mouvement chaleureux pour les faire flotter. Il y avait seulement cette grille fermée, et ces hommes derrière, qui semblaient défendre leur porte contre l'amitié. Olivier eut tout à coup l'impression de se trouver au zoo, devant une cage où se trouvaient enfermées des bêtes faites pour les grands espaces, à qui on avait volé leur liberté. Des visiteurs venaient leur dire des mots gentils et leur apporter des friandises. Ils se croyaient bons et généreux. Ils étaient du même côté de la grille que les chasseurs et les geôliers. Un étudiant passa à travers les barreaux le produit d'une « collecte de solidarité ». Olivier serra les dents. Des cacahuètes! Il s'en alla à grands pas furieux. Carlo ne comprenait pas. Qu'est-ce que tu as? Qu'est-ce qui te prend?

Rentré à la Sorbonne, Olivier arracha l'affiche « Pouvoir Étudiant » collée sur la porte du petit bureau. Il barra le mot « permanente » qui suivait le mot « Discussion » et en écrivit un autre au-dessus, en lettres capitales : « Discussion TERMINÉE! » avec un grand point d'exclamation.

Il se battit furieusement à chaque escarmouche

avec la police. Pendant « la nuit terrible » du 24 mai,
il grimpa au sommet d'une barricade et se mit à
hurler des insultes aux flics. Tout à coup, il se rendit compte avec lucidité qu'il était en train de
« poser », de faire du tableau vivant, de parodier des
images historiques, mais que l'image resterait une
image : les flics ne tireraient pas, il ne s'écroulerait
pas, saignant, sur la barricade. De plus, avec son
casque blanc et ses larges lunettes, il avait l'air d'un
personnage de bandes dessinées pour adolescent
rêvant d'aventures fantastiques. Il les arracha et
les jeta derrière lui. Étreignant son manche de
pioche, il sauta devant la barricade. Des voitures
brûlaient, des grenades éclataient, leurs tourbillons de vapeur blanche s'effilochaient dans la
nuit rouge et noire. Derrière leur brume, Olivier
voyait bouger vaguement la masse sombre et lui-
sante de la police. Il fonça sur elle en courant.
Trois policiers vinrent à sa rencontre. Il frappa le
premier avec rage. Son bâton heurta un bouclier
de caoutchouc et rebondit. Il reçut un coup de
matraque sur la main et un autre sur l'oreille. Il
lâcha son arme. Un autre coup de matraque, sur
le côté du crâne, le fit tomber à genoux. Un coup de
pied dans la poitrine l'allongea à terre, les lourdes
chaussures lui frappèrent les reins et les côtes. Il
essaya de se relever. Il pleurait de honte et de rage,
et de gaz lacrymogène. Son nez et son oreille saignaient. Il parvint à saisir à deux mains la matraque d'un policier et tenta de la lui arracher. Une
autre matraque le frappa à la jointure du cou et de
l'épaule. Il s'évanouit. Les policiers le ramassèrent
pour aller le jeter dans un car. Mais de la brume
blanche traversée de flammes un groupe emmené par
Carlo surgit brusquement en hurlant des insultes

et les attaqua. Ils laissèrent tomber Olivier comme
un sac pour faire face à la meute, qui se dispersa
aussitôt, les entraînant à sa poursuite. Olivier,
évanoui, le cou tordu, son écharpe rouge traînant
dans le ruisseau, le bas du visage luisant de sang,
gisait à cheval sur le trottoir et la chaussée, les
pieds plus hauts que la tête. Une grenade éclata
à quelques mètres, et le couvrit d'un voile blanc.
Carlo et deux autres garçons arrivèrent en toussant
et pleurant, ramassèrent Olivier et l'emportèrent
du côté des flammes.

D<small>EUX</small> ÉLÉPHANTS
blancs gigantesques se dressaient dans le bleu du
ciel. Des mains depuis longtemps mortes — mais
la mort est la délivrance — les avaient taillés à
même la roche dans le sommet de la colline qui,
tout autour d'eux, avait été déblayé et emporté au
loin. Cela s'était passé il y avait peut-être mille
ans, peut-être deux mille ans... Les hommes vêtus
de blanc, les femmes en saris de toutes couleurs —
de toutes couleurs sauf le jaune — qui montaient
dans le sentier vers les éléphants, vers le ciel, vers
le dieu, ne savaient pas ce que signifient mille ans
ou deux mille ans. Ce n'était pas plus loin que la
veille ou le lendemain, c'était peut-être aujour-
d'hui.

Le sentier, qui tournait trois fois autour de la
colline avant de parvenir entre les jambes des
éléphants, avait été creusé siècle après siècle par les
pieds nus des pèlerins. Ils en avaient fait peu à peu
une tranchée étroite dont les bords montaient jusqu'à leurs genoux. On ne pouvait y cheminer que
l'un derrière l'autre, et c'était bien ainsi, car chacun se trouvait alors seul sur la pente à gravir, en
face du dieu qui le regardait venir du cœur de la
colline.

Sven marchait devant Jane, et Jane devant Harold. Sven, sans se retourner, un peu essoufflé, expliquait à Jane que les Indiens ne se représentaient pas le temps sous la forme d'un fleuve qui s'écoule, mais comme une roue qui tourne. Le passé revient au présent en passant par l'avenir. Ces éléphants, qui sont là aujourd'hui, étaient là déjà hier. Et la roue du temps, lorsqu'en roulant elle atteindra demain, les trouvera déjà là. Ainsi pendant mille ans, ainsi depuis mille ans. Où est leur commencement ?

Jane entendait vaguement ce que lui disait Sven par-dessus le murmure des voix des pèlerins et le tintement de leurs clochettes de cuivre. Elle se sentait heureuse, légère, portée, comme un navire qui a enfin quitté le port crasseux et flotte doucement sur un océan de fleurs, choisit ses escales, s'y pose s'il lui plaît, embarque ce qu'il veut et reprend le vent de la liberté.

Hier il avait plu, pour la première fois depuis six mois, et, dans la nuit, la colline s'était vêtue d'une végétation courte et drue. Chaque brin d'herbe se terminait par un bouton clos. Au lever du soleil ils avaient ouvert tous ensemble leurs milliards de calices d'or. En un instant, la colline était devenue une flamme de joie, éclatante et ronde, brûlant au centre de la plaine nue. Les fleurs couvraient entièrement la colline d'une robe somptueuse, couleur de soleil.

Elles étaient vierges, elles ne sentaient rien et ne produisaient pas de graines. Elles étaient nées seulement pour fleurir et tendre vers le soleil leur vie minuscule qui lui ressemblait. Ce soir, à son coucher, elles se fermeraient toutes ensemble et ne se rouvriraient plus.

Jane, Sven et Harold avaient peu mangé la veille. Sven avait donné la moitié de son biscuit à Harold. Et, ce matin, ils n'avaient plus rien. Il leur restait cinq cigarettes. Ils en avaient partagé une avant de commencer à gravir la colline.

La foule agglomérée autour de la colline, qui attendait depuis des jours et des jours le cri d'or du dieu, lui avait répondu en frappant ses clochettes, et en les levant, de toutes les directions de la plaine, vers le fruit de lumière qui venait de mûrir au milieu de la terre grise. Puis elle avait commencé lentement à tourner autour de lui, en prononçant le nom du dieu et les noms de ses vertus.

Les astrologues avaient dit à quel moment la pluie tomberait sur la colline, et les pèlerins étaient venus de partout. La plupart étaient des paysans qui venaient demander à Dieu de retenir la pluie et de la répandre sur leurs champs. Car ils avaient semé à l'automne et depuis il n'avait pas plu. Leur semence n'avait pas germé, et leur terre était devenue comme de la cendre. Ils avaient marché pendant des jours avec leurs femmes, leurs enfants et leurs vieillards. La faim leur était si habituelle qu'ils ne savaient plus qu'ils en souffraient. Quand l'un d'eux n'avait plus assez de force pour marcher, il se couchait et respirait tant qu'il en avait encore la force. Quand il n'avait plus la force, il cessait.

La foule qui attendait depuis des jours autour de la colline emportait chaque matin ses morts un peu à l'écart, tout autour d'elle, et leur ôtait leur vêtement afin que les lents oiseaux lourds qui eux aussi étaient venus au rendez-vous pussent leur donner en eux une sépulture. Et la pluie était tombée, et ce matin les vivants étaient heureux d'être restés vivants et d'avoir vu le dieu d'or fleurir sur la plaine de cendres.

Au moment où toutes les clochettes avaient retenti, les lourds oiseaux, dérangés par le bruit, s'étaient arrachés des morts, et planaient autour de la foule qui tournait autour de la colline.

Sven regardait vers le haut, Jane regardait vers le bas, Harold regardait Jane, Jane regardait la robe d'or de la colline qui semblait plonger dans le lent tourbillon de la foule comme dans une mer de lait semée de fleurs flottantes. Les fleurs étaient les femmes en saris de toutes les couleurs — de toutes les couleurs sauf le jaune — car le jaune était, ici et ce jour-là, la couleur réservée au dieu. La foule blanche, fleurie, tournait autour de la colline, s'étirait dans le sentier de pierre et montait goutte à goutte vers la porte ouverte entre les éléphants, sous l'arc de leurs trompes unies comme les mains d'une prière. A la limite de la foule, au-dessus d'elle, dans le ciel redevenu bleu, tournait la ronde des oiseaux noirs.

En bas de la colline, par une autre porte encadrée de dentelles de pierre, sortaient les pèlerins qui avaient vu leur dieu. Il emplissait la colline dans laquelle il avait été taillé. Assis au niveau de la plaine, il dressait jusqu'au sommet la pyramide de ses seize têtes qui souriaient vers les seize directions de l'espace, et déployait autour de son torse la corbeille harmonieuse de ses cent bras qui tenaient, montraient, enseignaient des objets et des gestes. Des ouvertures percées dans la roche l'éclairaient du reflet du ciel. Chaque pèlerin, en montant vers lui, avait cueilli une fleur, une seule, et en redescendant par le sentier qui tournait autour de lui à l'intérieur de la colline, la lui offrait.

Quand Jane entra par la porte entre les éléphants et découvrit le premier visage du dieu, dont les yeux clos lui souriaient, le tapis de fleurs d'or apportées une à une atteignait déjà le doigt tendu de sa main la plus basse, qui désignait la terre, commencement et fin de la vie matérielle. Au-dedans, au-dehors, chacun, chacune, en tournant autour de la colline et sur elle et dans elle, continuait de murmurer le nom du dieu et les noms de ses vertus, et avant de les recommencer frappait légèrement sa clochette de cuivre. Le son de ces clochettes fleurissait au-dessus du bruissement des voix et le couvrait de la même couleur que les fleurs de la colline.

Harold en avait plein les jambes. Au train où ça allait on serait encore là ce soir, et on n'aurait toujours rien mangé. Il regrettait d'avoir décidé de suivre Jane et Sven au lieu de descendre avec Peter vers Goa. Il les avait rencontrés à l'aérodrome de Bombay. Lui et Peter descendaient de l'avion de Calcutta. C'était Peter qui avait payé les billets. Il arrivait de San Francisco, il avait encore de l'argent. Harold, lui, s'était mis en voyage il y avait plus d'un an, il en connaissait les ressources et les périls. Il avait dit à Sven et Jane, quand ceux-ci lui avaient parlé de Brigit et de Karl, que le chemin qu'ils avaient choisi était plein de dangers. Peu de filles en sortaient intactes. On y risquait même sa vie. Puis on avait parlé d'autre chose. Karl et Brigit, c'était hier. On se rencontre, on se rassemble, on s'aide, on se sépare, on est libre...

Harold était né à New York d'un père irlandais et d'une mère italienne. Il avait les yeux clairs de son père et les immenses cils noirs de sa mère. Ses

cheveux bruns tombaient en longues ondulations
sur ses épaules. Une fine moustache et une courte
barbe encadraient ses lèvres qui restaient bien rouges même lorsqu'il ne mangeait pas assez. Quand
Jane le vit pour la première fois, il portait un pantalon de velours vert, une chemise rouge délavée,
imprimées de fleurs noires, et un chapeau pour dame
qui jardine, en paille, à larges bords, garni d'un
bouquet de fleurs et de cerises en plastique. Sur sa
poitrine pendait au bout d'un cordon noir une boîte
marocaine, en cuivre ciselé, qui contenait un verset
du Coran. Jane le trouva amusant et beau. Il la
trouva belle. Le soir, ils firent l'amour au bord de
l'océan dans la lourde chaleur humide, tandis que
Peter, éreinté, dormait, et que Sven, assis à la limite de l'eau, essayait d'accueillir en lui toute l'harmonie de la nuit énorme et bleue.

Harold avait proposé à Jane de venir avec lui
et Peter à Goa, mais elle avait refusé. Elle ne voulait pas quitter Sven. Sven était son frère, son li-
bérateur. Avant sa rencontre avec lui, elle était une
larve recroquevillée dans les eaux noires de l'absurdité et de l'angoisse qui emplissaient le ventre du
monde perdu. Sven l'avait prise dans ses mains et
tirée vers la lumière. Elle ne voulait pas le quitter,
ils allaient ensemble à Katmandou, ils iraient ensemble où il voudrait. C'était lui qui voulait, c'était
lui qui savait.

Elle avait couché avec Harold parce que cela leur
avait fait plaisir à tous les deux, et parce qu'il n'y
a pas d'interdiction et pas de honte. Les lois du
monde nouveau où Sven l'avait fait entrer étaient
l'amour, le don, la liberté. Sven n'avait presque pas
de besoins physiques et ne soupçonnait même pas
ce que signifiait le mot jalousie. Harold fumait peu

et mangeait beaucoup chaque fois que c'était possible. Il n'était pas du tout mystique, il pensait que Sven était tordu et Jane superbe. Après tout, Goa ou Katmandou, cela lui était égal, il avait laissé partir vers le sud Peter et son argent, et avait suivi vers le nord Jane et Sven. Ce n'était pas exactement la direction du Népal, mais Sven voulait visiter les temples de Girnar, et il n'y a qu'en Occident qu'on croit que le chemin le plus court est celui qui va tout droit.

Jane s'épanouissait de bonheur entre les deux garçons. Elle était unie à Sven par la tendresse et l'admiration, et à Harold par la joie de son corps. Mais parfois, le soir, à l'étape, elle venait s'allonger auprès de Sven dans l'herbe sèche ou la poussière au bord du chemin désert, et commençait doucement à lui ouvrir ses vêtements. Car elle avait besoin de l'aimer aussi de cette façon, de l'aimer complètement. Et sans bien savoir se le formuler, elle sentait qu'en le rappelant ainsi dans son corps, elle l'empêchait de s'engager entièrement dans une voie où il risquait peut-être de se perdre.

Il lui souriait, il la laissait faire, malgré son détachement de plus en plus grand de ce désir dont il aspirait à se délivrer tout à fait. Mais il ne voulait pas décevoir Jane, lui faire aucune peine. Avec elle d'ailleurs, ce n'était pas l'entraînement aveugle de l'instinct, mais plutôt un échange d'amour tendre. Il lui disait très peu de mots, gentils, pleins de fleurs. Elle osait à peine parler. Elle lui disait de petites choses enfantines, à voix très basse, il l'entendait à peine. Elle se serrait contre lui, le caressait. Il lui fallait longtemps pour faire monter son désir. Il s'en délivrait rapidement en elle, comme un oiseau épuisé.

Harold, descendant lentement dans la colline, trouvait que ce dieu était superbe, d'accord, mais il avait trop faim pour apprécier entièrement sa beauté. Et pour trouver de quoi manger, au milieu de tous ces crevards, ça ne serait pas facile. Ils n'avaient plus d'argent, et presque plus de cigarettes. Il fallait se procurer quelques roupies.

Quand il sortit par la porte basse, il s'assit sur le bord du chemin et tendit la main pour mendier.

OLIVIER AVAIT RE-
pris connaissance derrière la barricade et recommencé le combat. Chaque pulsation de ses artères
lui enfonçait un couteau dans l'oreille gauche.
L'intérieur de son crâne était plein de bruits fantastiques. Quand une grenade éclatait, il croyait
entendre Hiroshima. Les appels de ses amis s'enflaient en clameurs, et des tocsins convergeaient
des quatre horizons vers le centre de son cerveau.
La nuit violente ronflait en grondements et tourbillons sonores, et sa tête lui semblait la contenir
toute.

Dans les jours qui suivirent, les étudiants com-
mencèrent peu à peu à quitter la Sorbonne. Du
vieux bâtiment sali et dégradé, ils s'en allaient chaque jour plus nombreux. Des éléments étrangers y
pénétraient et s'y incrustaient, aventuriers, clo-
chards, et quelques policiers. Un de ceux-ci, pour
donner le change, vint avec sa femme et ses trois
enfants, des couvertures, des biberons, un réchaud
à alcool, tout un bazar, s'installa sous les combles.
Il se prétendait chômeur et sans logis. Les étudiants
firent une quête pour lui, dans la rue. Mais personne
ne donnait plus. Les Parisiens trouvaient que la

récréation avait assez duré. Les ouvriers avaient obtenu des augmentations qu'ils n'auraient jamais osé espérer un mois auparavant, et les patrons et les commerçants commençaient à penser à l'addition.

M. Palairac en devenait violet de fureur en servant ses clientes. Ces petits crétins prétentieux qui voulaient tout casser, qu'est-ce qu'ils cherchaient ? Ils en savaient rien ! Mais les syndicats le savaient, eux ! Ils avaient pas perdu le nord, les syndicats. Ils avaient eu qu'à attendre, les bras croisés, assis sur le tas. On avait bien été obligé de leur donner ce qu'ils voulaient, pour qu'ils reprennent le travail... Tout ça, c'était ces petits merdeux qui l'avaient déclenché. Et maintenant, l'addition, qui est-ce qui va la payer ? C'est toujours pas eux !...

Par précaution, M. Palairac avait commencé à augmenter le prix de l'aloyau, juste un peu, sans que ça se remarque. Pas les bas morceaux, elles en veulent jamais, elles savent plus faire un mironton ou un bouilli, il faut que ça cuise à la minute, il y a plus de cuisinières, rien que des bonnes femmes qui pensent qu'à aller au cinéma ou au coiffeur, pas étonnant que leurs gosses veuillent tout avaler sans en foutre une rame ! Lui, il se levait encore à quatre heures du matin pour aller aux Halles. Il avait plus vingt ans, pourtant, ni même quarante... Mais le travail, on le lui avait appris à coups de pied dans le cul. A douze ans, après le certificat... On lui avait pas demandé s'il voulait aller à la Sorbonne, lui !...

Et il jetait avec indignation le morceau sur le plateau de la balance automatique. La flèche bondissait, il notait le chiffre le plus haut, raflait le paquet avant que ça redescende. Il avait toujours oublié d'enlever un peu de gras ou de déchet. Pas grand-chose, quelques grammes. A la fin de l'année, ça fait quelques tonnes. A la caisse, sa femme se trompait en rendant la monnaie. Jamais à son désavantage. Et pas avec n'importe qui. Pas avec les vraies bourgeoises qui comptent bien leurs sous, mais avec les petites ménagères, les jeunes, on leur donne la monnaie, elles ramassent, elles regardent même pas. Et avec les hommes. Ils auraient honte de compter. Parfois, quelqu'un s'apercevait. Elle s'excusait, elle était confuse.

JUSQU'AU DERNIER jour, Olivier refusa de croire qu'ils avaient perdu. Tout était ébranlé, il suffisait de pousser encore un peu, de secouer un bon coup, il suffisait que les ouvriers continuent la grève encore quelques semaines, peut-être quelques jours, et toute la société absurde allait s'écrouler sous le poids de ses propres appétits.

Mais les usines rouvraient les unes après les autres, il y avait de nouveau de l'essence dans les pompes et des trains sur les rails. Il alla à Flins encourager les grévistes de Renault, et ce fut là qu'il comprit que tout était terminé. Ils n'étaient plus qu'une poignée à rôder autour de l'usine, pourchassés par les C.R.S., regardés de loin par les piquets d'ouvriers indifférents, sinon hostiles. Sur le point d'être capturé par les C.R.S., acculé contre la berge, il sauta à l'eau et traversa la Seine à la nage.

Il y avait des barrages sur les routes, il dut couper à travers champs. Un paysan lui envoya son chien aux trousses. Au lieu de fuir, Olivier s'accroupit et attendit le chien. C'était un briard crotté et privé d'amour. Olivier l'accueillit avec des mots d'amitié et lui tapota la tête. Le chien, fou de bonheur, lui mit les deux pattes sur les épaules, sortit sa langue entre ses poils, lui lécha en deux coups tout le visage puis se mit à gambader autour de lui en aboyant d'une voix d'outre-basse. Olivier se redressa lentement. La joie du chien tournait autour de lui sans l'atteindre. Il se sentait froid comme l'eau de la Seine dont il venait de sortir.

Il rentra à la Sorbonne et s'enferma dans le petit bureau. Il restait allongé sur une couverture, sans parler, les yeux ouverts, regardant à l'intérieur de lui-même le vide énorme laissé par l'écroulement de ses espérances. Carlo lui apportait à manger, s'inquiétait de le voir si sombre, lui disait que rien n'était perdu, ce n'était qu'un début, on recommencerait. Olivier n'essayait même pas de discuter. Il savait que c'était fini. Il avait compris que le monde ouvrier, sans lequel aucune construction n'est possible, était un monde étranger qui ne les accepterait jamais. Ils étaient les produits ratés de la société bourgeoise, les fruits d'un arbre trop vieux. Ils avaient appelé eux-mêmes la tempête qui les avait détachés de la branche. L'arbre allait mourir une saison prochaine mais eux ne mûriraient nulle part. Ils n'étaient pas un début, mais une fin. Le monde de demain ne serait pas construit par eux. Ce serait un monde rationnel, nettoyé des sentiments vagues, des mysticismes et des idéologies. Ils avaient porté la guerre dans les nuages, les ouvriers avaient gagné au ras du sol la bataille des bulletins de salaires. Dans un monde matériel, il faut être matérialiste. C'était la seule *manière* de vivre, mais est-ce que cela pouvait constituer une *raison* de vivre ?

Olivier ne participa pas à l'ultime baroud de la rue Saint-Jacques. Autour de lui, dans la Sorbonne, se réglèrent les derniers comptes entre les étudiants, les épaves, les malfrats et les policiers. Quand ces derniers entrèrent dans le bureau pour le faire sortir, il n'eut même pas un réflexe de défense. Le navire était échoué, on quittait le bord. C'était un naufrage sans gloire, dans la vase. Ils sortirent de la Sorbonne sur le trottoir encombré de paquets de policiers en uniforme et en civil. Olivier dit à Carlo :

— Je ne reviendrai jamais ici.

Carlo l'accompagna le long de la rue de Vaugirard et de la rue Saint-Placide. Le jour venait de se lever, quelques voitures passaient, rapides. Un camion de laitier s'arrêta devant une crémerie et repartit, laissant sur le trottoir la ration de lait du quartier. Carlo jeta une pièce de un franc dans une caisse et prit un berlingot. Il en déchira un coin avec les dents et but à longs traits, puis tendit à Olivier le récipient biscornu.

— Tu en veux ?

Olivier fit « non » de la tête. Le lait pur lui donnait la nausée. Carlo but encore, et jeta le berlingot sous les roues d'un camion qui fit gicler le reste de son sang blanc.

— Qu'est-ce que tu vas faire ? demanda Carlo.

— Je ne sais pas...

Quelques pas plus loin, Olivier demanda à son tour :

— Et toi ?

— J'ai plus qu'un certificat, je vais pas laisser tomber maintenant...

— Tu seras prof ?

— Qu'est-ce que tu veux que je sois ?

Olivier ne répondit pas. Il courba les épaules et mit les mains dans ses poches. Il avait froid. C'est à ce moment qu'il s'aperçut qu'il n'avait plus son écharpe. Pendant les pires bagarres, il avait toujours veillé à ne pas la perdre, car il savait que cela aurait fait de la peine à sa grand-mère. Et, finalement, il l'avait tout simplement oubliée dans le petit bureau en haut de l'escalier. Il n'était pas question d'y retourner. L'écharpe devait fleurir de son arabesque capucine un coin du parquet désert. Non... Elle était sur le dossier de la chaise derrière le bureau. Il s'en souvenait maintenant, il la voyait. Il eut un court frisson. Il lui sembla qu'il était déshabillé.

— Tu as encore de quoi payer un café?

— Oui, dit Carlo.

Le café tabac au coin de la rue du Cherche-Midi était ouvert, tous ses néons intérieurs allumés, de la sciure fraîche répandue sur le sol. Au comptoir, M. Palairac prenait son premier vin blanc de la journée. Il pesait près de cent kilos. Avec l'âge, un peu de ventre lui était venu, mais l'essentiel restait d'os et de viande. Il n'avait pas encore commencé de travailler, sa tenue blanche était immaculée. Le lourd tablier sur la hanche droite l'enveloppait comme une cuirasse. Il connaissait bien Olivier, il l'avait vu grandir. On pouvait même dire qu'il l'avait nourri. Bien sûr, la grand-mère payait les biftecks, mais c'était quand même lui qui les avait fournis! Depuis le biberon!... Ça lui donnait bien le droit de lui dire ce qu'il pensait, à ce petit morveux! Il le regarda entrer avec son copain, et l'apostropha quand ils passèrent devant lui.

— Alors, c'est fini, la rigolade?

Olivier s'arrêta, le regarda, puis se détourna sans répondre et vint s'accouder au comptoir. Carlo le rejoignit.

— Deux express, dit Carlo.

— Alors, on ne répond même pas? dit M. Pa-

lairac. J'ai peut-être plus le droit de causer ? Plus
le droit de respirer ? Je suis trop vieux ? Juste bon
à crever ? Et ta grand-mère, qui se ronge les sangs
depuis des semaines qu'elle t'a pas vu ? Qu'elle
crève aussi ! C'est une vieille ! Toi, tu t'en fous ! Tu
mets la baraque en l'air, tu fous le bordel partout
et tu t'amènes les mains dans les poches boire tranquillement un petit café. C'est quand même un
monde !

Olivier semblait ne pas entendre. Il regardait la
tasse que le garçon posait devant lui, y mettait
deux sucres, y plongeait la petite cuiller, tournait...
M. Palairac prit son verre de vin blanc et en but
une gorgée. C'était le petit muscadet du patron.
Bon... Il reposa son verre et se tourna de nouveau
vers Olivier.

— Et qu'est-ce que ça t'a rapporté, tout ça,
hein ? Tout le monde a fait son beurre, sauf vous !
Les ouvriers, les fonctionnaires, ils se sont tous
taillé des biftecks sur votre dos ! vous êtes les cocus !

Olivier, maintenant, le regardait, d'un regard
minéral, le visage sans expression, les yeux immo-
biles, les paupières figées. Il était comme une statue,
comme un insecte. M. Palairac éprouva une sorte
de peur et se mit en colère pour secouer l'insolite,
revenir dans le monde ordinaire des hommes ordi-
naires.

— Qui c'est qui va payer la note, maintenant,
hein ? Qui c'est qui va passer au percepteur ? C'est
toujours pas vous, sales petits merdeux !

L'évocation de la feuille d'impôts le rendit violet
de fureur. Il leva son énorme main de boucher
comme pour prendre l'élan d'une gifle.

— Si j'étais ton père, tiens !...

Fût-ce le geste de menace ou le mot « père » qui

déclencha la riposte d'Olivier ? Peut-être la réunion des deux. Il sortit comme l'éclair de son immobilité, rafla sur le comptoir le récipient d'aluminium qui contenait les morceaux de sucre et du même élan l'écrasa sur la figure du boucher. Le couvercle transparent se brisa, une arête écorcha la joue de M. Palairac qui se mit à hurler, recula, trébucha sur une caisse de bouteilles de Cinzano vides qui attendait le passage du livreur et tomba en arrière au milieu d'une pluie de morceaux de sucre. Ses cent kilos atterrirent sur le juke-box qui percuta la façade du Cherche-Midi. La glace s'écroula en poignards de lumière sur M. Palairac étendu dans la sciure. Le juke-box s'alluma, un disque se mit en place. Olivier saisit un guéridon et le lança à la volée par-dessus le comptoir dans les étagères de bouteilles. Il prit une chaise par le dossier et se mit à frapper sur tout ; il la faisait tourbillonner autour de lui comme un cyclone et frappait tout ce qu'il pouvait atteindre. Il avait les yeux pleins de larmes et ne voyait plus que des formes vagues et des couleurs floues qu'il frappait. Le garçon, accroupi derrière le comptoir dans les tessons et les alcools répandus, essaya d'atteindre le téléphone. Un coup de chaise fit voler ce dernier dans la machine à café. Un jet de vapeur fusa vers le plafond. Carlo criait :

— Arrête! Olivier ! Arrête! Bon Dieu, arrête!

Du juke-box sortait la voix d'Aznavour. Il chantait :

> *Qu'est-ce que c'est l'amour ?...*
> *Qu'est-ce que c'est l'amour ?...*
> *Qu'est-ce que c'est l'amour ?...*

Personne ne lui répondait.

MAIS POURQUOI

tu as fait ça ? Pourquoi ?

Elle s'était laissé tomber sur une chaise de la cuisine, elle n'en pouvait plus, elle regardait Olivier en levant un peu la tête. Il était debout devant elle, immobile, il ne disait rien.

Elle ne l'avait plus revu depuis la mort de ce pauvre M. Seigneur. Pas de nouvelles, rien. Elle savait seulement qu'il était dans ces bagarres, cette folie... Elle avait tellement maigri... Ça ne se voyait pas beaucoup de l'extérieur, mais elle était devenue légère comme une boîte vide. Ce matin, le transistor avait enfin annoncé que tout était terminé. Olivier allait rentrer ! Et voilà qu'il rentrait avec cette horreur !

Juste au moment où le cauchemar était fini !... Tout recommençait ! Et encore en pire !... C'était pas juste, mon Dieu... C'était pas juste, elle en avait déjà assez vu, assez enduré, elle aurait bien eu le droit, maintenant qu'elle était vieille et si fatiguée, d'espérer un peu de tranquillité ; elle demandait même pas du bonheur, mais tranquille, être un peu tranquille...

— Mais pourquoi tu as fait ça, mon Dieu ? Pourquoi tu as fait ça ?...

Olivier hocha doucement la tête. Qu'est-ce qu'il aurait pu lui expliquer ? Après un instant de silence, elle lui demanda, d'une voix qui osait à peine se faire entendre :

— Tu crois qu'il est mort ?

Olivier se tourna vers la table, où son café au lait refroidissait.

— Je ne sais pas... Je ne crois pas... Les types comme lui, ça a la vie dure... Il a été coupé par le verre...

— Mais pourquoi tu as fait ça ? Qu'est-ce qu'il t'avait fait ?

— Ecoute, il faut que je m'en aille, la police va arriver...

Il lui parlait très doucement, pour essayer de la blesser le moins possible. Il se pencha vers elle et l'embrassa sur ses cheveux gris.

— Est-ce que tu peux me donner un peu d'argent ?

— Oh, mon pauvre petit !

Elle se leva d'un élan, sans effort, elle était devenue si légère, elle alla dans sa chambre, ouvrit son armoire, prit un livre recouvert d'un morceau de papier peint à grandes fleurs. C'était un agenda du Bon Marché de 1953. Elle déplia le papier de couverture. C'était là, entre le papier et le cartonnage, qu'elle cachait ses économies, quelques billets, une pauvre épaisseur. Elle les prit tous, les plia en deux et vint les mettre dans la main d'Olivier.

— Va-t'en, mon poussin, va-t'en vite avant qu'ils arrivent ! Mais où vas-tu aller ? Oh mon Dieu, mon Dieu !...

Olivier déplia les billets, en prit un seul qu'il enfonça dans sa poche et posa les autres sur la table.

— Je te le rendrai. Est-ce que tu sais où est Martine en ce moment ?

— Non, dit-elle, je ne sais pas... Tu n'as qu'à téléphoner à son agence...

Ils entendirent en même temps l'avertisseur du car de police, dont le son parvenait étouffé, par-dessus les cours et les immeubles.

— Les voilà! Va-t'en vite! Écris-moi, ne me laisse pas sans nouvelles!...

Elle le poussait dans l'escalier, toute folle d'inquiétude.

— M'écris pas ici! S'ils surveillaient!... Chez Mme Seigneur, 28, rue de Grenelle... Dépêche-toi! Oh mon Dieu, ils sont là!

Le pin-pon, pin-pon était tout proche. Mais il ne s'arrêta pas, il continua, s'éloigna, s'éteignit. Quand Mme Muret se rendit compte qu'il n'y avait plus de danger, Olivier était parti.

Un ENFANT NU DORmait au bord de la mer. C'était un garçon, doré comme un épi d'août. Une gourmette d'or encerclait sa cheville droite. Ses cheveux à peine nés avaient la couleur et la légèreté de la soie vierge. Chaque douce partie de son corps était élastique et pleine de possibilités de joies, et uniquement de joies. Il était une graine qui se gonfle et va germer et va devenir une fleur ou un arbre, une joie ou une force. Ou de la joie sur de la force : un arbre fleuri.

Il était couché sur le côté droit. Olivier, arrêté près de lui, le regardait verticalement, voyait son œil gauche de profil, fermé par la frange des cils couleur de miel, et la petite main droite dodue, épanouie sur le sable, la paume vers le ciel, comme une marguerite rose.

Il compta les pétales : un peu, beaucoup, passionnément, à la folie, pas du tout...

Pas du tout.

C'était tout ce qu'il pouvait espérer, lui comme les autres, un, deux, trois, quatre, cinq. Pas du tout. La marque universelle.

Olivier fit quelques pas de plus et s'arrêta. Il était arrivé.

Six chevaux de Camargue peints sur toute leur surface de fleurs et d'arabesques psychédéliques, dans les tons des glaces sucrées, étaient tenus en laisse par six filles sophistiquées, vêtues de manteaux de fourrure, sous le grand soleil de la Méditerranée. Un septième, peint uniquement d'énormes marguerites jaunes, était monté par la plus belle des filles, la seule qui eût autour des os de la chair savoureuse. Elle portait un manteau ample et court, fait de bandes horizontales de renard blanc et de renard bleu pâle. Sa longue perruque bleue était couronnée de marguerites blanches.

Bêtes et mannequins composaient, sur un fond de pinède surmonté d'azur impeccable, un groupe insolitement beau, devant lequel un photographe se déplaçait et s'agitait comme une mouche à laquelle on a coupé une aile. Courbé sur son appareil, il visait l'univers par morceaux, appuyait — clic! — en emprisonnait une tranche, courait plus loin, plus près, à gauche, à droite, s'agenouillait, se relevait, criait :

— Soura, nom de Dieu! Tu me le tiens, ce canasson, oui ou merde?

Soura, dont le cheval agitait la tête, répondit merde avec l'accent anglais, caressa le cheval, lui flatta les naseaux.

— *Quiet! Quiet!... Be quiet!... You're beautiful!*
Elle l'embrassa sur les lèvres.
Clic!

— Tu te dépêches un peu? On crève, sous ces machins!

C'était une rousse qui protestait, aux boucles courtes flamboyantes piquées de trois boules d'hortensias pas mûrs, d'un vert qui commençait à tourner au rose évanoui. Ses yeux étaient peints en vert gazon jusqu'au milieu des tempes. D'une main elle tenait la bride d'un cheval-jardin, de l'autre elle fermait sur elle un manteau de vison d'une teinte coq-de-cuivre sous lequel elle était nue.

— C'est ton métier de crever! Colle-toi à ton canard! Et souris! Un peu de sexe, bon Dieu! Comme si c'était ton mâle!

Il y eut quelques ricanements, car Edith-la-Rousse appréciait peu les mâles.

— Il pue, cette vache! dit-elle, il sent le cheval!

Elle se colla contre lui et lui fit un sourire éblouissant, de profil, juste sous son œil.

Clic!

Marss surveillait les opérations du volant de son véhicule qui ressemblait à rien et qu'il avait baptisé Bob. Il l'avait fait fabriquer pour se déplacer dans sa propriété. C'était une sorte de deux-tiers de jeep, à quatre moteurs électriques sur les quatre roues. Cela passait partout en bourdonnant comme une abeille, et pouvait tourner sur place car les quatre roues étaient directrices. Il y avait un siège devant le volant, et un autre qui lui tournait le dos.

Pour qu'il fût en harmonie avec sa collection qu'il était en train de faire photographier pour *Vogue* et *Harper's Bazaar*, Marss l'avait fait peindre la semaine précédente couleur fleur-d'iris-écrasée-dans-la-crème. Il portait un slip de bain assorti brodé d'un épi de maïs vertical à la place du sexe. Sa peau était couleur de cigare, y compris celle de son crâne qu'on apercevait sous la brume blonde de ses cheveux légers et rares. Il essayait de se maintenir en forme par la natation, l'équitation, les massages, le sauna, mais sa musculature s'enveloppait de plus en plus, et son épi de blé pointait sous une brioche qu'il déclarait due à l'eau gazeuse, bien qu'il bût son whisky toujours sec.

Assis sur le siège qui lui tournait le dos, Florent, dit Flo, le modéliste créateur de la collection, se rongeait les ongles d'angoisse en regardant son œuvre, et de temps en temps trépignait.

— C'est pas mal, tout ça, dit Marss.

Il avait une voix très basse, nonchalante et fatiguée.

— ... C'est pas mal, mais ça manque d'actualité...

Flo, bouleversé, se tourna vers lui.

— Quoi ? Quoi ? Quoi ? Qu'est-ce que tu veux dire ?

— Je veux dire : ça manque d'actualité, répéta Marss très paisiblement. Avec ce qui vient de se passer à Paris, le style fleuri, c'est complètement dépassé... Tes chevaux peints, il y a deux mois, c'était génial, aujourd'hui, c'est plus vieux que des vieilles tantes...

— Ooooooh !...

Flo poussa un long gémissement et sauta à terre.

— Tu me dis ça à moi ! A moi !...

— A qui veux-tu que je le dise ! C'est toi qui penses, non ? Eh bien, tu penses en retard... Tu aurais dû aller faire un tour sur les barricades...

L'assistant de Flo, un adolescent blond au tendre visage, soigné des pieds à la tête comme la vierge destinée au sultan, regardait, bouleversé, déchiré, son maître désemparé s'approcher vertigineusement de la crise de nerfs. Il vola à son secours.

— Si on leur mettait un drapeau rouge ? suggéra-t-il ?

Marss, étonné, se tourna vers lui.

— ... Je veux dire... Aux chevaux... un drapeau rouge au derrière... ou deux ou trois, comme ça, une gerbe... sur leur gros cul...

— C'est ça, dit Marss, pour foutre la frousse à tous mes acheteurs américains!...

Il se tourna de nouveau vers Flo.

— Il est complètement con, ton bonhomme...

— Martine! Qu'est-ce qui te prend? criait le photographe. Ça va pas, non?

Au centre du groupe, la fille à cheval sur les marguerites avait abandonné la pose et, appuyée des deux mains sur son cheval, se tournait carrément vers Marss, la bouche à demi ouverte de stupéfaction et de crainte. Son manteau s'était ouvert, dévoilant un soutien-gorge et un slip minuscules, de dentelle rouille. Elle eut tout à coup un frisson et, des deux mains, referma son manteau jusqu'au col.

Marss fit un demi-tour sur son siège pour regarder derrière lui qui regardait Martine. Il vit Olivier. Martine regardait Olivier. Olivier regardait Martine.

Marss fronça les sourcils, descendit et s'approcha d'Olivier :

— Qu'est-ce que vous faites ici? C'est une propriété privée!

— Excusez-moi, dit Olivier sans s'émouvoir. Je suis venu voir Martine...

— Vous la connaissez?...

Olivier eut un petit sourire presque triste.

— On se connaît depuis longtemps, mais on ne se voit pas souvent...

— Qui êtes-vous?

Le cheval de Martine arriva au galop et s'arrêta pile. Sa croupe bouscula Marss qui se cramponna au pare-brise de Bob. Martine se pencha et tendit une main vers Olivier.

— Viens! Monte!... Ne reste pas ici! Tu déranges tout le monde!...

Il sauta, elle le tira, il rampa sur le dos du cheval-marguerites, réussit à poser une jambe, se trouva à califourchon entre Martine et le col du cheval, et, s'il faisait face à l'avant, c'était bien par miracle.

Elle frappa de ses talons nus un pétale du côté droit, du côté gauche le cœur d'une fleur.

— Hue!...

Le cheval partit au petit trot. Marss, appuyé à Bob, n'avait pas dit un mot. Il regarda la fille et le garçon sur la bête s'éloigner vers l'autre extrémité de la plage, rapetisser sur le sable d'or. Ce sable lui avait coûté très cher. Il l'avait fait venir d'une île du Pacifique. Un plein cargo. Il n'y avait pas une autre plage aussi radieuse dans tout le monde occidental.

Il fit le tour de Bob et se retrouva près de Flo.

— C'est fini pour aujourd'hui, dit-il. Tâche de trouver une idée pour demain.

Au moment où il allait remonter sur son véhicule, Soura s'approcha de lui. Elle était maigre comme une arête. Elle portait un manteau à damiers roux et blancs. Chaque carré avait vingt centimètres de côté. Les blancs étaient de l'hermine, les roux de l'hermine teinte. Elle était coiffée d'une perruque blanche qui encadrait son visage maquillé en ocre rouge, traversé par d'immenses yeux verdâtres. Elle pointa un doigt prolongé d'un ongle démesuré vers le bucéphale qui disparaissait au bout de la plage derrière un chapelet de rochers importés d'un haut plateau d'Espagne, puis reporta sa main derrière la tête de Marss, en écartant l'index et le médium en forme de cornes.

— You!... Coucou! dit-elle.

— Possible, répondit Marss paisiblement.

ELLE LUI AVAIT DIT
cent fois qu'elle ne voulait pas qu'il vînt la voir
dans son travail, elle lui avait interdit de se faire
connaître de ses photographes ou de ses relations
professionnelles. Elle exerçait un métier terrible.
La marchandise qu'elle vendait, c'était l'apparence
de son visage et de son corps. Depuis vingt ans elle
avait appris à les mettre de mieux en mieux en
valeur. Depuis plus de dix ans déjà elle se battait
quotidiennement contre l'âge, pour l'empêcher de
mordre sa chair et sa peau. Au prix d'un effort
sans défaillance et chaque jour accru, elle réussis-
sait à rester incroyablement plus jeune qu'elle ne
l'était. C'était l'apparence. Le temps avait malgré
tout creusé à l'intérieur d'elle-même, comme dans
chaque vivant, ses petits tunnels, ses demeures mul-
tiples et minuscules qui finiraient, inexorablement,
par se rejoindre pour constituer l'énorme caverne
dont le plafond un jour s'effondre. Elle avait pleine
conscience de la fragilité de son équilibre. Elle
était ce qu'elle paraissait, et ce qu'elle paraissait
pouvait tout à coup apparaître sinistrement différent. La concurrence, dans son métier, était atroce.
Une multitude de filles jeunes, maigres, affamées

comme des sauterelles, se battaient pour le moindre cliché avec une férocité farouche, sans pitié, que le monde des mâles ne peut même pas imaginer. Si cela n'avait été contraire aux usages et réprimé par la loi, chacune d'elles eût avec délectation coupé en morceaux toutes les autres, sans cesser de sourire aux photographes. Si ces filles apprenaient que la jeune, la superbe Martine avait un fils de leur âge, elles hurleraient de triomphe, lui inventeraient des rides partout, des seins flétris et des fesses pendant jusqu'aux talons. En une seconde, elle deviendrait la vieille, la chauve, l'édentée, la fossile. Elles la piétineraient à mort et tasseraient son cadavre dans la poubelle.

— Elles sont si vaches que ça ? demanda Olivier.

— Vaches ? dit Martine. Tu veux dire des crocodiles !... Et encore... A côté d'elles, les crocodiles, c'est des petits chats... Enfin, tu es venu... Le tout, c'est qu'on sache pas qui tu es.

Elle ne lui en voulait pas. Elle n'en avait jamais voulu à personne, pas même à la vie, qui lui avait pourtant joué quelques tours. Et la première peur passée, elle était heureuse d'avoir son fils entre ses bras. Elle tenait les rênes, les bras allongés de chaque côté de la taille d'Olivier. Le cheval marchait au pas, dans dix centimètres d'eau, parallèlement à la plage. Chaque coup de sabot faisait jaillir de la mer une gerbe de lumière, qui éclaboussait les pieds nus de Martine et les chaussures éreintées d'Olivier. Ce dernier avait chaud. Il avait posé son blouson sur le cou du cheval, en travers. Le manteau de Martine s'était ouvert et ses bras et les pans du manteau encadraient Olivier et le serraient contre elle comme au fond d'un nid.

Elle sentait le corps de son garçon contre le sien

comme elle ne l'avait jamais senti, même lorsqu'il
était tout petit. Il pesait sur sa poitrine, elle sentait
la peau de son dos contre la peau nue de son ventre,
à travers la chemise trempée de sueur, elle recevait
l'odeur de sa transpiration mêlée à l'odeur du cheval dont la large échine lui ouvrait les cuisses
comme pour un accouchement. Le soleil lui brûlait
le visage sous les fards et la baignait sous la fourrure d'une sueur qui se mêlait à celle de son enfant.
Il était mouillé d'elle, comme s'il venait de sortir
d'elle, avec encore les pieds dans son ventre.

Elle n'avait jamais connu cela. Elle n'avait pas
voulu souffrir, elle avait accouché sous anesthésie.
En se réveillant, elle s'était trouvée mère d'une
petite chose laide et grinçante qu'elle n'avait pas
poussée hors d'elle de toutes les forces de sa chair
pour la faire gicler dans la vie, qu'elle n'avait pas
recueillie, petite larve si atrocement écorchée d'elle,
dans l'abri immédiat de ses bras en corbeille, sur
son ventre épuisé, dans la chaleur de son amour
inépuisable. Il était né sans elle, pendant qu'elle
n'était pas là. Quand elle était revenue, on lui
avait dit « c'est un garçon », et on lui avait montré
une grimace saucissonnée dans du linge blanc. On
les avait présentés l'un à l'autre comme deux étrangers destinés à cohabiter pendant une croisière
dont on ne connaît ni la durée ni la destination.
Elle s'était rendormie, soulagée, puisque l'événement était inévitable, que cela fût terminé, déçue
d'avoir fait quelque chose d'aussi misérablement
laid.

Lui, on l'avait couché dans du linge rêche et
aseptisé. Il avait continué de pleurer, tournant à
gauche et à droite sa petite grimace tiède encore
imbibée des eaux intérieures, cherchant avec un

désespoir de noyé quelque chose qui était la bouée vers la vie, quelque chose de chaud dans le monde glacé, quelque chose de tendre et de doux dans ce monde écorcheur, une source dans ce monde desséché.

Mais ce qu'il cherchait sans le connaître, il ne le trouverait jamais. Sa mère dormait, on lui avait bandé les seins dans une camisole de toile raide très serrée, pour lui faire passer le lait. On avait présenté à la bouche du petit grimaceur avide un objet mou qui sentait une odeur morte et contenait un liquide indifférent. Il l'avait refusé avec colère, dérobant son petit visage plissé, serrant ses lèvres jusqu'à ce qu'un hurlement de rage les rouvrît. On y avait alors introduit la tétine, l'eau sucrée avait coulé sur sa langue, qu'un réflexe venu du fond de l'éternité avait aussitôt arrondie en gouttière et collée autour du caoutchouc. Il avait cessé de pleurer, il avait bu, il s'était endormi.

Ils ÉTAIENT ASSIS sous un pin parasol dont l'ombre et le parfum rejoignaient la mer.

Le cheval, énervé par la peinture qui lui collait les poils, se vautrait dans l'eau, les pattes en l'air. Il se redressa d'un bond, s'ébroua, hennit de plaisir, et partit au petit trot vers des gazons et des massifs de fleurs tentateurs, les flancs dégoulinants de marguerites fondantes.

Martine avait ôté sa perruque et son manteau. Après tout, on était dans le Midi, et entre slip-soutien-gorge et bikini, quelle différence? Et il faisait vraiment trop chaud... Elle avait ramassé de longues aiguilles de pin et les tressait machinalement en écoutant Olivier se justifier de sa venue et en donner les raisons. Quand on a des gosses, il faut s'attendre à des tuiles, un jour ou l'autre. Elle eut tout à coup une vague de peur et posa la même question que la grand-mère :

— Tu l'as pas tué, au moins!

Olivier fit la même réponse. Elle eut un geste d'insouciance.

— Ça se tassera, tout ça... Y aura sûrement une amnistie... Tu as qu'à te reposer quelque temps sur la côte, puis tu pourras rentrer à Paris...

Tranquillement, il répondit :

— Jamais...

— Jamais?...

Elle était étonnée, et un peu irritée. Qu'est-ce qu'il allait encore chercher ?

— Les bouchers! les flics! les profs! les syndicats! les salauds! les cons! j'en ai marre! je fous le camp!...

— Tu sais, dit-elle avec sagesse, où que tu ailles, des salauds et des cons, tu en trouveras une bonne récolte...

— Possible, mais je veux plus être le crétin et le cocu au milieu d'eux... Tu vois, tu me connais... Enfin, je sais pas... peut-être tu me connais... peut-être pas... mais tu sais que je mens jamais...

— Je sais...

— Je peux pas mentir... je peux pas... Même si on devait me couper la tête je peux pas... C'est la grand-mère qui m'a appris ça... Elle me disait : « Le mensonge, c'est dégoûtant. » Et quand je lui mentais, même pas plus gros que ça, au lieu de me punir, elle me regardait comme si j'avais été un bout de tripe pourri. Elle m'évitait dans l'appartement, elle se tenait à l'écart de moi, dès que j'arrivais dans une pièce elle allait dans une autre en rasant les murs loin de moi, elle se bouchait pas le nez, mais rien qu'à voir sa figure je savais que je puais. Et quand je me jetais vers elle pour lui demander pardon, elle tendait les bras pour me tenir à l'écart, elle me disait : « Va d'abord te laver! Savonne-toi! Et frotte!... »

Martine souriait, un peu attendrie. Elle dit doucement :

— C'est quelqu'un, la grand-mère!...

— Elle se fait vieille, dit Olivier. Pense à elle

quand je serai parti, va la voir, la laisse pas trop longtemps seule...

— Partir ? Où tu veux partir ?...

— Écoute... Tout ce blabla sur le mensonge, c'était pour te dire que je suis devenu comme la grand-mère, le mensonge, je peux pas le supporter, il pue, il me fait vomir... Et toute votre société, c'est rien qu'une montagne de mensonges, une montagne de charognes pourries habitée par des asticots. Les hommes politiques mentent ! Tous ! De la droite à la gauche ! Les curés mentent ! Les savants mentent ! Les marchands mentent ! Les écrivains mentent ! Les profs vomissent tous les mensonges qu'ils ont avalés quand ils étaient élèves. Même les filles et les garçons de mon âge mentent, parce que s'ils se voyaient comme ils sont ils tomberaient raides morts. J'ai cru qu'on allait pouvoir changer tout ça, je te jure ! J'y ai cru ! J'ai pensé qu'on allait pouvoir passer tous les asticots au lance-flammes, et recommencer une société avec des hommes et des femmes libres ! vrais ! avec de l'amour ! et de la vérité ! Je te jure, j'y ai cru !...

— Tu es complètement fou, dit Martine. La vérité, quelle vérité ? Il faut bien s'arranger, si on veut vivre !...

— Il n'est pas indispensable de vivre, dit Olivier.

— Oh ! dit Martine, voilà les grands mots... Et où c'est que tu espères trouver un coin sans mensonge ?

— Nulle part, dit Olivier. Je sais que ça n'existe pas... Mais je sais un endroit où je peux prendre un tas de fric ! Je vais aller le chercher et je vais le semer pour en récolter un tas encore plus gros. Je serai plus vache que les plus vaches et plus salaud que le pire salaud ! Et sans arrêter de dire la vérité !

Ça fera crever un tas d'asticots autour de moi. Et quand je serai milliardaire, je gueulerai la vérité si fort qu'il faudra bien que le monde change, ou qu'il crève.

— Tu me fais rigoler avec ta vérité, dit Martine. Qu'est-ce que ça veut dire ? Ça n'existe pas !...

— Si ! Ça existe ! dit Olivier, et c'est pas compliqué... C'est le contraire du mensonge.

ASSIS DANS BOB, A demi dissimulé derrière le tronc d'un tilleul fleuri qui bourdonnait d'un peuple d'abeilles, Marss regardait à la jumelle Martine et Olivier. Il vit Martine se reculer pour mieux s'adosser au fût rose du pin, puis passer son bras autour des épaules du garçon, et l'attirer doucement vers elle jusqu'à ce qu'il fût allongé de tout son long, la tête reposant sur ses cuisses. Il voyait remuer les lèvres de l'un et de l'autre, et enrageait de ne pas entendre un mot de ce qu'ils disaient.

— Mon gros bébé, dit Martine, où comptes-tu le trouver, ton tas de fric? Tiens, c'est joli : « ton-tas-de-fric ». Tu te rappelles quand tu étais petit, que je te racontais : un-tas-de-riz, un-tas-de-rats, le-tas-de-riz-tenta-le-tas-de-rats, le-tas-de-rats-tenté tâta-le-tas-de-riz?

— Tu m'as jamais raconté ça! dit Olivier. C'est la grand-mère...

Martine soupira.

— Tu crois?

— Tu parles!

— C'est peut-être vrai... Elle me le racontait à moi aussi quand j'étais gamine, ça me fascinait.

Olivier se sentit envahi par une vague de tendresse. Il voyait de bas en haut le visage de sa mère, avec les petits trous de son nez entre ses grands yeux peints en bleu jusqu'à ses cheveux. Elle avait l'air d'une petite fille qui a joué avec les bâtons de maquillage de sa mère.

— Tu es belle, lui dit-il. Tu es plus belle que toutes ces putes. Pourquoi tu as peur d'elles ?

Elle lui caressa doucement le front, rejetant en arrière les petites boucles de ses cheveux humides de sueur. Elle avait failli ne pas le reconnaître avec ses cheveux courts. Il se les était coupés lui-même avant de quitter Paris, à cause des flics. Il était très beau comme ça, plus dur, plus homme.

— Tu es gentil, dit-elle, mais tu es bête... Je serais dix fois plus belle que j'aurais toujours... tu vois, j'ose même pas me dire mon âge à moi à haute voix, j'ose même plus le penser... Pour les filles de vingt ans, si elles le savaient, je serais plus qu'une vieille carcasse... Comme une de ces bagnoles, tu sais, qu'on voit des fois au bord d'une route, dans le fossé, tout éventrée, on lui a fauché ses roues, son moteur, ses banquettes, même le rétroviseur. Elle est plus bonne qu'à devenir un tas de rouille.

Elle rejeta l'horreur du tableau, rappela à elle tout son optimisme.

— Bon ! C'est pas pour demain ! Alors, ce tas de fric ? Ça m'intéresse, moi ! Où tu vas le dénicher ?

Olivier cracha une épine de pin amère qu'il était en train de mâchouiller.

— Tout simplement dans les poches de ton mari !

— Ton père ?

— Il paraît...

— Dis-donc, toi !... Voyou !

— Pardonne-moi... Je veux dire, il paraît que j'ai un père, quelque part dans le monde...

— Je sais même pas où il est...

— Moi, je le sais...

Marss était de plus en plus furieux de ne rien entendre. Qu'est-ce qu'ils pouvaient bien se dire ? Qui était ce petit gigolo ? Ces filles, elles sont toutes pareilles, dès qu'il y a un jeune qui se présente, avec sa petite gueule fraîche et sa queue dure, elles deviennent folles ! leur ventre n'est plus qu'un aspirateur !...

Par réflexe, en pensant au jeune garçon, il gonfla sa poitrine et rentra sa brioche. Il transpirait, il se sentait vieux, laid et mou. C'était une erreur masochiste due à sa trop grande fortune. Il ne croyait pas qu'il lui fût possible d'être — non pas aimé, l'amour laissons ça aux lectrices de *France Dimanche* — mais, au moins, désiré ou même supporté agréablement par une femme. Il pensait qu'elles en voulaient toutes, et uniquement, aux miettes de ses milliards. Il n'avait pas tort. Sauf en ce qui concernait Martine. C'était une fille de bon cœur, elle éprouvait pour lui une grande affection, et beaucoup de plaisir à partager son lit. Il avait un visage d'homme du Nord, aux lignes nettes, et un grand corps solide, un peu lourd, mais beau. Elle aimait le caresser, poser sa tête sur le coffre de sa poitrine puis faire basculer sur elle tout ce grand poids qui devenait alors doux, violent, souple et chaud comme une bête sauvage un peu lasse. Si elle avait dû le perdre, elle en aurait non seulement éprouvé de l'ennui, parce qu'il était la sécurité, le port bien abrité dans lequel elle s'était amarrée, mais elle aurait eu de la peine. Vraiment. Et plus encore que des filles, c'était de lui qu'elle craignait qu'il apprît son âge. Elle était certaine qu'il eût immédiatement éprouvé un réflexe de recul, peut-être même de répulsion. Il lorgnait volontiers vers les gamines...

Sans croire tout à fait à l'affection de Martine, Marss sentait confusément qu'elle n'était pas comme les autres. Elle avait l'œil moins polarisé vers les devantures des bijoutiers, ils passaient parfois des moments ensemble, allongés au soleil ou à l'ombre, sans désir, sans calculs, silencieux, seulement bien d'être ensemble. Avant d'avoir Martine auprès de lui, il n'avait jamais connu un tel désarmement, toujours sur ses gardes, même entre les draps. C'était à cause de cela, et de certaines joies spontanément partagées, certains éclats de rire fusant en même temps, que sa liaison avec elle durait plus qu'aucune autre n'avait duré, même avec des filles plus belles. C'était à cause de cela que la brusque apparition de ce jeune voyou et l'image dans sa lunette de son intimité avec Martine lui mordaient intérieurement la poitrine d'une espèce de rage de cœur qu'il n'avait, elle non plus, jamais connue auparavant.

— Mais qu'est-ce qu'ils peuvent bien se raconter ? Il la pelote même pas!

Brusquement, il pensa qu'il avait quelque part un micro directionnel, sur ampli, long comme un télescope, avec lequel il pouvait entendre péter une mouche à un kilomètre. Il appuya à fond sur le démarreur, Bob fit un tourbillon autour de l'arbre et grimpa vers la villa. Le micro devait être quelque part dans un placard.

— J'ai lu un article sur lui dans *Adam*, dit Olivier. Une dizaine de pages de photos en couleurs. Il est à Katmandou, dans le Népal, il organise des chasses au tigre pour les milliardaires...

— Le Népal ? Où c'est ça ?

— Au nord de l'Inde, juste au pied de l'Himalaya. Il les emmène aussi chasser le yéti ! Les cloches !

— Quel type ! dit Martine avec un peu de nostalgie.

— Il a des sherpas, des tas d'éléphants, des jeeps, des camions, c'est un truc sur une grande échelle, une vraie usine. Ils donnaient les tarifs de son hôtel dans la forêt. *Rien que l'hôtel* : 80 dollars par jour et par personne !

— Ça fait combien ?

— 40 000 balles !

— Merde !

— Alors les éléphants, les jeeps, les rabatteurs, tout le bazar, tu te rends compte de ce qu'il doit leur piquer ?

— Oui ! Qu'est-ce qu'il doit se mettre dans les poches ! dit Martine. Et dire qu'il m'a jamais donné un sou, le salaud !

Elle éprouvait plutôt de l'admiration que de l'amertume. Olivier s'en aperçut. Il demanda :

— Tu l'aimes encore ?...

— Qu'est-ce que tu vas chercher ? C'était un marrant, quoi... On s'entendait bien, on était jeunes tous les deux... Surtout moi !... Alors on faisait guère attention... Alors tu es arrivé !... Tu sais comment c'est, d'abord on y croit pas... Ça paraît pas possible... Dans les romans et au cinéma, ils font l'amour sans arrêt et les filles sont jamais enceintes !... Tous les romanciers qui écrivent des trucs comme ça, et les metteurs en scène, on devrait les faire cotiser pour les filles mères. Tu imagines pas ce qu'y en a, des gamines qui se font prendre à cause d'eux ! L'amour, l'amour, et jamais de gosses ! C'est beau, les livres ! Les vaches ! Y

avait pas la pilule, à cette époque! Moi, j'ai pas
voulu t'avorter. Lui non plus, d'ailleurs. Et il a
pas essayé de me plaquer, il est honnête, il m'a dit :
« On se marie pour qu'il ait un nom, et après sa
naissance, on divorce. Tous les torts pour moi, je
te verse une pension pour élever le gosse, et chacun
reste libre. D'accord ? » J'ai dit d'accord, de toute
façon, c'était bon pour rigoler, il était pas sérieux.
C'était pas un mari...

Olivier se redressa sur un coude. Il demanda :

— Cette pension, il te l'a versée combien de temps?

— Six mois... Peut-être un peu plus, remarque...
Enfin, en tout cas, moins d'un an, ça j'en suis
sûre!... Après, il est parti pour Madagascar, puis
j'ai reçu une carte de Noël du Venezuela, des
années après, et maintenant, il est... Où c'est qu'il
est, tu dis?...

— Au Népal...

— Ça alors!... Aller dans un bled pareil, c'est bien
de lui!

— Pourquoi tu l'as pas poursuivi devant les
tribunaux ?

— Il aurait fallu l'attraper! Et puis, j'allais pas
faire mettre ton père en prison!...

Ce qu'elle n'ajouta pas, parce qu'elle ne s'en
rendait même pas compte, c'est qu'il lui avait paru
tout naturel qu'il l'oubliât comme elle l'avait
oublié. C'était une histoire sans importance, comme
une partie de marelle. On ne reste jamais prison-
nière dans l'enfer ou le paradis. On saute par-dessus,
et on retombe sur ses deux pieds.

Maintenant, parce qu'Olivier venait de parler de
lui, elle se souvenait, et elle s'attendrissait, pas
trop, un peu, parce que c'était si loin, et qu'elle
était si jeune.

— Tu es pas chic, dit-elle, tu aurais dû m'apporter cette revue... Il a beaucoup changé?

— Il paraît plutôt plus jeune que sur les photos de l'album de la grand-mère. C'est vrai que dans la revue il était en couleurs... Il y avait un grand portrait en pleine page, sur un éléphant, dans une espèce de tenue de chasse comme un uniforme, avec des galons d'or partout, tête nue, un fusil à la main, il souriait, il a des dents blanches, il avait l'air d'un fils de roi!

— Oui... soupira Martine, il était beau...

En parlant du fils de roi qui était son père, Olivier avait baissé la voix comme lorsqu'on essaie de raconter un rêve. Un père si beau, si jeune, sur un éléphant, dans un pays fabuleux...

Il serra les dents, rappela sa vieille rancune.

— Rien que le prix de son fusil aurait fait vivre la gram' pendant trois ans! dit-il. La pension, je te jure qu'il va la payer! et avec les arriérés!... J'ai fait les comptes : avec les intérêts, ça fait trente millions!...

— Quoi? dit Martine. Tu es fou?

— Non, j'ai arrondi, mais pas tellement.

— Ça alors... Ça alors!...

Elle était effarée. L'argent lui passait entre les mains, n'y restait jamais. Additionner des sommes, celles qu'elle recevait ou ne recevait pas, était aussi éloigné de ses possibilités mentales que de celles d'une fleur de pommier.

— Je vais le trouver, dit Olivier, je lui présente la facture, et je t'en envoie la moitié dans une Cadillac!

— Idiot, dit Martine, il te restera rien!...

Ils se mirent à rire tous les deux, elle l'embrassa

et il s'allongea de nouveau, la tête sur le doux coussin chaud des cuisses maternelles.

— T'en fais pas, dit-il, il m'en restera assez pour commencer. J'irai au Canada, ou au Brésil. Ce qu'il faut, pour devenir riche, c'est avoir un bon petit paquet pour démarrer, et ne plus penser qu'à l'argent, l'argent! l'argent!... Puisqu'il y a que l'argent qui compte!

— Gros bébé! dit-elle. Et pour aller jusque chez ton père, qui te paiera le voyage?

Il tourna un peu le visage vers la tête de sa mère, plissa les paupières parce qu'un brin de soleil lui visait un œil entre les branches du pin.

— Toi! dit-il avec innocence.

Elle sourit et hocha la tête.

— Moi! Tout simplement!... Ça doit coûter au moins un million... Où veux-tu que je le prenne?

— Ça coûte pas si cher, dit Olivier, mais c'est à peu près ce qu'il me faudrait pour que je sois tranquille. Tu trouveras bien quelqu'un qui te fera confiance? C'est un emprunt à court terme. Propose-leur dix pour cent d'intérêts en trois semaines...

Elle soupira...

— Tu as l'air aussi fort que moi en affaires... Tu crois que les gens prêtent une brique comme ça, sans garantie?... Tu es joli, tiens? Si tu te voyais!...

Il avait des traces de fard partout. Elle avait fondu sur lui quand elle l'avait embrassé. Du blanc, du bleu, du vert, une trace de rouge sur la tempe droite...

— Tu as l'air d'un clown!... Tu as un mouchoir?

Il ne répondit pas, s'essuya le visage avec la main, mélangeant et étalant les couleurs.

Elle tendit le bras vers le blouson posé près du

manteau, fouilla dans les poches, en tira un mouchoir, et se mit à essuyer soigneusement le visage d'Olivier, qui fermait les yeux et s'abandonnait à la douceur de la caresse, de la chaleur de l'après-midi dans l'odeur du pin, de la voix maternelle si désirée depuis sa naissance, si rarement entendue.

Elle lui parlait doucement, gravement, à peine plus fort que le calme bruit de la mer.

— Millions ou pas millions, tu veux vraiment aller voir ton père ?...

Il ne rouvrit pas les yeux, il sembla avaler la question avec sa peau, attendre qu'elle eût atteint le plus profond de lui-même, et laissa la réponse remonter à ses lèvres, sans éclat...

— Je veux le faire payer...

— Tu veux le voir ?...

Il y eut encore un silence, puis il répondit doucement :

— Oui ...

Elle jeta le mouchoir mouillé de sueur et d'arc-en-ciel.

— Bon... Je pense que je trouverai l'argent du voyage.

Il sourit, sans rouvrir les yeux.

— Merci...

Elle posa de nouveau sa main sur les boucles qui ourlaient ce front têtu, ce front tout neuf, les caressa doucement, d'un doigt l'autre. Elles étaient comme de la soie. Et de son corps naquit tout seul, sans qu'elle s'en rendît compte, le mouvement instinctif qui berce l'enfant posé sur la mère. Ses cuisses bougeaient doucement, berçaient la tête dorée de l'homme-enfant enfin trouvé.

Il faisait chaud. Trois cigales grinçaient dans un olivier proche. Les aiguilles de pin brûlées par le soleil exhalaient une odeur de résine. Olivier, les yeux clos, se laissait aller au lent balancement qui faisait à peine bouger sa tête abandonnée. Il sentait l'odeur du pin, l'odeur des fards, l'odeur du bord de l'eau salée qui séchait sur le sable à l'extrême limite de la mer endormie, l'odeur merveilleuse et calme composée de toutes ces odeurs et de l'odeur chaude de sa mère, l'odeur du bonheur unique, incomparable, d'un enfant qui va se rendormir sur la chair d'où il s'est éveillé.

— Je ne vous dérange pas, au moins ? dit Marss.

Olivier se dressa d'un bond.

— Ne vous sauvez pas, je vous en prie!

Debout à quelques pas d'eux, immobile, Marss souriait. Il avait laissé Bob un peu plus loin. Il s'était approché à pied, avec précautions. Il avait trouvé le fameux microphone et, du haut de la colline, l'avait braqué sur le couple, le casque aux oreilles. Il avait entendu des tonnerres et des rugissements, la terre craquer et le ciel crouler, et une mouette barrir comme un éléphant. Il avait arraché le casque juste avant d'avoir les tympans crevés jusqu'au fond du crâne.

Il avait jeté cette saloperie dans l'herbe. Des trucs de professionnels, toujours! On ne peut jamais s'en servir sans payer toute une équipe! Avec cotisations de sécurité sociale, caisse de retraite et congés payés! Toujours payer! Toujours! Un tas de types qui ont besoin d'être quatre pour tourner les trois boutons d'un bidule. Merde!

Il était descendu de Bob et avait retrouvé la vieille tactique qui consiste à s'approcher à pas de loup et à tendre l'oreille. Il n'avait rien entendu.

Mais il avait vu.

Martine se levait à son tour.

— Il se sauve pas!... Il a pas à se sauver!...

— Si tu nous présentais?

— Monsieur Marss... Olivier...

— Olivier comment?

Elle inventa vivement un nom avant qu'Olivier eût le temps de répondre.

— Olivier Bourdin.

Elle se rappela trop tard que c'était le nom de sa masseuse : Alice Bourdin... Mais peut-être Marss ne le connaissait-il pas. Tout le monde l'appelait pas son prénom. Alice... Alice...

Marss ne tendit pas la main vers Olivier, et Olivier regardait Marss avec l'amabilité d'un chien prêt à mordre.

Marss lui sourit.

— Je donne une petite fête ce soir à la villa, dit-il. Vous me feriez plaisir si vous acceptiez d'être des nôtres.

Il ne lui laissa pas le temps de répondre, se tourna vers Martine :

— Nous allons manquer d'hommes...

Et il s'en alla à pas nonchalants et lourds, comme un ours que rien ne presse et à qui rien ne peut faire peur.

— Il ne faut pas que tu viennes! dit Martine à voix basse.

— J'en ai pas la moindre envie, dit Olivier.

Marss, qui était à trente mètres, se retourna et cria :

— Ça m'ennuierait beaucoup qu'il ne vienne pas. Décide-le, Martine!

LA VILLA DE MARSS
tenait à la fois du cloître et du palais florentin. Il
en avait lui-même esquissé le plan général, qu'un
architecte italien avait précisé. C'était avant tout
un jardin méditerranéen, savamment sauvage,
planté de cyprès et de massifs de plantes épaisses
qui se gavaient de chaleur et de lumière pendant les
heures de soleil, et la nuit exhalaient des parfums
violents et doux. Quelques bassins chantaient sous
des jets d'eau intermittents. Des statues du monde
ancien, parmi les plus belles, achetées ou volées,
exposaient, aux lumières amoureuses du soleil et de
la lune qui les caressaient depuis des millénaires,
leur beauté parfois mutilée, d'autant plus belle,
torse sans bras, nez brisé, sourire, bonheur, beauté,
depuis trente siècles et pour combien encore ?

Toutes les fleurs et les herbes qui n'aimaient que
la chaleur violente rampaient entre les pierres
sèches, s'y cuisaient et s'y épanouissaient en
voluptés de couleurs et d'odeurs.

La villa, sans étage, entourait le jardin, sur trois
côtés, d'arcades sombres et fraîches formant une
sorte de galerie à la lourdeur un peu romane. Les
chambres ouvraient directement sur la galerie,

par des portes aussi larges que les arcades. En appuyant sur des boutons, on pouvait fermer les portes, soit par une lourde glace, soit par une succession de rideaux de plus en plus épais. Mais, en général, les hôtes de Marss préféraient ne pas dresser d'obstacles entre eux et l'incroyable mélange des parfums du jardin de nuit.

Le quatrième côté du jardin était en partie fermé par un bâtiment dont le toit, couvert de thym et de plantes grasses fleuries, s'élevait à hauteur d'homme derrière une piscine aux parois de mosaïque d'or.

La piscine et le bâtiment s'enfonçaient ensemble en trois étages souterrains. Du côté opposé aux jardins, la colline descendait en pente assez vive, et les pièces de la maison y ouvraient des fenêtres aux formes imprévues, entre des rochers, des buissons, des racines d'olivier ou de chêne vert. On y entrait à chaque étage par une porte couleur de terre et de cailloux.

L'étage du haut comprenait les salles des petits jeux, billards électriques, fléchettes, tir à balle, tous les divertissements forains, et des bars-frigo dans tous les trous des murs. La piscine se prolongeait à l'intérieur, de sorte qu'on pouvait passer du dedans au dehors, et inversement, en plongeant sous le mur de mosaïque d'or. Au-dessous, la paroi intérieure de la piscine était en verre, jusqu'au bas du dernier étage qui était occupé par la chambre de Marss et ses dépendances.

Tous les murs de la maison étaient courbes et irréguliers, comme les abris naturels des bêtes : nids, gîtes ou cavernes. Quand on y pénétrait pour la première fois, on s'étonnait de s'y trouver si extraordinairement bien, et on comprenait alors ce qu'il y a d'artificiel et de monstrueux dans la ligne droite, qui fait des maisons des hommes des machines à blesser. Pour dormir, pour se reposer, pour aimer, pour être heureux, l'homme a besoin de se blottir. Il ne peut pas se blottir dans un coin ou contre un plan vertical. Il lui faut un creux. Même s'il le trouve au fond d'un lit ou d'un fauteuil, son regard rebondit comme une balle d'une surface plane à une autre, s'écorche à tous les angles, se coupe aux arêtes, ne se repose jamais. Leurs maisons condamnent les hommes à rester tendus, hostiles, à s'agiter, à sortir. Ils ne peuvent en aucun lieu, en aucun temps, faire leur trou pour y être en paix.

Entre les divertissements et l'étage personnel de Marss, se situait l'étage des plaisirs. Vastes divans courbes épousant les formes des murs, électrophone avec disques de danse, de jazz, de musique classique et de gémissements de femmes en train de faire l'amour, cinéma allant de Laurel et Hardy à des films beaucoup plus intimes, projecteurs fixes de fleurs, de formes, de couleurs, qui transformaient les murs courbes en horizons étranges où surgissait parfois, inattendu, un pénis gigantesque en plein jaillissement, ou un sexe de femme écarlate, ouvert à deux mains. L'un ou l'autre, en général, faisait rire.

Sven, Jane, et Harold avaient dormi pendant les heures de la chaleur la plus accablante à l'ombre de la dernière hutte d'un village, une ombre étroite et qui tournait. Ils se réveillaient tout à coup parce que le soleil leur mordait les pieds ou le visage. Il n'y avait pas un arbre à perte de vue, vers tous les horizons.

Les habitants de la hutte leur avaient offert par gestes d'entrer à l'intérieur, où il faisait plus frais. Mais l'odeur qui y régnait était atroce. En souriant et saluant de leurs mains jointes, ils avaient fait comprendre qu'ils préféraient rester dehors. Au coucher du soleil, ils avaient pu acheter un peu de riz cuit et trois œufs, avant de se mettre en route. Ils avaient gobé les œufs crus. Ce n'était pas un village très pauvre, puisqu'il pouvait vendre trois œufs et trois poignées de riz. Mais pas assez riche cependant pour nourrir ses poules. Elles vivaient d'insectes, de brins d'herbe sèche, de poussière. Leurs œufs étaient gros comme des œufs de faisans.

Après avoir marché une partie de la nuit, ils étaient arrivés au bord d'une mare autour de laquelle s'écroulaient les huttes d'un ancien village dont les singes avaient chassé les habitants. Attirés par le point d'eau, ils s'étaient installés, d'abord sur les toits, avaient proliféré, volé les provisions des paysans, dévoré tout ce qui pouvait être mangé, et souillé ou détruit le reste.

Les villageois, à qui leur religion interdisait de se défendre contre les singes en les tuant ou les blessant, ou même en les frappant ou en leur faisant peur, avaient dû leur céder la place, s'en aller. Ils avaient fondé un autre village, dans la poussière, sans eau, assez loin pour que les singes trouvent le parcours trop long pour venir voler la nourriture. Les femmes du nouveau village venaient chercher l'eau à la mare, avec une grande cruche, car cela leur faisait, aller et retour, près de vingt kilomètres, et elles ne pouvaient pas les parcourir deux fois par jour.

Quand Jane et ses deux compagnons arrivèrent, ils trouvèrent une petite communauté de hippies qui vivaient dans quelques huttes avec les singes, contre lesquels ils se défendaient mieux que les Indiens, mais sans violence. Avec le toit de paille d'une hutte écroulée, ils venaient d'allumer un petit feu au bord de la mare. Ils l'entretenaient brindille par brindille. Certains dormaient, le visage couvert de moustiques, insensibilisés par la marihuana. Un petit groupe rassemblé autour du feu minuscule discutait à courtes phrases, en demi-silence, de la musique, de l'amour, de Dieu, de rien. Ils se poussèrent un peu pour agrandir le cercle et faire place aux nouveaux venus.

A peine assis, Harold se donna des gifles sur les joues et sur le front.

— Saletés! dit-il. On va pas rester là! On va attraper la malaria!...

Sa voisine, en souriant, lui tendit une cigarette.

— *Smoke!... They don't like it.*

Sven toussait un peu.

Jane s'enveloppa le visage dans plusieurs tours d'un tulle très fin qu'elle avait acheté pour une piécette dans un marché. A la lueur intermittente du feu, elle avait l'air d'une étrange fleur blanche un peu dodue, ou d'un bouton gonflé prêt à s'ouvrir. Elle se protégea les mains et les poignets avec une couche de boue raclée au bord de la mare.

Sven n'était pas gêné par les moustiques. Ils ne s'attaquaient jamais à lui. Il posa sa guitare sur ses genoux.

— L'amour! L'amour! dit un garçon qui venait de Paris, vous me faites rigoler! Qu'est-ce que c'est? C'est l'envie de coucher, c'est tout.

Sven fit sonner doucement une série d'accords. Une famille de singes, sur un toit, se mit à piailler contre la musique, puis se tut. Il n'y eut plus dans le silence que le fin tissu croisé du vol des moustiques.

— Je raconte une histoire d'amour, dit Sven.

« Au printemps, un rossignol se pose sur un cerisier.

« Le cerisier dit au rossignol :

« Ouvre tes bourgeons, fleuris avec moi...

« Le rossignol dit au cerisier :

« Ouvre tes ailes, vole avec moi!... »

— Ils sont bien partis, tes mecs! dit le garçon qui venait de Paris. Tous les paumés qui se marient sont pareils. Tous aussi bien assortis! Casserole-cheval, poisson-raton, doigt de pied-bigoudi et chacun des deux pense qu'à friser l'autre ou à le faire entrer dans sa godasse!...

Sven, encore plus doucement, délivra un accord qui fit taire même les moustiques.

Sven dit :

— Je raconte la fin de l'histoire :

« Alors le rossignol ouvrit ses bourgeons et fleurit. Et le cerisier ouvrit ses ailes et s'envola en emportant le rossignol. »

Le garçon qui venait de Paris n'avait pas bien compris. Il demanda :

— Qu'est-ce que c'est ? Une fable ?

— C'est l'amour, dit Sven.

Dans le chant des moustiques revenu, ceux qui étaient encore capables de penser rêvaient, vaguement émerveillés, incrédules, à la puissance d'un amour qui donnait à un arbre le pouvoir de transformer en ailes ses racines.

Sven égrenait une petite mélodie, quelques notes, toujours les mêmes. Il dit :

— C'est rare...

Puis, encore un peu de musique, puis il dit encore :

— Avec Dieu, c'est aussi rare... C'est la même chose...

APRES LA PHRASE
que Marss leur avait jetée de trente mètres, Martine
était restée un moment saisie, regardant dans la
direction d'où arrivait encore le bruit de ses pas.

Elle dit à voix basse à Olivier :

— Il va falloir que tu viennes! C'est pas possible
autrement. Sans quoi, Dieu sait ce qu'il va croire!...

— Et qu'est-ce que ça peut faire, ce qu'il croit?
répliqua Olivier hargneux.

— Tu es idiot? C'est mon patron, non?... Écoute,
tu viendras vers minuit, tu resteras un petit moment, puis tu diras que tu es fatigué et tu t'en iras...
D'accord?

Il arriva à minuit douze.

Le long de l'allée qui montait à la villa, des
lampes dissimulées dans les massifs guidaient discrètement les pas vers la porte du 2e étage. Olivier
la poussa et entra. Il se trouva en haut de quelques
marches de pierre qui descendaient vers le plancher
de teck. La voix d'une chanteuse noire sanglotait
un blues alcoolisé. Des couples dansaient lentement,
d'autres, étendus sur des divans, sommeillaient,
s'embrassaient ou se caressaient sans grande conviction. Au milieu de la pièce, une colonne en stuc
rose était entourée d'un bar rond où chacun pou-

vait se servir. Olivier pensa que c'était sinistre et qu'il partirait le plus tôt possible. Près du mur transparent de la piscine, un petit groupe riait, entourant un homme aux yeux bandés qui essayait de reconnaître une fille immobile en lui passant les mains sur le visage. Dans le groupe se trouvait Marss. Il tenait un verre de la main gauche et son bras droit était passé autour des épaules de Martine.

Quand il les aperçut, Olivier qui était en train de descendre les marches s'arrêta brusquement, et serra les poings. Le porc!

— Oh! *The baby!* cria une voix près de lui.

Soura, étendue sur un tapis au pied des marches, près d'un verre et d'une bouteille de whisky, se leva, monta rapidement vers Olivier et lui passa les bras autour du cou.

— *I love you, darling! You're beautiful!... Kiss me!...*

Elle était vêtue d'une mini-robe de sequins de plastique multicolores sous laquelle, très visiblement, elle ne portait rien. Elle était plus petite que lui, et une marche plus bas. Elle se dressa sur la pointe des pieds pour essayer de l'embrasser sur la bouche mais ne l'atteignit pas. Il la regardait de haut comme si elle eût été un mannequin de bois accroché à lui, embarrassant.

L'homme aux yeux bandés, maintenant, pelotait la fille qui gloussait.

— Tais-toi! dit Marss, tu ris comme un dindon! Il va te reconnaître!

— Mais il me chatouille!

— Tais-toi donc! espèce de cruche!

La fille se mordit les lèvres et étouffa son rire. Mais l'homme ne l'avait sans doute jamais écoutée parler ou glousser.

— Je la connais pas, dit-il d'un air navré.

Il lui posa la main sur une cuisse et remonta en retroussant la jupe.

— Tu es idiot, dit Marss, là où tu vas, elles sont toutes pareilles !

Tout le petit groupe s'esclaffa. L'homme, dépité, prit la fille dans ses bras et la baisa sur la bouche. Elle lui rendit longuement son baiser. Il se dégagea et s'exclama, triomphant :

— C'est Muriel !

Marss lui arracha son bandeau.

— Bravo ! Elle est à toi !...

L'homme souleva Muriel et l'emporta vers une chambre.

— *You're not a good baby !* glapissait Soura. *Kiss me !... Kiss me !...*

Martine se retourna et vit Soura pendue au cou d'Olivier. Elle vint rapidement vers l'escalier, saisit Soura par les épaules et l'arracha d'Olivier.

— Fiche-lui la paix !

Soura, renvoyée vers son tapis, répondit des injures en anglais.

Martine prit la main d'Olivier et le conduisit vers Marss. Celui-ci, souriant, venait à leur rencontre. Il posa au passage, sur le bar, son verre vide, et en prit un plein. Dans l'autre main, il tenait le bandeau du colin-maillard.

DEUX HEURES PLUS tôt, dans sa chambre, elle lui avait demandé de lui prêter un million, dont elle avait un besoin urgent.

— Je le connais, ton besoin... Il s'appelle Olivier!

Silence de Martine.

— C'est bien pour lui?

— Il te le rendra dans quelques semaines!... Il t'offre dix pour cent d'intérêts.

Marss éclata de rire.

— Dix pour cent pour remplir les poches de ton gigolo! C'est la meilleure que j'aie jamais entendue!

Elle protesta violemment.

— J'ai l'âge d'avoir un gigolo, moi?... Tu m'as regardée? Pour qui tu me prends? C'est un copain, c'est tout! C'est pour partir en voyage, il doit aller chercher une grosse somme qu'on lui doit, mais il n'a pas l'argent du billet.

— On ne peut pas la lui envoyer, cette grosse somme? Les chèques, ça s'envoie par la poste... Un timbre suffit, pas besoin d'un million...

— C'est impossible, je peux pas t'expliquer.

Il était étendu, tout nu, sur le drap de soie pourpre. L'autre drap, vert cru, pendait en bas du lit.

Martine, assise devant la coiffeuse, en robe de chambre légère, se maquillait.

Il se leva et vint se camper derrière elle. Il la regarda dans le miroir.

— Jure-moi qu'il n'est rien pour toi, et je te donne cette brique. *(change for 1 million francs)*

Elle le vit, brun, massif, derrière elle, la dominant, exigeant, et elle comprit qu'à sa façon il l'aimait, autant qu'il était capable d'aimer dans sa méfiance universelle. Elle fut prise de panique à l'idée de le perdre. Mais elle ne pouvait pas jurer qu'Olivier n'était « rien » pour elle. Il était son fils...

Elle était trop superstitieuse pour faire un faux serment, même en croisant les doigts sous la table de la coiffeuse.

— J'aime pas jurer, tu le sais bien!... Tu as confiance, ou pas?...

— Jure... Ou va-t'en...

Elle se leva et prit l'offensive.

— Tu es ignoble!... Je m'en vais!...

Elle ôta sa robe de chambre pour s'habiller, Marss la regarda. Elle était très belle. Il ne se fatiguait jamais de la regarder et de l'aimer. Il n'aurait pas voulu la perdre. Mais il ne voulait pas être trompé.

Elle s'habillait lentement, en faisant semblant de se hâter, espérant qu'il allait regretter, la retenir. Mais il restait debout, muet, sans la quitter des yeux, immobile et nu, comme une statue d'Hercule à la retraite et un peu trop nourri.

Les yeux de Martine s'emplirent de larmes. Ce fut au moment où elle croyait tout perdu qu'elle trouva l'inspiration. Elle vint se camper devant Marss, leva la tête et le regarda dans les yeux.

— Tu veux que je jure ?

— Oui...

— Et si je te jure un mensonge ?

— Je te connais, tu ne le feras pas...

— Si tu m'obliges à jurer, tu sais que ça va briser quelque chose entre nous... Si tu as pas confiance en moi, ça sera plus jamais pareil.

Il dit :

— Jure.

— Bon... Puisque tu le veux... Je te jure qu'il n'y a jamais rien eu entre nous, et qu'il n'y aura jamais rien. Ça te suffit ?

Il fronça un peu les sourcils. Il faisait dans sa tête le tour de la formule à la fois ambiguë et précise. Elle le tranquillisait en partie, mais enveloppait la vérité au lieu de la révéler. Et après tout, peut-être était-elle capable de mentir en jurant, malgré ses superstitions enfantines. Il fallait trouver une preuve, savoir, *savoir*.

— Ça va, dit-il.

— Tu me le donnes, ce million ?

— On verra... Tout à l'heure...

QUATRE POISSONS énormes descendirent dans la piscine. Il y en avait un tout en or, sphérique, avec des yeux bleus grands comme des assiettes, un noir pointu, aigu comme un poignard, un rouge en forme de colimaçon, avec des cornes lumineuses, un bleu pâle tout en voiles, taché de grands pois orangés. Les poissons s'ouvrirent et il en sortit quatre filles nues superbes, qui nagèrent jusqu'à la paroi transparente, envoyèrent des baisers aux invités de Marss, firent une culbute avec un ensemble parfait, et collèrent leur derrière au mur de verre.

Au bas des quatre lunes, il y avait un sexe noir, un sexe roux, un sexe blond, un sexe châtain, fardés et agrémentés de faux cils. Ils obtinrent un succès de fou rire. Marss avait toujours des idées extraordinaires...

Les filles s'accouplèrent deux par deux et se laissèrent remonter vers la surface en se caressant. Elles étaient au bout de leur souffle et de leur numéro. Tout cela leur était aussi égal que si on les avait payées pour faire les pieds au mur en tenue d'entraînement olympique.

Olivier, les mâchoires crispées, se demandait dans quel fumier il avait mis les pieds.

— Fais pas attention, lui dit Martine, c'est rien, c'est des filles qui s'en foutent. Ça ou autre chose!...

Marss était arrivé auprès d'eux. Il souriait avec un rien de férocité. Ses dents blanches bien soignées étaient aussi neuves qu'à ses vingt ans.

— Eh bien! dit-il, voilà notre jeunesse... Soif?

Il lui tendit le verre de whisky. Olivier le prit par défi, bien qu'il ne bût d'habitude que des jus de fruits.

— A vous de jouer, dit Marss. La fille que vous reconnaîtrez avec vos mains sera à vous pour la nuit...

Il monta sur la marche derrière Olivier et entreprit de lui nouer le foulard sur les yeux. Martine le lui arracha.

— Laisse-le tranquille, c'est pas ses manières! Il aime pas ces trucs-là!...

— Qu'est-ce qu'il aime pas? demanda Marss à voix très haute. Toucher les filles?... Ça lui plaît pas? Il préfère les garçons?

— Tu es ignoble! dit Martine.

Les invités regardaient Olivier en riant. Et les filles riaient plus fort que les hommes. Olivier regardait les unes et les autres, tout ce petit monde d'ordure dont il avait vaguement entendu parler, mais dont il ne voulait pas croire, dans la pureté de son cœur, qu'il existât réellement.

Il souleva son verre et se tourna vers Marss pour le lui jeter au visage.

— Je t'en prie! supplia Martine.

Il se retourna vers elle, vit son visage tragique, exténué sous le fard, imagina en une seconde tout ce qu'elle avait dû accepter, pour lui, pour faire de lui ce qu'il était aujourd'hui : un garçon neuf, de bonne santé morale et physique, pur, exigeant et dur. Ce n'étaient évidemment pas les ménages de la grand-mère qui avaient suffi à le conduire où il était. C'était aussi, c'était surtout le sacrifice de sa mère. En réalité, il n'y avait de la part de Martine aucun sacrifice. Elle aimait son métier, son milieu. Tout ce qui se passait autour d'elle lui paraissait habituel, banal. Et son visage anxieux n'exprimait que la peur de perdre Marss.

Olivier pensa à son père mahàràjah sur son éléphant, et une bile de haine lui monta jusqu'à la gorge. Il porta son verre à ses lèvres et le vida.

Puis il tendit la main vers le foulard que tenait sa mère.

Sept filles nues redescendirent dans la piscine et composèrent des combinaisons amoureuses. Ce n'était pas facile de se maintenir au fond dans ces positions absurdes en ayant l'air d'y prendre plaisir. C'était du sport. Elles s'entraînaient tous les jours.

L'ASSISTANCE FAISAIT cercle autour d'Olivier. Cela avait commencé d'une façon banale, et puis c'était devenu tout à coup excitant. Qu'est-ce que ce salaud de Marss avait dans la tête ? Il avait d'abord poussé dans les bras d'Olivier Judith, une brune aux cheveux coupés courts comme des copeaux.

— Comment voulez-vous que je les reconnaisse ? avait dit Olivier, je ne les connais pas !

— Tu diras simplement « blonde » ou « brune », pour toi ça suffit.

Deux couples étaient restés sur le divan du fond, vert cru, sous la fenêtre en forme d'œuf derrière laquelle un projecteur illuminait un pin échevelé.

Ils étaient en train d'essayer de donner un peu d'intérêt à cette soirée aussi morne que tant d'autres, en faisant des échanges et des découvertes sans surprises, pour se transformer en un quatuor bientôt exténué et écœuré.

Le whisky inhabituel emplissait Olivier d'euphorie, lui bourdonnait aux oreilles une chanson de plaisir, exaltait les élans de son jeune corps. La fille qu'il palpait était bien fichue, ses seins nus sous sa robe légère s'excitaient au toucher de sa

main. Il se demanda : blonde ou brune ? C'est pile
ou face... Il remonta ses mains vers le visage,
toucha du bout des doigts les joues rondes, le nez
rond, les oreilles minuscules, les cheveux bouclés...

— Brune! dit-il.

Il y eut quelques bravos. la fille sourit, Olivier
lui plaisait.

— Non, dit Marss, elle est blonde!

Il mit sa main sur la bouche de la fille qui commençait à protester, et la projeta sur un divan.

— Tu as pas l'habitude, dit Marss. Tu as droit
encore à un essai. Une autre!...

Il regarda autour de lui, fit semblant de chercher.
Olivier attendait, les mains levées, les doigts un
peu écartés, comme un aveugle qui n'a pas encore
l'habitude d'être aveugle. Marss se décida, posa
sa main sur l'épaule d'Édith-la-rousse, qui eut
un sursaut de recul.

— Celle-là!...

— Ça va pas, non ? dit Édith.

Marss se mit à rire.

— Ça te dit rien de goûter à un beau petit
mâle ?... Bon, bon, bon... Une autre!...

Il prit brusquement Martine par les deux épaules,
et la poussa devant Olivier.

— Celle-là! Blonde ou brune ?...

Martine sentit tout son sang se figer dans son
corps et son cœur se mettre à cogner, affolé, pour
remettre en marche la circulation bloquée...

Un silence étonné se fit dans le salon. Qu'est-ce
qu'il mijotait donc, ce salaud de Marss ? On savait
que ce n'était pas son genre de partager les femmes
ou le reste.

Olivier sourit, leva les deux mains et les posa sur
les cheveux de Martine.

— Non, dit Marss, pas les cheveux, c'est trop facile. Descends...

Olivier laissa retomber sa main gauche et du bout des doigts de sa main droite, se posa légèrement sur ce visage qu'il ne croyait pas connaître. Il suivit les fins sourcils, toucha un instant les paupières qui se fermèrent, caressa les joues un peu creuses, suivit entre le pouce et l'index la courte ligne du nez, parvint à la bouche. Les lèvres étaient humides et tremblaient un peu. Il mit son index horizontal entre les lèvres humides et les écarta. Il ne reconnaissait rien. Il souriait. Martine s'efforçait de ne pas s'évanouir, de tenir bon. Des ondes glacées et brûlantes venaient de l'intérieur de sa tête vers son visage. Son nez et ses sourcils se couvraient de gouttes de sueur.

— Alors, dit Marss, blonde ou brune ?

— Je ne sais pas, dit Olivier.

— Tu connais peut-être mieux plus bas, cherche...

Martine était vêtue d'une robe de Paco Rabane, semblable à celle de Soura, en pastilles de plastique plaquées or.

— Cette robe te gêne, dit Marss.

Il en écarta les bretelles, et la robe tomba autour des pieds de Martine avec un petit bruit de monnaie.

Les mains d'Olivier, qui s'abaissaient vers les épaules, s'arrêtèrent brusquement. Il n'avait vu que deux robes qui pouvaient faire ce bruit-là. Celle de Soura et celle de... De qui ?... Sa mémoire, brusquement, refusait de lui répondre. Il n'y avait pas de visage au-dessus de cette robe. Blonde ? Brune ? Whisky... Il ne buvait jamais... Deux robes, peut-être trois, peut-être beaucoup... Il n'avait pas tout vu... Des robes, des tas de robes... Deux robes...

Le bout de ses doigts tremblait.

— Alors, dit Marss, tu t'endors ?

Olivier posa ses mains sur les épaules nues.

Martine se contracta comme une pierre.

— Plus bas, dit Marss, cherche!

Il dégrafa dans le dos le soutien-gorge de Martine, le tira et le jeta au loin.

Personne ne disait plus rien. Personne n'entendait même plus gémir la négresse de l'électrophone, qui en était à son cinquantième malheur.

Olivier essayait de se rappeler le visage sur lequel il avait promené le bout de ses doigts. Le sourcil, le nez, la bouche... Il ne savait pas, il n'avait rien reconnu.

Ce devait être Soura, ou une autre, n'importe qui...

La main droite d'Olivier glissa de l'épaule vers le cou, descendit entre les deux seins. Elle s'arrêta un instant. Marss regardait, les yeux féroces, un coin de bouche retroussé. Lentement, la main d'Olivier se détacha de la peau tiède, humide de terreur et d'émoi, se creusa en forme de coupe et vint envelopper le sein gauche sans le toucher. Sa main se crispa, il ferma le poing, le rouvrit...

Devant les yeux de Martine, le visage d'Olivier barré du foulard noir grandissait, emplissait toute la pièce, tout l'univers. La main d'Olivier s'approchait lentement...

Brusquement, il reçut comme la foudre. Au centre de sa main, au point parfait le plus sensible, une pointe de chair dure s'était posée, et y creusait un abîme de glace et de feu.

Martine tomba comme un chiffon, évanouie ou morte.

Soura arracha sa robe, se colla contre Olivier, lui

prit les mains, les plaqua sur ses seins-pastilles en glapissant.

— *It's me, darling ! Y love you ! You're beautiful ! Kiss me, darling ! Take me !...*

Olivier porta la main à sa tête pour enlever le foulard. Il hésita une seconde, puis laissa retomber sa main.

— Conduis-moi, dit-il.

U<small>N</small> BRUIT LÉGER l'éveilla. Il ne savait pas ce que c'était. Il était las, il était bien. Il écouta sans ouvrir les yeux. Il n'y avait que le silence, le bruit apaisant des jets d'eau et de quelques grillons. Très loin, vraiment très loin, le petit halètement du moteur d'un bateau de pêche. Et puis cela recommença. C'était un léger soupir de femme, qui venait du dehors par la baie ouverte, et qui semblait emplir la nuit.

Olivier ouvrit les yeux et s'assit. Il était couché sur un lit large et bas, aux draps imprimés de grandes fleurs violettes. A côté de lui, Soura toute nue dormait sur le ventre, droguée de whisky et d'amour. Ses petites fesses dures avaient l'air d'un derrière de garçon. Olivier les caressa de la main et sourit. Elle ne bougea pas.

De nouveau il y eut dans l'air ce soupir qui semblait venir du ciel, et qui se prolongea.

Olivier perdit son sourire, se leva et s'habilla. Dans une niche du mur, près de la veilleuse, était posée une torche de plongeur, enrobée de caoutchouc. Il la prit et sortit sous la galerie qui faisait le tour du jardin.

Un grillon qui chantait tout près se tut.

Le rond lumineux de la torche précédait Olivier. Il entra dans la chambre voisine, éclaira sur la fourrure qui couvrait le sol une paire de sandales de femme dorées, près de l'appareil du photographe. Il sortit.

Une femme passa derrière Olivier dans le noir, en chantonnant à voix très basse une chanson en allemand, tendre et triste, une chanson qui attendait et demandait l'impossible.

Le rond lumineux entra dans la chambre suivante, éclaira le lit. Une fille brune, les yeux clos, les bras en corbeille au-dessus de sa tête, dormait. Sur sa poitrine nue, la chevelure rousse d'Édith, comme un feu abandonné. La torche quitta le lit, accrocha dans un coin de la chambre un grand panier à linge plein de chiffons de soie multicolores. Sur les chiffons dormait l'enfant nu à la cheville cerclée d'or. C'était l'enfant des deux filles. Elles avaient voulu un enfant. Elles étaient parties en Suède, pendant un an, elles étaient revenues avec un nouveau-né. On ne savait pas qui le leur avait fait. On ne savait pas laquelle les deux l'avait fait. C'était leur enfant.

Olivier sortit et de nouveau il y eut ce soupir qui semblait venir de partout et qui se prolongea par un petit râle, le commencement de la joie profonde de l'amour.

Olivier comprit. Il y avait, disséminés dans le jardin, des haut-parleurs qui diffusaient un disque.

Ou peut-être pas un disque...

Il devina dans le noir une sorte de fantôme et leva sa torche. Elle éclaira un cheval blanc peint de grandes fleurs bleu pâle, qui dormait debout au bord d'un bassin. Derrière lui, un jet d'eau montait et se brisait en perles dans le faisceau de lumière.

Un léger coup de vent tiède mélangea les parfums

du thym, du romarin, des cyprès, et des poivriers, et les déposa en une bouffée molle et lourde tout autour d'Olivier.

La femme, maintenant, ne s'arrêtait plus. C'était lent et profond, cela venait du fond du ventre et montait jusqu'aux étoiles.

Ce n'était pas un disque...

Olivier marcha à grands pas vers le fond du jardin. Les grillons se taisaient à son passage et derrière lui. A l'est, le bord du ciel commençait à se teinter de rose blême, révélant la ligne courbe de la mer.

La femme qui chantait doucement la chanson allemande s'était assise sur le tapis de fleurs innombrables qui entouraient au ras du sol le cadran solaire. Elle se déshabillait sans cesser de chanter. Elle était blonde, grande et forte, de chair très blanche. Elle avait laissé l'âge l'atteindre et un peu la dépasser. Quand elle fut nue, elle s'étendit entièrement sur les fleurs multicolores au pied du cadran solaire, et ses seins lourds s'épanouirent sur les côtés de son torse. Elle chantait toujours et elle attendait, les mains posées à plat sur la fraîcheur des fleurs ouvertes.

Dans la nuit les couleurs des fleurs n'avaient pas de couleur, et le temps ne recommencerait que lorsque le soleil poserait ses doigts sur le cadran qui dort, pour l'éveiller.

Sur la petite pièce de gazon, au pied des bambous et de l'Apollon aux bras brisés, le modéliste et son assistant dormaient côte à côte, hermétiquement vêtus, la main dans la main. La lampe d'Olivier passa sur leurs visages sans les réveiller.

Le gémissement de la femme était devenu comme une protestation devant tant de joie, et une stupéfaction sans cesse augmentée, et un remerciement éperdu à celui qui la lui donnait, et à elle-même qui était capable de tant en éprouver, et à Dieu qui les avait faits et réunis pour faire ce qu'ils faisaient. Cette houle de joie entrait dans toutes les chambres et montait plus haut que les cyprès, coulait sur la colline vers la mer. Les couples endormis se réveillaient et se rapprochaient.

Olivier courut le long de la piscine, dévala le sentier, arriva à la porte du deuxième étage. Il poussa. Elle était ouverte. La salle du colin-maillard était déserte et en désordre, sentait l'alcool répandu et les parfums tournés. Le cri de la femme ne lui parvenait plus maintenant des haut-parleurs, mais de l'intérieur de la maison, discret, intime, plus grave encore et plus brûlant.

Il ouvrit des portes, dévala un escalier, surgit dans la chambre de Marss.

A la tête du lit, une petite table chinoise noire supportait une lampe avec un abat-jour rouge. Elle éclairait le corps massif et brun de Marss, étendu nu sur le corps doré, écartelé, de Martine, et le travaillant lentement, depuis toujours jusqu'à l'éternité.

Martine avait les yeux ouverts et le visage tourné vers la porte, mais elle ne voyait rien. Elle ne vit pas entrer Olivier. Elle tourna la tête de l'autre côté, puis de l'autre, puis de l'autre, et sa bouche presque fermée laissait s'échapper ce chant de joie qu'elle n'entendait pas, qui était celui de sa chair pénétrée, habitée, remuée, transmuée, libérée de son état de chair, de ses dimensions et de ses limites. Une mer de joie doucement balancée.

Marss avait une touffe de poils sur les reins. Olivier saisit une autre table chinoise qui se trouvait près de lui, la souleva jusqu'au plafond, et frappa juste à cet endroit. Marss hurla. Olivier le saisit au cou et l'arracha du ventre de sa mère. Marss tomba à terre sur le dos. Olivier le frappa du pied, sauvagement, à la volée, à la tête, au ventre, partout, jusqu'à ce qu'il se tût.

Le modéliste et son assistant s'étaient réveillés et assis, sans se quitter la main.

— Qu'est-ce qui lui arrive ? dit le jeune homme effrayé.

— C'est rien. Il doit se faire fouetter... C'est un porc !... dit le modéliste.

On n'entendait plus rien.

— T'inquiète pas, mon coco.

Il porta à ses lèvres la main délicate du garçon, en baisa les doigts ravissants et se rallongea sur l'herbe.

Martine, précipitée du paradis vers l'enfer, regardait avec des yeux d'horreur Olivier penché vers Marss inanimé. Lentement, Olivier se redressa et la regarda. Elle se rendit compte alors qu'elle était nue. Elle essaya vainement de tirer à elle un bout de drap pour se cacher, elle ne comprenait pas, c'était épouvantable, elle devenait folle, elle croisa ses bras sur sa poitrine, croisa ses genoux, ce n'était pas possible, pas possible.

Les yeux d'Olivier étaient comme des yeux de bête morte.

Il se détourna et sortit.

Un ÉNORME SOLEIL
rouge sortait de l'horizon marin. Olivier, à genoux
dans la mer, se frottait d'eau et de sable, la poitrine, le ventre, le visage. Il râlait, tremblait, sanglotait, criait, il lui semblait qu'il n'arriverait
jamais à se nettoyer de l'ordure. Il puait jusqu'au
plus profond de lui-même. Il se roula dans l'eau, se
laissa submerger, avala de l'eau, cracha, se leva en
pleurant, se laissa tomber sur le sable, les bras
écartés, les yeux au ciel. Peu à peu, la fatigue et le
doux bruit de la mer le calmèrent. Ses sanglots
s'espacèrent, puis se turent. Il sombra dans le
sommeil, d'un seul coup, se réveilla aussi brusquement. Il n'avait pas dormi une minute. Il se leva
et se rhabilla.

A quelques mètres, deux bateaux étaient amarrés
à la petite jetée privée de Marss. Il se dirigea vers le
plus gros et sauta dedans.

Il y avait au fond un masque de plongée, une
robe de femme rouge, trempée d'eau de mer, un
bouquet fané dans un seau à champagne vide, un
pantalon de toile bleue, un fusil sous-marin et
sa flèche à laquelle était encore embroché un gros
poisson couvert de mouches.

Olivier se servit de la robe pour ramasser le poisson et le jeter à l'eau avec le fusil. Il fouilla les poches du pantalon, y trouva un briquet en or, quelques billets de cent francs, de la monnaie, un mouchoir. Il garda l'argent et le briquet, jeta tout le reste à l'eau, puis largua l'amarre et se dirigea vers le moteur. Il savait vaguement comment ça fonctionnait. Il était sorti, plusieurs fois, à Saint-Cloud, dans celui de Victor, un copain de fac, le fils de la grande épicerie de luxe Victor. On ne l'avait pas vu aux barricades...

Quelques minutes plus tard, le bateau filait vers le soleil levant.

IL DÉBARQUA SUR
une petite plage italienne, et arriva jusqu'à Rome en
faisant du stop. Il vendit le briquet, changea son
argent français, entra dans un bureau de poste, prit
l'annuaire des noms commençant par E et chercha
en vain l'adresse qui le préoccupait.

Près de lui, un Romain, rond de la tête et rond
des fesses, feuilletait un autre annuaire. Olivier
l'interrogea :

— Excusez-moi... Vous parlez français ?

L'homme sourit, prêt à rendre service.

— Commé ça...

— Comment dit-on « équipe », en italien ?

— Équipe ? C'est Squadra ! La « Squadra
Azura »! Hé ? Vous connaissez ?

— Non...

— Vous êtes pas sportif !...

Il se mit à rire.

— Qu'est-ce qué vous cherchez ?

— Les Équipes Internationales de Solidarité, je
sais qu'elles ont un bureau à Rome.

L'homme repoussa l'annuaire que consultait
Olivier.

— C'est pas celui-là, attendez !

Il en prit un autre et se mit à le feuilleter rapidement.

En sortant, Olivier acheta des journaux français et alla s'asseoir à la terrasse du Café de la Colonne, pour les lire.

A la troisième page de *Paris-Presse*, dans la rubrique des échos parisiens, on signalait que le play-boy milliardaire Anton Marss avait fait une chute dans l'escalier de sa villa après une soirée mouvementée et devait garder le lit plusieurs jours.

Manzoni était assis derrière une petite table misérable qui lui servait de bureau, couverte de dossiers et de courrier éparpillé. Il y avait deux téléphones. Manzoni était en train de parler dans l'un d'eux, avec passion, presque sauvagement, en faisant de grands gestes avec son autre bras. Olivier, debout devant la table-bureau, le regardait, sans comprendre ce qu'il disait. Il entendait seulement de temps en temps « Commandatore », « Commandatore »...

Manzoni était un homme pauvre, ou plutôt un homme qui ne possédait rien, car il avait tout donné aux Équipes, ses biens et sa vie. Il avait cinquante ans, des cheveux gris frisés. Il était plutôt gras, car en Italie les pauvres ne mangent que des spaghetti. Il était en train d'expliquer qu'il lui fallait de l'argent! Et encore de l'argent! Les Équipes venaient d'ouvrir une cantine à Calcutta, pour servir du riz à des enfants, mais elle ne pouvait servir que six cents portions, et chaque matin il y avait plusieurs milliers d'enfants qui faisaient la queue, et chaque matin il y en avait plusieurs qui étaient morts. Il fallait *encore* de l'argent!

Et au bout du fil, le Commandatore protestait.

Il avait déjà donné tant, et tant, et ceci, et cela...
Que Manzoni s'adresse un peu ailleurs!

— Et à qui voulez-vous que je m'adresse, tonna
Manzoni, sinon à ceux qui donnent?

Il obtint une promesse, raccrocha, et s'essuya le
front.

— Vous m'escousez, dit-il en français à Olivier.
Il fallait que je téléphone. C'est terrible!... Il faut
que j'en trouve encore ailleurs... On a jamais assez!
Jamais assez! Alors, vous voulez aller en Inde?

— Oui, dit Olivier.

— Vous savez ce que nous y faisons?

— Oui...

Manzoni se leva, s'approcha d'Olivier pour mieux
le voir et le tutoya.

— Qui t'a parlé de nous?

— Un copain de Paris. Il est parti en Inde
l'année dernière.

— Pourquoi tu t'es pas adressé à notre bureau
de Paris?

— Paris me dégoûte!... J'ai quitté la France,
maintenant je veux quitter l'Europe.

Manzoni frappa du poing sur la table.

— Nous n'avons pas besoin de types dégoûtés,
aux Équipes! Il nous faut des garçons enthou-
siastes! Ayant de l'amour! Et le sens du sacrifice!
Est-ce que tu as tout ça?

— Je ne sais pas, dit Olivier durement. Je suis
comme je suis, vous me prenez ou vous me prenez
pas.

Manzoni recula d'un pas, mit ses mains à plat sur
ses hanches, et regarda Olivier. Ce garçon lui paraissait de bonne qualité, mais on ne pouvait pas envoyer n'importe qui là-bas. Non, pas n'importe
qui...

Olivier regardait ce petit homme rond, et, au-dessus de sa tête, une affiche des Équipes, représentant un enfant au teint sombre, aux yeux immenses, qui demandait aux hommes de sauver sa vie.

— Comment il s'appelle, ton copain ? demanda brusquement Manzoni.

— Patrick de Vibier.

— Patrick ! Tu devais le dire plus tôt ! C'est un garçon formidable ! Tiens, il est là...

Manzoni s'approcha d'une carte de l'Inde épinglée au mur près de l'affiche, et se soulevant sur la pointe des pieds, atteignit avec peine une punaise à tête rouge en haut de la carte.

— ...à Palnah. Il fait des puits... Il devait y rester deux ans, mais il est malade, il faudrait qu'il rentre, nous avons personne pour le remplacer... Nous manquons de tout, mais surtout de volontaires !... Tous ces ragazzi ! Au lieu de traîner dans les rues et de se passionner pour le Giro ! Ils sont bons qu'à des futilités ! Et vous, les Parisiens, vous croyez qu'il y a rien de mieux à faire que des barricades, dans le monde ?

Il criait, il était furieux, couvert de sueur. Il s'épongea de nouveau, vint s'asseoir derrière la table.

— Tu veux aller le remplacer ?

— Je veux bien...

— Je vais lui télégraphier, s'il se porte garant de toi, je t'envoie. Tu connais nos conditions ?

— Oui.

— Tu t'engages à y rester deux ans !

— Je sais...

— Tu travailleras pour rien... Tu vas pas là-bas

pour gagner ta vie... C'est pour gagner la vie des autres!

— Je sais...

— Naturellement, c'est nous qui payons ton voyage...

— Je sais...

Manzoni frappa des deux poings sur la table et se leva de nouveau.

— Il nous faut de l'argent! De l'argent!

Il alla ouvrir toutes les portes du bureau, cria des noms. Des garçons et des filles de tous âges accoururent, effarés, tous les employés bénévoles, les stagiaires, tout le personnel de l'équipe de Rome. Manzoni prit sur une étagère une brassée de boîtes à collecte. Sur leur corps cylindrique était collée une petite reproduction de l'affiche représentant l'enfant affamé. Il les leur distribua en les bousculant et en criant :

— *Ci vuol danaro*!... Il nous faut de l'argent! Allez mendier! Laissez tout tomber!... Mendier! *Mendicare! Mendicare!*...

— Toi aussi, dit-il à Olivier, en lui collant une boîte dans les mains.

Il les poussa tous dehors, s'assit de nouveau, s'épongea, décrocha le téléphone et appela un autre commandatore.

I<small>L</small> N'Y AVAIT PRESQUE personne dans l'avion. Olivier était assis à droite, en avant des ailes, près du hublot. Il avait d'abord regardé le paysage, puis s'était endormi. Quand il se réveilla, il faisait nuit. Une étoile énorme scintillait dans ce qu'il voyait du ciel. Le ciel était noir. Il n'avait jamais vu d'étoile aussi grosse, ni le ciel aussi noir.

La voix douce de l'hôtesse annonça en plusieurs langues que l'avion allait faire une courte escale technique à Bahrein, que les voyageurs n'auraient pas le droit de quitter l'appareil, qu'ils étaient priés d'attacher leurs ceintures et d'éteindre leurs cigarettes, merci.

Bahreïn. Olivier se rappela : une île minuscule dans le golfe Persique. Bourrée de pétrole. L'avion tourna et commença à descendre. L'énorme étoile disparut. Olivier boucla sa ceinture. Il avait emmuré dans sa tête les images de la nuit de la villa de Marss. Il ne voulait plus y penser, il ne VOULAIT plus. Quand une image s'échappait de la réserve où il les tenait entassées, comprimées, interdites, et se présentait, fulgurante, aux yeux de sa mémoire, quelque chose comme les griffes d'acier d'une pelleteuse lui broyait l'intérieur de la poitrine au-dessus du cœur. Et pour la faire retourner à l'oubli, il lui fallait un effort de volonté presque musculaire qui lui tétanisait les mâchoires et lui couvrait le visage de sueur.

Quand l'appareil fut arrêté, Olivier quitta son siège et sortit sur la petite plate-forme au sommet de l'échelle. Il fut frappé par un vent chaud, constant, qui venait du fond de la nuit, coulait sans bruit, horizontalement, et apportait une odeur saturée de crottes de chameau et de pétrole.

Il fit une nouvelle escale à Bombay, où il dut changer d'appareil. Des perruches volaient à l'intérieur de l'aérogare. Des oiseaux inconnus nichaient dans les alvéoles des poutres de fer. Un énorme lézard, ses pattes en étoiles collées à une vitre, dormait, le ventre au soleil.

Patrick L'atten-
dait à l'aérogare suivante. Quand il lui frappa sur
l'épaule, Olivier sursauta : il ne l'avait pas reconnu.
Patrick, déjà filiforme à Paris, avait encore maigri.
Ses cheveux étaient coupés à la tondeuse et son
teint était devenu couleur de cigare. Des lunettes
à monture métallique agrandissaient ses yeux au
regard toujours aussi pur et clair que celui d'un
enfant.

Après avoir joui un instant du désarroi d'Olivier,
Patrick éclata de rire.

— Toi, tu n'as pas changé, dit-il.

— Qu'est-ce qui t'arrive ? répliqua Olivier en lui
passant la main sur le crâne, tu as bouffé de la
graine de Gandhi ?

— C'est à peu près ça... Tu as des bagages ?

Olivier souleva son sac.

— Tout ça !

— Parfait, ça ira plus vite à la douane. Je m'en
occupe. Donne. Va présenter ton passeport là-bas...

Olivier présenta son passeport à un fonctionnaire
à turban qui, en voyant le visa bon pour un séjour
de deux ans, devint tout à coup hostile. Il lui
demanda en anglais ce qu'il venait faire en Inde.

Olivier ne comprit pas et répondit en français qu'il ne comprenait pas. Mais le fonctionnaire savait. C'était encore un de ces Occidentaux qui venaient pour « sauver » l'Inde avec leurs conseils, leurs dollars, leur morale, leur technique et leur certitude de supériorité. Le passeport était en règle. Il ne pouvait rien. Il le frappa d'un coup de cachet qui avait l'intention d'un coup de poignard.

De grands ventilateurs pareils à des hélices d'avions périmés garnissaient les plafonds de l'aérogare et brassaient mollement un air torride. Olivier se laissa tomber dans un fauteuil. Il avait trop chaud, il avait soif, il avait mauvaise conscience, il se sentait très mal à l'aise. Patrick arriva avec son sac.

— Allez, debout, feignant! La jeep nous attend dehors. Et il y a du chemin à faire avant ce soir!

Olivier se leva et prit son sac. Patrick était heureux comme un frère qui a retrouvé son frère.

— Quand Rome m'a télégraphié, je me suis dit : c'est pas possible, c'est une blague!

— Presque, dit doucement Olivier.

— J'aurais aimé rester avec toi. Tous les deux ici, tu te rends compte? Ça aurait été formidable! Mais je suis claqué... Les amibes... Peut-être le manque de viande, la chaleur... Je ne sais pas... Je me traîne, je ne suis plus bon à rien... Il faut que j'aille respirer quelques mois... Mais on se retrouvera! Je reviendrai!

Il donna sur l'épaule d'Olivier une tape affectueuse légère comme la caresse d'une aile.

Ils arrivèrent à proximité de la porte. Olivier s'arrêta et tourna un peu la tête vers Patrick. Il était soucieux.

— Tu es vraiment fatigué?

— A peu près à l'extrême bout de mes forces...
Ce n'est pas facile, tu verras, mais toi, tu es costaud...

Olivier baissa la tête. Comment lui dire ? Et puis
il se redressa et lui fit face, les yeux dans les yeux.
Il faut dire la vérité. Il avait déjà trop menti depuis
son arrivée à Rome.

— Écoute, ça m'embête... Je pense qu'ils t'en-
verront quelqu'un d'autre sans tarder... Mais moi
je ne vais pas avec toi...

— Quoi ?... Où est-ce qu'ils t'envoient ?...

Patrick était consterné, mais sans révolte. Il
connaissait l'immensité de la tâche entreprise par
les Équipes, et les limites dérisoires de leurs moyens.
Elles faisaient face où elles pouvaient, comme elles
pouvaient.

— Ils m'envoient nulle part, dit Olivier. C'est
moi qui vais ailleurs... Je vais à Katmandou...

— Katmandou ? Qu'est-ce que tu vas faire à
Katmandou ?...

Patrick ne comprenait pas. Cette histoire lui
paraissait absurde.

— Je vais régler un compte, dit Olivier. Avec un
salaud. C'est nécessaire. Je n'avais pas d'argent,
je me suis servi des Équipes pour arriver jusqu'ici
et maintenant je continue, c'est tout.

— C'est tout ?

— Oui...

— Tu me parles d'un salaud... Et toi, qu'est-ce
que tu penses que tu es ?

— Je suis ce qu'on m'a fait devenir ! dit Olivier
furieux. Je vous le rembourserai, votre voyage ! Ce
n'est qu'un emprunt ! Pas la peine d'en faire une
montagne !

Patrick ferma un instant les yeux, exténué, et les rouvrit en essayant de nouveau de sourire.

— Excuse-moi. Je sais bien que tu n'es pas un salaud...

L'épuisement physique de Patrick et son indulgence, et son amitié, exaspérèrent Olivier.

— Même si je suis un salaud, je m'en fous! Et si je n'en suis pas un, j'espère que je le deviendrai! Ciao!

Il mit son sac sur son épaule, et tourna le dos à Patrick. Au moment où il allait franchir la porte, celui-ci l'appela.

— Olivier!

Olivier s'arrêta, irrité. Patrick le rejoignit.

— On ne va pas se fâcher, ça serait idiot... Écoute, Palnah, c'est dans ta direction... Si tu veux, je t'emmène avec la jeep, ça t'épargne les deux tiers du chemin. Après, tu peux faire le reste un peu à pied, un peu par le train, jusqu'à la frontière du Népal...

Il mit la main sur l'épaule d'Olivier.

— Tu as tes raisons, je regrette, c'est tout...

Olivier se détendit un peu.

— D'accord pour la jeep, je te remercie...

Il parvint enfin à sourire. Il dit :

— Ça m'aurait embêté de ne pas passer un moment avec toi...

Q UAND LA JEEP SOR-
tit des faubourgs de la ville, pour s'engager
sur une route de campagne, Olivier, blême, ferma
les yeux et resta un long moment sans les rouvrir.
Sous ses paupières se déroulaient de nouveau les
images qu'il venait de voir et il ne parvenait pas à
croire que c'était possible. Il soupçonnait Patrick
d'avoir choisi exprès cet itinéraire, mais peut-être
tout autre parcours lui eût-il montré les mêmes
choses.

Ils avaient d'abord suivi une série d'avenues
somptueuses, incroyablement larges, bordées d'immenses jardins bouillonnants de verdure et de
fleurs, derrière l'épaisseur desquels se devinaient de
grandes maisons basses blotties dans la fraîcheur.
C'était le quartier des grandes résidences, auquel
succéda celui des grands hôtels et des affaires.
Beaucoup d'espace, beaucoup d'ordre. Une chaleur
torride tombait d'un soleil à demi voilé. Les chemises des deux garçons étaient trempées de sueur,
mais Olivier devinait qu'il devait faire bon dans
toutes ces demeures où régnait certainement l'air
conditionné.

Et puis Patrick quitta une avenue déjà plus étroite et s'engagea dans une rue. Ce fut d'un seul coup l'entrée dans un autre monde. Avant qu'Olivier ait eu le temps de vraiment regarder autour de lui, la jeep dut s'arrêter devant une vache squelettique, debout au milieu de la rue, immobile, la tête pendante. Patrick fit ronfler son moteur et donna un coup de klaxon. La vache ne bougea pas. Il semblait qu'il ne lui restait plus assez de vie pour la porter plus loin, fût-ce d'un centimètre. Et il n'y avait pas la place de passer, ni à sa gauche ni à sa droite.

Il y avait des hommes, des enfants, des femmes, entassés le long du mur où se trouvait l'ombre. Ils étaient assis ou couchés, et ceux qui avaient les yeux ouverts regardaient Patrick et regardaient Olivier. Et leur regard n'exprimait rien, ni curiosité ni hostilité ni sympathie, rien qu'une attente sans fin de quelque chose, de quelqu'un, peut-être de l'amitié, peut-être de la mort. Celle-ci était la seule visiteuse dont ils fussent certains qu'elle ne manquerait pas de venir. Elle venait à chaque instant. Olivier comprit avec stupeur qu'un des hommes qu'il voyait allongé parmi les autres, avec un pan de son vêtement rabattu sur son visage, était mort. Il y en avait un autre, en face, couché en plein soleil, qui n'avait pas eu assez de force pour venir du côté de l'ombre, et qui attendait la visiteuse. Il ne portait qu'un mince chiffon autour de la ceinture, et chacun de ses os était sculpté sous la peau couleur de tabac et de poussière. Il ne restait pas assez d'eau en lui pour que le soleil parvînt à le faire transpirer. Ses yeux étaient fermés, sa bouche entrouverte au milieu de sa barbe grise. Sa poitrine se soulevait légèrement, puis retombait.

Olivier regardait cette cage d'os devenue immobile et il se passait alors un moment atroce où il se demandait si c'était fini, ou si... Et la poitrine, par une incroyable obstination, se soulevait de nouveau.

La vache ne bougeait toujours pas. Patrick descendit de la jeep, fouilla sous son siège, en sortit une poignée d'herbe sèche, et vint la présenter à la vache. Celle-ci eut une sorte de soupir et avança le mufle. Patrick recula, la vache suivit. Quand elle eut dégagé assez de place pour la jeep, Patrick lui donna l'herbe.

Ils repartirent. Olivier ne quittait pas des yeux l'homme au soleil. Il tourna la tête pour continuer de le voir, jusqu'à ce qu'un groupe d'enfants le lui cachât. Le groupe d'enfants le regardait. Tous les enfants le regardaient. Il ne voyait plus que des yeux d'enfants, immenses, qui le regardaient avec une gravité effrayante, et attendaient de lui... Quoi ? Que pouvait-il leur donner ? Il n'avait rien, il n'était rien, il ne *voulait* rien donner. Il avait décidé d'être désormais du côté de ceux qui *prennent*. Il serra les dents, cessa de regarder vers la foule de l'ombre. Mais la jeep allait lentement, se frayant un chemin dans l'étroite rue encombrée par des véhicules tirés par des hommes maigres ou par des buffles. Elle dut s'arrêter une deuxième fois pour laisser se dénouer un nœud d'interminablement lente circulation.

Un garçon nu, âgé de cinq ou six ans, accourut vers la jeep. Il tendit la main gauche pour mendier, en prononçant des mots qu'Olivier ne comprenait pas. Et de son bras droit il maintenait contre lui un nourrisson de quelques semaines, également nu, qui était en train de mourir. Son teint était d'un jaune verdâtre. Il avait fermé les yeux sur le monde qu'il n'aurait pas le temps de connaître, et il essayait d'aspirer encore un peu d'air, avec les mêmes mouvements de bouche qu'un poisson déjà depuis longtemps jeté sur le sable.

Un nuage de poussière enveloppait la jeep. De grands arbres inconnus bordaient des deux côtés la mauvaise route, et entre les arbres Olivier voyait jusqu'à l'horizon, à sa gauche et à sa droite, la campagne desséchée, sur laquelle d'innombrables villages étaient collés comme des croûtes sur la peau d'un chien galeux.

— Il n'a pas plu depuis six mois, dit Patrick. Il aurait dû pleuvoir après les semailles... Il n'a pas plu... Là où il n'y avait pas de puits, il n'y a pas de récolte...

— Et alors?

— Alors ceux qui n'ont pas de réserves meurent.

Olivier haussa les épaules.

— Tu as essayé de m'avoir en me faisant traverser la ville, tu essaies encore ici... mais je ne marche pas. Ils ont un gouvernement! Ils ont les Américains, l'UNESCO!

— Oui, dit Patrick doucement.

— S'ils sont cent millions en train de crever de faim, qu'est-ce que je peux y faire, moi? Qu'est-ce que tu y fais, toi, avec tes trois gouttes d'eau?...

— Même une seule goutte, dit Patrick, c'est mieux que pas d'eau du tout...

Il n'y avait plus d'arbres, et la route était devenue une piste qui traversait une terre craquelée
comme le fond d'une mare aspirée par le soleil
depuis d'interminables étés. Ils roulaient depuis
des heures. Olivier avait perdu la notion du temps.
Il lui semblait qu'il était arrivé par magie ou par
cauchemar sur une planète étrangère qui achevait
de mourir avec ses occupants.

Ils passèrent à côté d'un grouillement de vau-
tours en train de dévorer quelque chose, vache ou
buffle crevé. On ne voyait pas ce que c'était. Il y
avait sur la proie plusieurs couches d'épaisseur de
charognards. Ceux du dessus essayaient de se faire
un chemin vers la nourriture en plongeant leur long
cou à travers la masse des autres. Et il en arrivait
encore, en vol mou et lourd, surgissant semblait-il
de nulle part.

Ils traversèrent un village misérable, à moitié
désert, dont les huttes aux toits de paille se serraient les unes contre les autres pour se protéger de
la chaleur et du monde. Olivier ne vit que des
femmes et des enfants, et des vieillards à bout de
vie.

— C'est un village de parias, expliqua Patrick
lorsqu'ils en furent sortis. Des sans-caste, des in-
touchables. Palnah, où je suis en ce moment, est
pareil... Tous les hommes vont travailler dans un
village voisin, un village riche... Enfin riche... je
veux dire un village d'hommes qui ont une caste,
d'hommes qui ont le droit de se considérer comme
des hommes, même s'ils sont d'une catégorie inférieure. Les parias ne sont pas des hommes. On les
fait travailler comme on fait travailler les buffles
ou les chevaux, on leur donne de quoi se nourrir eux
et leur famille, comme on donne une brassée de

fourrage à un bœuf qui a fait son travail, et on les renvoie à l'étable, c'est-à-dire à leur village... S'ils veulent manger le lendemain, ils doivent revenir travailler... Ils ont des terres à eux, que le gouvernement leur a données, mais ils n'ont pas le temps de les travailler, pas le temps de creuser un puits... Avant d'arriver à l'eau, ils seraient morts de faim.

— Ce sont des cons! gronda Olivier. Qu'est-ce qu'ils attendent pour se révolter? Ils ont qu'à foutre le feu partout!

— Ils n'en ont pas l'idée, dit Patrick. Ils ont seulement l'idée qu'ils sont des parias. Ils ont cette idée-là depuis leur naissance, depuis des millénaires, depuis toujours. Est-ce que tu pourrais convaincre un bœuf qu'il est autre chose qu'un bœuf? De temps en temps, il peut donner un coup de corne. Mais les parias n'ont pas de cornes.

La jeep était un petit nuage de poussière qui se déplaçait dans le désert. Un désert sec, mais habité, avec des villages partout, certains entourés d'un peu de végétation, la plupart desséchés jusqu'au ras des huttes. Ce qui était incroyable, c'était qu'il pût subsister là encore tant de vivants...

— Leur révolution, dit Patrick, c'est nous qui la faisons. Nous arrivons avec de l'argent. Nous ne leur donnons pas une aumône. Nous les payons pour travailler. Mais pour travailler *pour eux*. Ils creusent leurs puits, cultivent leurs terres, sèment, récoltent. Dès qu'ils ont assez de réserves pour attendre jusqu'à la prochaine récolte, nous pouvons partir, ils sont sauvés. Quand nous sommes arrivés, ils étaient des bêtes, quand nous les quittons, ils sont des hommes.

Olivier ne répondit rien. Il était accablé par la fatigue, le dépaysement et l'absurdité incroyable de ce qu'il voyait. La poussière lui entrait dans la gorge, crissait sous ses dents, le recouvrait d'une couche lunaire.

Peu à peu, la piste s'élevait au-dessus du niveau du sol. La jeep, bientôt, roula sur un talus qui s'élevait à plus d'un mètre au-dessus de la plaine.

— Ici, dit Patrick, quand ce n'est pas la sécheresse, c'est l'inondation. Toute cette région est submergée chaque année. La piste, à ce moment-là, affleure juste. Parfois, elle est noyée.

Le soleil baissait sur l'horizon, mais la chaleur restait la même. Le nuage de poussière commençait à se teinter de rose.

— Quand je suis arrivé à Palnah, ils étaient nus. Il y a des endroits où la nudité est l'innocence. Là, c'était seulement la nudité animale. Avant toute chose, nous les avons vêtus...

Ils approchaient d'un village dont les huttes s'aggloméraient sur une sorte de mamelon, une esquisse de colline qui devait le mettre en partie à l'abri des inondations.

— Voici Palnah, dit Patrick.

Au pied du village, il y avait une sorte d'entonnoir de plusieurs mètres de diamètre creusé dans la terre, avec un talus circulaire élevé tout autour, et un chemin qui descendait du haut du talus jusqu'au fond de l'entonnoir. C'était le puits.

Il n'était pas terminé, il venait seulement d'atteindre la nappe de terre imbibée d'eau. Il fallait creuser encore. Il y avait des hommes qui creusaient au fond de l'entonnoir, et des femmes debout tout le long du sentier circulaire qui montait jusqu'en haut du talus. Elles se passaient des paniers pleins de terre ruisselante, et lorsqu'ils arrivaient en haut, d'autres hommes s'en emparaient et en répandaient le contenu à l'extérieur du talus. C'était une terre jaune, sableuse, qui coulait avec l'eau qu'elle contenait, elle coulait sur les visages, sur les épaules et les corps des femmes, et les femmes riaient de la bénédiction de cette eau enfin sortie de la terre, et de cette terre qui coulait sur elles et les maquillait d'or.

La jeep s'arrêta au pied du puits, poursuivie par tous les enfants du village, qui l'avaient vue arriver.

Les hommes et les femmes qui étaient dans le

puits interrompirent leur travail et ceux qui étaient dans les cases sortirent, et tous se rassemblèrent autour de la voiture et des deux hommes couleur de poussière et de boue.

— Tu vois, disait Patrick à Olivier, en lui montrant le talus circulaire, c'est pour protéger le puits contre l'inondation. Ici, il faut défendre l'eau contre l'eau. L'eau de l'inondation transporte tous les débris, les fumiers et les cadavres. Elle enrichit la terre, mais elle pourrit les puits. Il faut l'empêcher d'entrer...

Il y avait autour d'eux un grand silence attentif. Les hommes, les femmes, les enfants, écoutaient ces paroles mystérieuses qu'ils ne comprenaient pas.

Patrick se dressa dans la voiture et salua les gens du village en joignant les mains devant sa poitrine et en s'inclinant vers eux, dans plusieurs directions. Ce n'était pas un salut solennel, c'était un salut d'amitié, accompagné d'un sourire.

Il sauta à terre. Olivier se leva à son tour et vit tous les yeux se fixer sur lui, ceux des hommes, ceux des femmes, et ceux des enfants. Ils n'avaient pas le même regard que ceux de la ville où les hommes couchés attendaient de mourir, mais ils leur ressemblaient ; ils étaient ouverts. Tous les yeux qu'il avait vus depuis son arrivée en Inde étaient *ouverts*. Le mot lui vint brusquement à l'esprit et il se rendit compte en un instant que jusque-là il n'avait jamais vu que des yeux *fermés*. En Europe, à Paris, même les yeux de sa grand-mère, ceux de sa mère — non non non non, ne pas penser à sa mère — tous les yeux, ceux de ses copains, des filles du métro, les yeux brillants excités des barricades, tous ces yeux aux paupières ouvertes étaient des yeux *fer-*

més. Ils ne voulaient rien recevoir et rien donner. Ils étaient blindés comme des coffres, infranchissables.

Ici, de l'autre côté du monde, les yeux étaient des portes ouvertes. Noires. Sur les ténèbres du vide. Elles attendaient que quelque chose entrât et allumât les feux de la lumière. Peut-être le geste d'un ami. Peut-être seulement un espoir de Dieu au bout de l'éternité interminable. Mourir, vivre, il ne semblait pas que cela fût important. L'important, c'était de recevoir quelque chose, et d'espérer. Et toutes les portes de ces yeux étaient immensément ouvertes pour recevoir cette trace, ce soupçon, cet atome d'espoir qui devait exister quelque part dans le monde infini et qui avait le visage d'un frère, ou d'un étranger, ou d'une fleur, ou d'un dieu.

Dans les yeux ouverts des femmes et des hommes et des enfants qui entouraient Olivier, il y avait quelque chose qui manquait dans les yeux de la ville. Il y avait, au fond des ténèbres, une petite flamme qui brillait. Ce n'était plus le vide. Ils avaient attendu pendant mille ans, et quelqu'un était enfin arrivé et avait allumé la première lumière. Il y avait dans chaque regard une petite lumière qui en attendait une autre. Ils avaient déjà reçu, ils attendaient encore. Et en échange, ils se donnaient.

Olivier se sentit pris de vertige, comme au bord d'une crevasse sans fond ouverte dans un glacier. C'était lui que tous ces yeux ouverts attendaient.

— Viens au moins les saluer, dit Patrick... Je leur dirai que tu es envoyé ailleurs et que je reste. Je ne peux pas leur dire la vérité.

Olivier se secoua et se frappa pour chasser la poussière, et sauta en bas de la jeep.

— Dis-leur ce que tu voudras, dit-il, moi je file. Où est mon chemin ?

Dès qu'il eut mis pied à terre, les femmes et les hommes joignirent les mains devant leur poitrine et s'inclinèrent vers lui avec un sourire. Les enfants faisaient la même chose, et s'inclinaient plusieurs fois de suite, mais en riant.

— Salue-les ! dit Patrick à voix basse. Ils ne t'ont rien fait !

Olivier, maladroitement, embarrassé, conscient d'être ridicule et odieux, imita leur geste, s'inclina à gauche, à droite, en face...

— Ça va comme ça ? demanda-t-il, furieux. Où est ma route ?

— Tu ne veux pas dormir ici ? Il va faire nuit... Tu partiras demain matin.

— Non, dit Olivier, je m'en vais.

Il prit son sac dans la jeep et se le lança sur le dos.

— Ils ont préparé une petite fête pour ton arrivée... Reste au moins ce soir... Tu me dois bien ça...

Les regards allaient de Patrick à Olivier, d'Olivier à Patrick, il en sentait sur lui le poids négatif, l'appel insupportable.

— Je dois de l'argent, c'est tout. Je le paierai !... Si tu ne veux pas que je m'en aille au hasard, indique-moi la direction.

Mais le cercle des villageois était fermé autour de lui et de Patrick, et pour s'en aller, il lui faudrait le fendre, écarter ces gens des deux mains comme des branches dans une forêt où l'on a perdu le sentier. Patrick se taisait. Partir dans quelle direction ? Le nord... Le soleil se couchait à sa gauche. Le nord était devant lui. Il lui suffisait d'avancer tout droit.

Il fit un premier pas, et la foule s'ouvrit d'elle-

même. Elle s'ouvrit de l'extérieur du cercle jusqu'à lui. Du village arrivait en courant une petite
fille qui apportait quelque chose dans ses deux
mains levées devant elle à la hauteur de sa poitrine.
Quand elle parvint près d'Olivier, elle donna ce
qu'elle portait à un vieillard qui se trouvait là.
C'était un bol, un simple bol de plastique vert pâle,
une ridicule camelote moderne, mais plein jusqu'au
bord d'une eau claire dont l'enfant, en courant,
n'avait pas répandu une goutte.

Le vieillard, en s'inclinant, donna le bol à Patrick
en prononçant quelques mots. Patrick présenta le
bol à Olivier :

— Ils t'offrent ce qu'ils ont de plus précieux,
dit-il.

Olivier hésita une seconde, puis laissa tomber son
sac, prit le bol à deux mains et en but le contenu
jusqu'à la dernière goutte, en fermant les yeux de
bonheur.

Quand il les rouvrit, la fillette était debout devant lui et le regardait en levant la tête, souriante,
heureuse, avec des yeux grands comme la nuit qui
tombait, et comme elle pleins d'étoiles.

Olivier ramassa son sac et le jeta dans la jeep.

— Bon, dit-il, je reste ce soir, mais demain matin, salut !

— Tu es libre, dit Patrick.

IⅬS AVAIENT ALLUMÉ
un feu au milieu de la place du village, un petit
feu, car le bois était aussi rare que l'eau, mais pour
une fête offerte à un ami, on sacrifie ce qu'on
possède. Ils étaient assis à terre, tout autour, en
cercle, et une femme chantait. Un homme l'accompagnait en frappant une sorte de bûche de bois
sec avec un petit cylindre de bois lourd. Il n'y avait
pas d'autre instrument de musique dans le village.

En face de la femme, de l'autre côté du feu,
Olivier et Patrick étaient assis côte à côte. Olivier
souffrait de sa position-grenouille. Il ne savait pas
s'asseoir sans siège. Ses cuisses repliées lui faisaient
mal, et il n'osait plus bouger, car la fillette porteuse
d'eau, qui était venue s'asseoir près de lui, sans
rien lui dire, mais en lui souriant et en le regardant
de ses yeux immenses, peu à peu s'était laissé en-
vahir par la fatigue naturelle aux enfants du soir,
s'était inclinée vers lui, avait posé sa tête sur sa
cuisse, et dormait.

Par-dessus le chant de la femme, qui devint
sourd et voilé comme une sorte d'accompagnement,
la voix d'un homme s'éleva. Celui qui parlait avait
une barbe presque blanche. Il regardait Olivier et

faisait en parlant des gestes de ses bras et de ses mains, avec ses doigts qui s'écartaient ou se joignaient. C'était le chef du village, le vieillard à qui la fillette avait donné l'eau afin qu'il l'offrît à celui qui arrivait.

— Il te remercie d'être venu, dit Patrick à voix basse.

Olivier haussa les épaules. La fillette soupira dans son sommeil, bougea, bascula un peu, sa nuque reposant sur la cuisse d'Olivier, son visage clos et paisible tourné vers le haut de la nuit. Elle était visiblement détendue en totalité, en sécurité, heureuse.

Patrick sourit en la regardant. Il dit tout doucement à Olivier, tandis que le vieillard parlait encore :

— On dirait qu'elle t'a adopté !...

Un réflexe de défense contracta Olivier. Il sentit que s'il restait là quelques instants de plus il allait être pris au piège de cette confiance, de cet amour, de l'envie folle qu'il sentait monter en lui de rester avec ces gens et cette enfant blottie contre lui comme un petit chat, l'envie d'oublier ses douleurs et ses violences, et de terminer là son voyage.

Il rappela à son secours les souvenirs de mai, les déceptions, l'affrontement des égoïsmes... Et la soirée à la villa, avec sa mère dans le lit pourpre... Il entendit son gémissement dans la nuit qui sentait le cyprès et le romarin. Il se boucha les oreilles de ses deux mains, crispa ses yeux fermés, secoua la tête de douleur.

Patrick le regardait, surpris et inquiet ; il s'écarta légèrement de lui avec précaution. Il ne fallait rien dire, rien faire. Il venait de comprendre que son ami portait quelque part une blessure saignante qu'il avait sans le vouloir effleurée. Toute main que l'on tend vers un écorché ne lui donne que de la douleur. La guérison ne peut venir que de l'intérieur de lui-même, et du temps.

Olivier se ressaisit, regarda les villageois dont le feu faisait danser les visages. Ils lui étaient devenus indifférents comme des arbres.

Il souleva le buste de la fillette, la fit pivoter doucement, et l'étendit sur le sol. Elle ne se réveilla pas.

— Je m'en vais, dit-il à Patrick.

Il se leva et sortit du cercle de lumière.

Le vieillard se tut brusquement. Puis la femme. Tout le monde regardait dans la direction où Olivier avait disparu.

Patrick se leva à son tour. Il leur dit quelques mots dans leur langue. L'ami qui était venu devait repartir. Il était appelé ailleurs. Mais lui restait.

Olivier reprit son sac dans la jeep et se mit en marche entre les cases. La piste traversait le village et devait continuer vers le nord. Au lever du soleil, il s'orienterait.

Il buta contre une vache couchée dans le chemin. Il jura contre les vaches, contre l'Inde, contre l'univers. Une poule maigre endormie sur un toit s'éveilla, effrayée, caqueta, et se rendormit.

Olivier parvint au bas de l'autre pente de la colline, là où s'arrêtaient les dernières huttes. Dans le noir, il devina quelqu'un debout qui l'attendait. C'était Patrick. Olivier s'arrêta.

— Bon, dit-il, c'est par là ?...

— Oui... Tout droit ; dans un ou deux jours de marche, ça dépend de toi, tu trouveras une ville, Mâdirah. Le train y passe. Tu as de l'argent pour le train ?

— Un peu.

— Il ne va pas plus loin que la frontière. Dès que tu es au Népal, tu dois continuer à pied.

— Je me débrouillerai, dit Olivier... Je regrette : ici... je ne peux pas... J'espère qu'on t'enverra bientôt quelqu'un...

— Ne t'inquiète pas pour moi, dit Patrick... Tiens, tu oubliais l'essentiel.

Il lui tendit une gourde de plastique, pleine d'eau.

CE FUT SON TROI-
sième jour après son entrée au Népal qu'il rencontra
Jane.

Dans le train indien, il avait retrouvé la même
foule que dans les rues de la ville. Un peu moins
misérable, mais encore plus entassée. Elle continuait
dans les wagons sa vie quotidienne comme si on
avait seulement mis la rue sur des roues. Il avait
cherché en vain une place assise. Dans un compartiment, une femme faisait cuire du riz entre les
pieds nus des voyageurs, sur une petite lampe à
gaz. Dans un autre, un saint homme très maigre,
allongé sur une banquette, était mort ou mourant,
ou peut-être seulement en méditation. Les autres
occupants priaient à voix haute. Des baguettes
piquées dans un petit objet de cuivre posé sur le
sol brûlaient et répandaient un parfum mélangé
d'encens et de santal.

Chaque fois qu'Olivier s'encadrait dans la porte
d'un compartiment bondé, tous les yeux se tournaient vers lui. Seuls le saint homme et ceux qui
étaient en prière ne le regardèrent pas. Il finit par
s'asseoir dans le couloir, parmi d'autres voyageurs
assis ou couchés. Il serra son sac contre lui et s'en-

dormit. Quand il se réveilla, on lui avait volé l'argent qu'il avait dans la poche de sa chemise. C'était seulement trois billets d'un dollar. Il avait encore vingt dollars dans son sac.

A la frontière, les fonctionnaires du Népal ne firent aucune difficulté pour le laisser entrer. Ils étaient d'une gentillesse extrême. Ils parlaient en souriant un anglais atroce dont Olivier ne comprit pas un mot malgré tous ses souvenirs scolaires. Ils tamponnèrent son passeport, lui firent signer des formulaires mal imprimés sur du papier de mauvaise qualité. Il ne put pas arriver à comprendre combien de temps il était autorisé à séjourner. Il changea quelques dollars à un petit bureau de la Banque Royale qui n'était là que pour ça. On lui donna des roupies en billets et de la monnaie de cuivre. Il signa encore des papiers. Il demanda dans son anglais d'écolier comment on pouvait aller à Katmandou. On lui répondit abondamment avec des gestes, de grands sourires chaleureux et des phrases dans lesquelles il comprit seulement « Katmandou ». Il se retrouva de l'autre côté du poste frontière. Il y avait deux autocars et une seule route. Les autocars étaient de vieux camions centenaires sur lesquels avait été ajustée une carrosserie artisanale, peinte de paysages gais et de guirlandes de fleurs, et surmontée d'une sorte de frise de dentelle de bois sculptée. Ils étaient déjà l'un et l'autre bourrés de voyageurs assis, debout, entassés presque jusqu'à gicler par les fenêtres ouvertes, tous les hommes vêtus d'une sorte de chemise de toile blanche ou grise qui pendait sur un pantalon de la même étoffe, très vaste autour des fesses et serré du genou à la cheville. Ils étaient coiffés d'un petit bonnet de toile blanc, ou de couleur. Quelques-uns parmi les plus jeunes portaient des chemises occidentales ou des pantalons de pyjama.

Olivier s'approcha d'un des véhicules, et demanda à voix très haute, en désignant le car :

— Katmandou ?

Tous les voyageurs qui l'entendirent lui firent de grands sourires et le signe « non » de la tête. Il obtint le même résultat avec l'autre car. De toute façon, il eût hésité à monter dans l'un ou dans l'autre, déjà trop pleins d'une foule d'individus dont il s'était rendu compte en s'approchant qu'ils étaient d'une débordante bonne humeur, mais d'une étonnante saleté.

Ce qu'il ignorait encore, c'est que le signe de tête qu'ils lui avaient fait avec un tel ensemble et qui pour lui signifiait « non », pour eux voulait dire « oui ». Ni l'un ni l'autre car, cependant, n'allait à Katmandou. Mais personne, parmi ces gens aimables, n'avait voulu faire de peine à un étranger en lui répondant non.

Sur une carte, à Rome, Olivier avait vu qu'il n'existait qu'une route au Népal, qui allait de la frontière de l'Inde à celle de la Chine, et qui passait à proximité de Katmandou. Une route s'ouvrait devant lui. Il espéra que c'était celle-là. Il s'y engagea. Une fois de plus, il venait de changer de monde.

Après avoir traversé l'interminable plaine indienne desséchée et qui gardait sur sa peau les cicatrices tourbillonnaires des inondations, Olivier commençait à gravir la première chaîne qui servait de frontière au Népal. Bientôt ce ne fut plus que verdure. Partout où la forêt laissait la terre découverte, celle-ci était travaillée minutieusement, jusqu'à l'extrême miette possible, et couverte de récoltes dont il ne savait ce qu'elles étaient. Parisien, fils et petit-fils de Parisiens, même en France il n'aurait pas su distinguer une betterave d'un plant de maïs.

La route franchissait des cols, contournait des vallées. Olivier prit des raccourcis, dévalant des pentes et remontant des côtes pour retrouver la route de l'autre côté. Chaque paysan ou paysanne qu'il rencontrait lui souriait et répondait « non » à tout ce qu'il essayait de dire. Ils ne comprenaient rien de ce qu'il leur disait, et quand on ne comprend rien il est courtois de répondre oui. Ils répondaient oui, et il comprenait non. Il commença à soupçonner son erreur quand il eut faim et chercha à manger. Il s'approcha d'une ferme, qui ressemblait assez à une petite maison paysanne française. Les murs de brique étaient recouverts d'une couche de crépi usé, rouge jusqu'à mi-hauteur, ocre jusqu'au toit de paille. Quand il s'approcha, trois enfants nus sortirent de la ferme et accoururent vers lui. Ils se mirent à le regarder en riant et jacassant, avec une curiosité intense. Ils étaient bien nourris et visiblement heureux de vivre, et sales des pieds à la tête. Une femme sortit à son tour, vêtue d'une sorte de robe couleur brique, avec une ceinture de toile blanche faisant plusieurs fois le tour de sa taille, qui abritait visiblement une nouvelle espérance...

Elle était brune de peau, avec des yeux rieurs, des cheveux noirs bien peignés et divisés en deux nattes tressées avec de la laine rouge. Elle était aussi sale que ses enfants, sinon plus. Olivier la salua en anglais, et elle fit « non » en souriant. Il lui expliqua par signe qu'il voulait manger et montra un billet, pour faire comprendre qu'il paierait. Elle se mit à rire avec malice et gaieté, fit encore « non », et rentra dans la maison.

Olivier soupira et s'apprêtait à repartir, quand elle revint avec un panier contenant de petits oignons nouveaux, des oranges et des fruits inconnus, qu'elle posa devant Olivier. Puis elle fit un deuxième voyage et apporta une écuelle contenant du riz mélangé avec des légumes.

Olivier remercia, elle fit de nouveau « non », et lorsqu'il s'accroupit pour manger, elle resta debout devant lui avec ses enfants. Tous les quatre le regardaient en bavardant et en riant. Olivier mangea le riz avec ses doigts. Les légumes qu'il contenait étaient à peine cuits et craquaient sous la dent. Le tout avait un goût de fumée de bois. Il goûta les fruits et les trouva bons, et termina par une orange qui était plutôt une sorte de grosse mandarine très douce. Le plus sale des enfants lui apporta de l'eau dans un bol où trempaient largement ses doigts. Olivier refusa gentiment, se leva, offrit un billet que la femme prit avec une grande satisfaction. Il demanda « Katmandou? ». « Katmandou? ». Elle lui répondit avec beaucoup de paroles et un geste vers une direction de l'horizon. C'était bien par là qu'il comptait aller.

Les enfants l'accompagnèrent en jouant comme des chiots jusqu'en bas de la vallée, puis remontèrent en courant vers leur maison. Il y avait un homme presque nu qui travaillait dans un champ, assez loin, courbé sur un outil à manche court. Il se redressa et le regarda. Puis recommença à travailler.

Olivier marcha pendant deux jours, mangeant dans les fermes, buvant et se lavant aux ruisseaux ou aux rivières, dormant sous un arbre. La température était très chaude dans la journée et clémente la nuit. Sur la route, il était fréquemment dépassé ou croisé par des autocars pareils à ceux qu'il avait vus à la frontière, ou par de simples camions où s'entassaient des voyageurs debout, mais il n'en vit aucun qui transportât des marchandises. Il semblait que le fret fût réservé aux dos humains. Sur la route et les sentiers, il rencontrait sans arrêt des familles de sherpas qui, père, mère, enfants compris jusqu'au plus petit, portaient des hottes proportionnées à leur taille. Les hottes étaient suspendues à une sorte de tresse plate passée sur la tête, un peu au-dessus du front, et contenaient des poids énormes. Olivier vit ainsi des hommes, des femmes, des enfants, qui portaient dans leur dos, accroché à leur tête, plus que leur propre poids, et marchaient, trottaient, couraient, disparaissaient derrière un arbre, une montagne, un horizon, vers le but qui leur était fixé, et où ils se débarrasse-raient de leur charge.

Ainsi marchait-il lui-même, avec sa charge de rancœurs, de douleur et de haine. Son but était quelque part derrière une deuxième chaîne de montagnes qu'il n'apercevait même pas encore. Au troisième jour, il n'avait plus aucune idée de la distance qu'il avait parcourue et de celle qui lui restait à couvrir. Mais il lui suffisait de continuer à marcher, et le moment viendrait où il ferait les derniers pas, se trouverait devant son père, et po-serait sa hotte pour lui présenter tout ce qu'il lui apportait de l'autre bout du monde.

La journée avait été très chaude. Un orage avait grogné, grondé, râlé au-dessus des montagnes, sans vouloir éclater de la colère qui fait trembler et soulage. Olivier, après avoir traversé une vallée où régnait une moiteur étouffante, avait rejoint la route sur le flanc opposé. Il décida de se reposer un peu avant de continuer, s'étendit sur une herbe raide, en bordure d'un petit bois d'arbres étranges, dont la plupart ne portaient que des fleurs et des épines.

De grands nuages blancs et gris bourgeonnaient dans le ciel où tournoyaient de grands oiseaux noirs. Olivier se souvint du grouillement des charognards au bord de la piste desséchée de l'Inde, puis du visage de la fillette du village, de ses yeux ouverts comme les portes de la nuit, qui le regardaient avec une toute petite lumière d'espoir au fond, et une place immense pour l'amour. Il sentit sur sa cuisse le poids du petit corps abandonné, confiant, heureux.

Il grogna, se retourna sur le ventre, la fatigue le submergea et il s'endormit.

Ils MARCHAIENT AU
bord de la route, toujours dans le même ordre,
Sven en premier, puis Jane, puis Harold, toujours
un peu à la traîne, peut-être parce que c'était lui
qui mangeait le plus chaque fois qu'ils avaient de
quoi manger. Sven et Jane avaient moins de forces,
mais ils avaient atteint cette légèreté des animaux
pour qui ce n'est jamais un effort de transporter
leur propre corps.

Ils trouvèrent Olivier qui s'était de nouveau
tourné sur le dos et dormait profondément, la bouche
un peu entrouverte. Il s'était rasé et lavé le matin
à une rivière, ses boucles s'étaient allongées depuis
son départ de Paris, la peau de son visage était
devenue plus foncée que ses cheveux mais gardait
le même reflet doré. Ses cils bruns faisaient une dentelle d'ombre au bas de ses paupières fermées.

Jane et Sven s'arrêtèrent, debout près de lui, et
le regardèrent. Et Jane lui sourit. Après un court
silence, Jane dit en anglais :

— C'est un Français...

— A quoi le vois-tu ? demanda Sven.

— Je ne vois pas, je sais...

— Une fille, ça ne se trompe jamais sur un Français, dit Harold qui les avait rejoints. Elle le reconnaît même à travers un mur...

Ils ne cherchaient pas à parler à voix basse, à ménager son sommeil. Mais lui n'entendait rien, il continuait de dormir, loin de tout, détendu, innocent et beau comme un enfant.

— Qu'est-ce qu'il en écrase!

— Il dort comme un arbre, dit Sven.

Harold avisa le sac d'Olivier posé près de lui et s'en saisit.

— Il a peut-être de quoi manger. Les Français sont débrouillards, pour la nourriture.

Il ouvrit le sac.

— Laisse! dit Sven. Il faut lui demander.

Il s'accroupit près d'Olivier et posa la main sur son épaule pour le secouer.

— Non! dit Jane. Pas comme ça!...

Sven retira sa main, se releva et regarda Jane qui allait vers les arbres et les buissons et commençait à cueillir des fleurs.

Elle couvrit de fleurs la poitrine et le ventre d'Olivier, elle s'en mit dans les cheveux et en mit dans les cheveux des garçons. Puis elle s'assit près d'Olivier, face à son visage et fit signe à Sven. Celui-ci s'assit à son tour, et posa sa guitare sur ses genoux. Jane se mit à chanter, doucement, une ballade irlandaise, et Sven l'accompagnait de temps en temps d'un accord. Jane, peu à peu, chanta de plus en plus fort. Harold était assis à deux pas, près du sac d'Olivier. Il trouvait que ça traînait.

La musique et la douceur de la voix entrèrent dans Olivier, se mélangèrent à son sommeil, puis emplirent toute sa tête, et il n'y eut plus de place pour le sommeil. Il ouvrit les yeux et vit une fille couronnée de fleurs, qui lui souriait. Ses longs cheveux pendaient sur ses épaules comme une lumière et une ombre d'or roux.

Ses yeux, qui le regardaient, étaient d'un grand bleu pur presque violet. Derrière sa tête, le soleil avait fait un trou dans les nuages, par lequel il envoyait des flammes dans toutes les directions, et dans les fleurs qui la couronnaient et la lisière de ses cheveux. Il y avait de la joie dans le ciel et dans les fleurs. Et le visage qui lui souriait était au centre de cette joie.

JANE PARLAIT FRAN-
çais avec un accent ravissant. Olivier l'écoutait,
amusé. Il l'écoutait et la regardait. Par-dessus son
image mouvante, il ne cessait de voir son image
fixe, radieuse, nimbée de soleil, telle qu'elle lui
était apparue lorsqu'il avait ouvert les yeux.

Le soleil s'était couché, ils avaient mangé
quelques fruits, allumé un feu, et maintenant ba-
vardaient un peu, détendus, parlant d'eux-mêmes
ou du monde. Jane était assise auprès d'Harold qui
de temps en temps posait la main sur elle, et chacun
de ces gestes faisaient un peu mal à Olivier.

Sven, qui était adossé à un arbre, s'allongea et
alluma une cigarette. Harold s'étira et se coucha,
la tête posée sur les cuisses de Jane. Il y eut un
silence, qu'Olivier rompit brusquement.

— Qu'est-ce que vous allez faire exactement, à
Katmandou ?

Il regardait vers Jane et Harold, mais ce fut Sven
qui répondit, paisiblement, sans bouger.

— Katmandou, c'est le pays du Bouddha... Il
y est né... Il y est mort... Il y est enterré... Et tous
les autres dieux sont là aussi... C'est l'endroit le
plus sacré du monde... C'est l'endroit du monde où
le visage de Dieu est le plus près de la Terre...

Il tendit sa cigarette dans la direction de Jane, qui allongea le bras, la prit, et en aspira une bouffée avec bonheur.

— Le Bouddha! dit Olivier. Et le hachisch en vente libre au marché, comme les radis ou les épinards! C'est pas plutôt *ça* que vous allez chercher là-bas?

— Tu comprends rien! dit Jane. *Ça*, c'est la joie!...

Elle tira une autre bouffée de la cigarette et la tendit à Olivier.

— Merci! dit Olivier, tu peux garder cette saleté!

Harold glissait sa main sous la blouse de Jane et lui caressait un sein.

— Tu ne serais plus malheureux! dit Jane.

— Je ne suis pas malheureux! dit Olivier.

Un oiseau chantait dans le petit bois un chant étrange, sur trois notes longues sans cesse reprises, un chant triste et doux et pourtant paisible. Jane commençait à devenir un peu haletante sous la caresse d'Harold. Elle aurait voulu convaincre Olivier.

— Laisse-moi! dit-elle à Harold.

— Laisse-le... dit Harold, tranquille... Il croit ce qu'il veut... C'est son droit...

Jane s'abandonna. Harold la coucha à terre, déboutonna sa blouse et tira la glissière de son pantalon.

Olivier se leva, ramassa son sac, donna un grand coup de pied dans les restes du feu, et disparut dans la nuit.

Le lendemain ils le rattrapèrent. Il marchait pourtant plus vite qu'eux. Mais il s'était arrêté au bord de la route, se persuadant qu'il avait besoin de se reposer. Et quand il les vit arriver à l'autre bout de la vallée, gros comme des mouches, un poids énorme qui lui pesait sur le cœur s'envola. Ils marchèrent ensemble. Sven marchait le premier, puis Jane et Olivier, et Harold un peu plus loin, un peu à la traîne.

— Katmandou dit Jane, c'est un pays où personne s'occupe de toi, tu es libre, chacun fait ce qu'il veut.

— Le Paradis, quoi!

Jane sourit :

— Tu sais ce que c'est le Paradis, toi? Moi, j'imagine... C'est un endroit où personne t'oblige, personne te défend... Ce que tu as besoin, tu le prends pas aux autres, les autres te le donnent, et toi tu donnes ce que tu as... On partage tout, on aime tout, on aime tous... On n'a que la joie...

— Avec musique de harpes et plumes d'anges! dit Olivier en souriant.

— Tu rigoles. mais c'est possible sur la Terre, si on veut... Il faut vouloir... Et toi, qu'est-ce que tu vas chercher à Katmandou?

Olivier redevint sombre, brusquement.

— La seule chose qui compte : l'argent.

— Tu es fou!... C'est ce qui compte le moins!

Il reprit son ton furieux, celui qui l'aidait à se convaincre lui-même qu'il avait raison.

— Qu'est-ce qui compte, alors? Comment tu veux faire, pour être plus fort que les salauds?

Elle s'arrêta un instant et le regarda avec un air étonné qui ouvrait encore plus grands ses yeux d'ombre fleurie.

— Si tu te remplis d'argent, tu deviens aussi un salaud!... Moi j'en avais tant que je voulais... Mon père en est *full up*, tout plein d'argent... Il en prend à tout le monde, tout le monde lui en prend! C'est comme si on lui arrache sa viande... Alors pour oublier, il...

Elle se tut brusquement.

— Il quoi? demanda Olivier.

— Rien... Il fait ce qu'il veut... Il est libre... Chacun est libre...

Elle se remit à marcher. Elle demanda :

— Et le tien, qu'est-ce qu'il fait?

— Le mien quoi?

— Ton père? Il est riche?

— Il est mort... Quand j'avais six mois.

— Et ta mère?

— Je viens de la perdre...

Le soir, ils allumèrent leur feu au fond d'un petit vallon où coulait un ruisseau. Ils avaient acheté du riz et des fruits avec l'argent d'Olivier. Harold fit cuire le riz dans une gamelle. Ils le mangèrent tel quel, sans aucun assaisonnement. Olivier commençait à s'habituer aux goûts simples, essentiels, de la nourriture qui n'est faite que pour nourrir. Les fruits, ensuite, étaient un émerveillement.

Harold s'allongea et s'endormit. Sven fumait. Olivier, adossé à un arbre, racontait à voix basse les journées de mai à Jane, allongée près de lui.

Jane se redressa à demi et, à genoux, fit face à Olivier.

— Se battre, ça gagne rien, jamais... Tout le monde le sait, et tout le monde se bat... Le monde est con...

Elle prit la cigarette de Sven et en aspira une bouffée.

D'un doigt de sa main qui tenait la cigarette, elle dessina un petit rond sur le front d'Olivier.

— Ta révolution, il faut la faire là...

Lentement, sa main descendit le long du visage, et présenta la cigarette aux lèvres d'Olivier.

Il saisit la main avec douceur et fermeté, et en ôta la cigarette qu'il éleva, regarda.

— Vos théories, on pourrait les discuter, s'il n'y avait pas *ça*... Votre monde, vous le bâtissez avec de la fumée...

Il jeta la cigarette dans la braise.

Harold se dressa d'un bond en poussant un cri.

— *Listen! Shut up!* Taisez-vous! Écoutez!...

Il tendait le doigt, impératif, dans la direction du col qu'ils avaient franchi juste avant de s'arrêter pour la nuit.

Ils écoutèrent tous. Ils entendirent à peine, ils devinèrent, ce que l'oreille d'Harold, toujours aiguisée comme celle d'un chat, avait discerné avant eux dans son sommeil : le ronronnement puissant et régulier du moteur d'une grosse voiture.

— Une voiture a-mé-ri-cai-ne! cria Harold.

Tout à coup, le pinceau des phares éclaira la paroi du col, puis vira, et révéla cent mètres de route. Le bruit de moteur accéléra.

— Cachez-vous! Vite!

Harold poussa Sven et Olivier vers les buissons, ramassa le sac de Jane et le lui colla dans les bras.

— Toi, sur la route!

Il la lança vers le milieu de la chaussée, et courut rejoindre les deux garçons dans l'obscurité.

La voiture : une sportive américaine surpuissante avec tout le confort du dernier modèle grand luxe. Quelqu'un seul au volant. Sur la route, au milieu, en pleine ligne droite, les phares découvrent et illuminent une fille en blue-jean et blouse légère à demi ouverte, qui cligne des yeux, éblouie, et fait le signe du stop.

Une main gantée appuie sur la commande du klaxon, sans arrêt. Le pied droit appuie sur l'accélérateur. La fille reste au milieu de la route. Le klaxon hurle. La fille ne bouge pas. Il n'y a pas assez de place pour passer. Pied à fond sur le frein, les pneus s'écorchent sur la route. La voiture s'arrête pile, à quelques centimètres de la fille.

La portière s'ouvre, quelqu'un sort de la voiture, et vient rejoindre Jane dans la lumière des phares. Une femme, de cet âge indéterminé qu'ont les femmes très soignées quand elles ont dépassé quarante ans. Elle est rousse, autant qu'on en peut juger par la couleur apparente de ses cheveux, qu'elle porte longs comme une jeune fille. Elle est vêtue d'une tunique verte sur un bermuda groseille. Elle est nette, poncée, râpée, lavée, massée ; pas un gramme de trop, juste le compte de vitamines et de calories.

Elle insulte Jane en américain, elle lui ordonne de s'enlever de là, de débarrasser le chemin, sa voiture n'est pas une benne à ramasser les poubelles. Jane ne bouge pas. La femme lève la main pour la frapper. Une autre main sort de l'ombre et saisit son poignet, la fait virevolter et la renvoie contre la portière ouverte qui se ferme en claquant. Olivier, entré dans le pinceau des phares, interroge Jane avec anxiété.

— Ça va ? Tu as rien ? Elle a failli t'écraser, cette garce !

— Oh ! dit l'Américaine. Un Français ! Vous ne pouviez pas montrer vous plus tôt ?

— Et un Anglais, dit Harold, souriant, en surgissant de l'ombre. Et un Suédois !...

Il tendit le bras pour désigner un point de la frontière entre la lumière et les ténèbres, et Sven y apparut, crevant le mur de la nuit, sa guitare pendue à son cou.

L'Américaine rentra à son tour dans la lumière et s'arrêta devant Harold. Elle tournait le dos aux phares, et le regardait sans dire un mot. La courte barbe brune du garçon et les ondulations de ses cheveux brillaient dans la lumière. Il ne bougeait pas. Il ne voyait que la silhouette de la femme découpée par le puissant faisceau de lumière. C'était une silhouette mince et sans âge. Il pensait à la voiture riche, aux sièges confortables, et à tout ce qu'il devait y avoir « autour ». Il sourit, découvrant des dents superbes.

— Saint Jean ! dit l'Américaine avec saisissement. C'est saint Jean avec le péché !

Harold se mit à rire. Il présenta ses camarades. Elle dit son nom : Laureen. Elle les fit monter et démarra. Harold était assis à côté d'elle, et les trois autres derrière, Jane entre Sven et Olivier. Olivier ne parvenait pas à oublier l'image de Jane dans la nuit, sculptée par la lumière de la voiture qui fonçait sur elle, et ne bougeant pas, immobile, indifférente, sereine, inconsciente. Heureuse !

La cigarette...

Saleté !

Il n'y pouvait rien. Ça ne le regardait pas. Qu'elle s'empoisonne si ça lui faisait plaisir. Il questionna Laureen avec agressivité.

— Naturellement, vous aussi, vous allez à Katmandou ?

— Je vais pas, dit Laureen, je suis déjà... Je reviens de faire un petit voyage... Je suis déjà dans Katmandou depuis cinq semaines...

— Qu'est-ce que vous cherchez, là-bas ?... Le visage de Dieu, vous aussi ?

Laureen se mit à rire.

— C'est beaucoup trop haut... pour moi!... Je prends ce que je trouve... A ma hauteur!...

De sa main droite, elle attira vers elle la tête d'Harold et l'embrassa sur la bouche. La voiture fit une embardée, un arbre énorme et une maison rouge foncèrent vers elle. Harold se dégagea brutalement.

— *Hey! Careful now!*

Il saisit le volant et redressa. L'arbre et la maison rouge disparurent dans la nuit, derrière, avalés. Laureen riait.

Ils roulèrent encore pendant près d'une heure, puis Laureen dit :

— Nous n'arrivons pas ce soir à Katmandou. Nous allons arrêter ici, je connais...

C'était un petit plateau que la route traversait en ligne droite.

Laureen ralentit, bifurqua à gauche sur une sorte de piste, avança lentement pendant une centaine de mètres. Dans la lumière des phares apparut, abrité par une chapelle à peine plus grande que lui, un Bouddha assis, les yeux clos, souriant du sourire ineffable de la certitude. Il semblait taillé dans un bloc d'or.

SVEN ÉTAIT ASSIS
dans la position du lotus, en face du Bouddha
aux yeux fermés. Le Bouddha était assis en face de
lui dans la même position, lourd et bien posé dans
son équilibre, avec ce poids de ventre sur lequel
était construite sa stabilité. Sven était léger comme
un roseau, comme un oiseau, il ne se sentait plus
peser sur la terre. Il avait à peine mangé et fumé
deux cigarettes. A la troisième, il avait compris
qu'il était en communion avec le Bouddha, celui-là,
exactement celui-là avec son visage d'or, son
vêtement d'or, ouvert sur sa poitrine et son ventre
d'or, d'où le trou sombre du nombril regardait
vers le ciel. Ce Bouddha s'était assis en ce lieu il y
avait des siècles pour attendre Sven. Il avait
patienté pendant des siècles et des siècles et enfin,
ce soir, Sven était venu.

Il était allé s'asseoir en face du Bouddha, il
l'avait regardé et le Bouddha qui voyait tout le
regardait à travers ses paupières closes avec son
imperceptible sourire de félicité. Sven comprit ce
que le Bouddha lui disait et, pour lui répondre,
prit sa guitare et la pressa contre son ventre. La
cigarette se consumait lentement entre ses lèvres.
Il en aspirait une longue bouffée et il savait alors ce

qu'il devait dire, où il devait poser sa main gauche, quelle corde pincer, et avec quelle note juste et quelle juste force il devait parler du Bouddha. Une seule corde, une note seule, une note ronde parfaite comme l'équilibre de l'univers, et qui le contenait tout entier. Ce qu'il avait à dire au Bouddha, c'était cela : tout.

Un bonze à la robe safran était sorti de nulle part, avait allumé aux pieds du Bouddha trois lampes de cuivre, et était retourné dans la nuit. Laureen avait allumé sa lampe butane au bord du long bassin qui séparait les deux Bouddhas. Dans la lumière crue de la lampe elle avait ouvert les trois valises de camping. Vaisselle, couverts, glace, caviar, champagne, Coca-cola, sandwiches, lait, salades, nappe, serviettes... A l'autre bout du bassin, l'autre Bouddha avait les yeux ouverts. Il était en bronze, couleur de l'herbe. Il regardait avec gravité et amour tout ce qui voulait être regardé.

Dans l'eau épaisse et verte du bassin bougeaient des choses qu'on ne distinguait pas. Des dos lents et longs bossuaient la surface de l'eau sans la crever. Une gueule aspirait une miette lancée par Laureen. Petit remous sombre qui se creusait dans l'eau verte. On ne voyait rien.

Laureen versa de nouveau du champagne dans le verre en bakélite jaune que lui tendait Harold.

— Bois, ma beauté, lui dit-elle. Tu es beau ! Tu le sais ?

— Oui, dit Harold.

— Tu bois trop, dit Jane, tu seras malade...

— *No*, dit Harold. J'aime...

Il vida son verre et embrassa Laureen sur la bouche, longuement. Elle suffoqua, se leva, le prit par la main et le fit lever.

— *Come!...* Viens... Dans ma voiture...

Elle le tirait vers la longue voiture rouge endormie à l'autre bord du bassin. Harold se laissait un peu traîner, nonchalant, amusé, à peine ivre. Jane leur cria :

— *Good night !*

— *Same to you !* répondit Harold.

Les notes de la guitare, rares, rondes comme des perles, tombaient de temps à autre des longs doigts de Sven.

Olivier prit la bouteille de champagne et l'inclina vers le verre de Jane

— Non, dit-elle, Coca...

Il lui servit du Coca et se servit du champagne. Il lui demanda :

— Ça ne te fait rien ?

— Quoi ?

— De penser qu'il est en train de la déshabiller et de l'étendre sur les coussins de la voiture ?

Elle se mit à rire, doucement.

— Je crois que c'est plutôt elle, qui lui fait tout ça !

— Et toi tu t'en fous ?

— S'il y va, c'est que ça lui plaît...

— Tu ne l'aimes pas ?

Les grands yeux violets le regardèrent avec étonnement par-dessus le bord du verre bleu.

— Bien sûr je l'aime !... Si je l'aimais pas je coucherais pas !... J'aime lui, j'aime Sven, j'aime le soleil, les fleurs, la pluie, j'aime toi, j'aime faire l'amour... Toi tu aimes pas ?

Elle posa son verre vide et, s'appuyant sur ses deux mains, se rapprocha de lui. Il jeta dans l'herbe le champagne qui restait dans son verre et répondit sans la regarder.

— Pas avec n'importe qui...

— Je suis n'importe qui?

Cette fois, il se tourna vers elle, la regarda avec une incertitude inquiète et dit doucement :

— Je ne sais pas...

— Tu ne me trouves pas belle?

Elle lui fit face, à genoux comme elle l'avait déjà fait quand elle l'avait découvert endormi, comme elle l'avait fait encore quelques heures plus tôt, près du feu allumé au bord de la route. Elle défit entre trois doigts les boutons de sa blouse, et l'ouvrit, ses deux mains qui la tenaient ouverte tendues vers lui, comme pour lui donner, en offrande sans calcul, innocente, neuve, les seins parfaits qu'elle lui dévoilait. Ils étaient menus, dorés comme des pêches, couronnés d'une pointe discrète à peine plus foncée. La lumière crue de la lampe ne parvenait pas à leur ôter leur douceur enfantine... Ils étaient comme deux fruits du Paradis.

Ces seins... le bandeau sur les yeux... Ce sein qu'il avait à peine touché... Presque là dans sa main... Etait-ce celui de Soura... Ou bien celui de... le drap pourpre... sa mère sous ce porc...

Il cria, furieux :

— Tu les montres comme ça à tout le monde?

Elle se leva et ferma ses bras sur sa poitrine, effrayée.

Il s'était levé en même temps qu'elle et la gifla à la volée.

Elle eut à peine le temps de pousser un petit cri, d'étonnement plus que de douleur, qu'il l'avait déjà prise dans ses bras, la serrait contre lui, lui parlait dans l'oreille, dans le cou, l'embrassait, lui demandait pardon.

— Je suis une brute! Un crétin! pardonne-moi...

Toute la peur de Jane fondit dans les bras et les mots d'Olivier. Elle sourit et se mit aussi à l'embrasser partout, sur les yeux, sur le nez, dans le trou de l'oreille. Elle riait, il riait. Il lui ôta sa blouse, son pantalon et son slip, la prit par la main et l'éloigna de lui à bout de bras pour mieux la voir. Il répétait « Tu es belle! Tu es belle! ». Elle riait, heureuse de le lui entendre dire.

Il la fit tourner sur elle-même, lentement, plusieurs fois. La flamme livide de la lampe de butane lui donnait l'air d'une statue un peu rose, un peu blanche, un peu pâle. Elle avait un derrière de fille bien rond, mais menu, et quand Olivier la voyait de face, en haut de ses longues cuisses un petit triangle de gazon d'or accrochait tout ce qu'il y avait de chaud dans la lumière.

Il la ramena vers lui, la prit dans ses bras, la souleva et l'emporta.

Elle lui demanda doucement :

— Où tu m'emportes ?

— Je ne sais pas, tu es belle, je t'emporte...

Il marcha le long du bassin, la nuit les prit, elle était douce. Jane se blottissait contre la poitrine d'Olivier. Il l'emportait, elle était légère et fraîche et chaude dans ses bras. Il la posa devant le Bouddha aux yeux ouverts. Là aussi il y avait trois lampes de cuivre allumées. Il voulait encore la regarder.

Il se déshabilla, et la coucha sur ses vêtements. Elle avait fermé les yeux et se laissait faire, passive, heureuse, étendue comme la mer au soleil.

Il était nu debout devant elle, ses pieds contre ses pieds joints, et son désir dressé vers les étoiles. Il la regardait. Elle était mince, mais non maigre, faite de longues courbes douces que les lampes ourlaient de lumière. Les pointes de ses seins menus étaient comme deux perles d'or brun qui brûlaient.

Il s'allongea contre elle, sur le côté, pour la voir encore. Il n'avait jamais vu de fille aussi belle. Ou peut-être n'avait-il pas pris le temps de voir.

Elle sentit, serré entre lui et elle, contre sa hanche, son dur et doux prolongement d'homme. Elle eut un petit rire de bonheur, glissa sa main vers lui et l'en enveloppa.

Olivier se pencha et lui embrassa les yeux, le nez, les coins de la bouche, légèrement, sans s'attarder, comme une abeille qui butine une tige de menthe fleurie sans cesser de voler. Puis il descendit, lui échappa, prit dans ses lèvres le bout d'un sein, puis de l'autre, y posa ses yeux clos, caressa de ses joues les douces rondeurs, en fit le tour d'une joue et de l'autre, les poussa de son nez comme un nourrisson affamé, les mordit de ses lèvres, les prit dans ses mains, et sans les quitter descendit plus bas sa bouche, sur le doux ventre plat, sur la tendre et tiède ligne des aines. Les jambes de Jane s'ouvrirent, comme une fleur, s'épanouirent. Les courtes boucles du petit triangle révélèrent leur secret. Olivier vit éclore la fleur de lumière. Lentement il se pencha vers elle et y posa ses lèvres.

Des pointes de ses seins que caressaient ses mains, à la pointe de son corps que sa bouche fondait, Jane n'était plus qu'une onde de joie, un fleuve triangulaire qui roulait sur lui-même à grands remous de quelque chose plus grand que le plaisir, toute la joie de la terre et du ciel qu'elle prenait et donnait. Et puis, cela fut terrible, cela n'était plus possible, elle saisit à pleines mains les cheveux d'Olivier, se cramponna à sa tête, voulut l'enfoncer

en elle, éclata, mourut, plus rien n'était plus, elle
non plus.

Alors Olivier, doucement, quitta la fleur d'or,
baisa avec tendresse la douce et tiède ligne des aines,
le doux ventre plat, les seins amollis de bonheur,
les lèvres entrouvertes, les yeux clos. Et Jane le
sentit lentement, puissamment, entrer en elle.

A demi en sommeil, à demi morte, elle sentit
qu'elle allait recommencer ce qu'elle ne croyait plus
possible, et le dépasser. Elle recommença à vivre
par le milieu le plus profond de son corps, autour du
dieu qui y avait pénétré et qui était en train d'y
allumer le soleil et les étoiles.

Le Bouddha qui regarde regardait. Il avait déjà
vu tout l'amour du monde.

LAUREEN KLAXON-
na. Un camion bourré de Népalais occupait le
milieu de la route et envoyait derrière lui un long
nuage de poussière. Elle appuya sur un bouton, la
capote surgit de la malle arrière, se ferma au-dessus
d'eux, les vitres remontèrent et les enfermèrent
hermétiquement.

Les passagers du camion, émerveillés, poussaient
des cris de joie et riaient.

Laureen klaxonnait sans arrêt. Enfin, le gros
véhicule appuya sur sa gauche et se mit à raser le
talus. On roule à gauche au Népal, comme en Inde,
c'est-à-dire comme en Angleterre. L'Américaine
passa en trombe, faillit écraser une famille de
porteurs chargés de briques qui trottinaient devant
le camion, et prit le large. Laureen jurait en américain. Elle n'aimait pas que quoi que ce fût lui fît
obstacle. Sur le siège à côté du sien, Harold dormait.
D'une pression du pouce, Laureen fit rentrer les
glaces et la capote.

Sur le siège arrière, Olivier était au milieu, avec
Jane à sa droite. Appuyée de biais contre le dossier,
elle le regardait sans parvenir à comprendre ce qui
lui était arrivé cette nuit. Qu'est-ce qu'il avait, ce

garçon ? Oui, il était beau, mais Harold aussi.
Oui, il lui avait bien fait l'amour, comme personne
avant, non jamais personne... Mais ce qu'elle avait
éprouvé, c'était autre chose qu'un plaisir plus grand
que les autres fois, c'était... Quoi ? Du bonheur ?...
Elle n'était donc pas heureuse, avant, avec ses
copains ?... Elle pensa que s'il restait avec elle,
avec eux, ce serait merveilleux... Elle soupira,
sourit et se blottit contre lui. Elle était brisée.

Olivier la regarda avec un sourire un peu tendre,
un peu ironique. Il l'avait occupée jusqu'à l'aube,
et maintenant il éprouvait ce détachement des
jeunes mâles dont le corps se refait des forces. Maintenant, l'important, c'était ce qui allait se passer à
Katmandou entre lui et son père.

Il se pencha en avant et interrogea Laureen :

— Vous connaissez les gens, à Katmandou ?

— Je connais tout le monde... Je veux dire pas
les natives, *of course*... Les civilisés, oui... Ils ne sont
pas beaucoup, c'est un village...

— Vous connaissez un nommé Jamin ?

— Jacques ? Tout le monde connaît ! C'est lui
que vous voulez voir ?

Elle le regardait avec curiosité dans le rétroviseur. Il se laissa aller en arrière, répondit oui.

— En ce moment, il n'est pas dans Katmandou,
dit Laureen... Il prépare un safari pour mon mari...
George veut apporter quelques têtes de tigres pour
accrocher entre les Picasso... Mais il tire comme une
limace...

Après un silence, elle ajouta avec dégoût :

— Il fait tout comme une limace... Hassh...
Heureusement, Jacques tire en même temps !...
Sans quoi il aurait plus de clients... Ils seraient tous
bouffés ! Il est dans son camp de chasse, dans la

forêt... Si vous voulez, je vous laisse en passant...

Jane, anxieuse, prit une main d'Olivier entre ses deux mains. Il la regarda, puis se tourna vers Laureen. Il lui dit qu'il était d'accord.

La route descendait maintenant tout le temps. La première chaîne de montagnes était franchie. La voiture atteignit le fond de la grande vallée vers le milieu de l'après-midi. Il y régnait une chaleur très humide, tropicale. Une sorte de forêt clairsemée bordait la route des deux côtés. Les arbres étaient immenses, très espacés, séparés par de hautes herbes et des massifs de buissons touffus, couverts d'énormes fleurs.

Laureen s'arrêta à l'amorce d'une piste. Une petite pancarte de bois était clouée à un arbre. Une tête de tigre y était peinte, soulignée d'une flèche qui indiquait la direction où la piste s'enfonçait entre les arbres.

— C'est ici, garçon, dit Laureen.

Jane descendit pour laisser descendre Olivier. Elle l'accompagna jusqu'au commencement de l'ombre de la forêt.

— Où tu vas? Qu'est-ce que tu lui veux, à ce type?

— Lui prendre son argent!...

— Tu es fou! Laisse tomber l'argent... Viens avec nous!...

— Non...

Il regarda la voiture. Harold mangeait un sandwich. Sven fumait. Il se souvint de la nuit, du corps innocent étendu dans la lumière des lampes, du plaisir — du bonheur ? — qu'il lui avait donné...

— Quitte ces types! Ce sont des larves! Viens avec moi!...

Elle le regarda avec étonnement et avec détresse. Comment pouvait-il lui demander ça ? Elle ne voulait pas, elle ne pouvait pas retourner dans le monde qu'elle avait quitté, le monde ordinaire, de l'argent, des obligations et des interdictions. Sven lui avait révélé la liberté, et rien ne pourrait la faire renoncer à sa vie nouvelle, qui était la seule vraie, la seule possible. Elle ne quitterait pas Sven, même pour Olivier. Elle ne pensait pas à Harold. Harold ne comptait pas. Mais quand elle répondit non à Olivier, c'est à Harold que lui pensa, à la scène de l'avant-veille, près du feu...

— Alors, salut ! Ciao !...

Il souleva son sac et se le mit derrière l'épaule. Elle se rendit compte tout à coup que cette séparation pouvait être définitive, et elle eut peur.

— Alors, on se verra plus ?

— Tu as envie de me revoir ?

— Oui... Toi, pas ?

Si, il avait envie de la revoir, mais il ne pouvait pas oublier l'autre garçon qui la déshabillait. Elles sont toutes pareilles ! Toutes ! Toutes !...

— Il y a des choses que je ne partage pas, dit-il.

— Quelles choses ? Qu'est-ce que tu veux dire ?

Elle ne comprenait pas, elle aurait voulu qu'il s'expliquât, elle pouvait peut-être encore le gagner.

— Hey ! cria Laureen ! Dépêche-toi, Olivier !...
Les tigres ont faim à partir de dix-neuf heures !

— Ciao ! dit Olivier.

Il lui tourna le dos et s'engagea sur la piste.

TOURNÉE VERS L'AR-
rière, Jane regardait la forêt qui venait d'avaler
Olivier. La piste disparut, il y eut un camion, un
virage, de la poussière, Jane regardait toujours en
arrière. Elle sentit la main de Sven qui se posait sur
son épaule. Elle se retourna. Il lui souriait avec
gentillesse. Elle lui fit un petit sourire qui essayait
d'être gai. Il lui montra un papier blanc qu'il avait
tiré de sa poche. Il le déplia. Il contenait de la
poudre blanche.

— Il m'en reste un peu... On partage?

Elle cessa de sourire. Non, pas ça, elle avait peur.

— Comme tu veux, dit Sven.

Mais au moment où il portait le papier à ses narines pour tout aspirer, elle tendit la main :

— Donne!...

A UNE CORDE TENDUE entre deux arbres pendaient dix-sept peaux de tigres écartelées par des baguettes. A l'autre extrémité de la clairière, un homme, debout dans une jeep conduite par un chauffeur coiffé d'un turban rouge, passait en revue une trentaine d'éléphants harnachés, en tenue de chasse, portant chacun un cornac et un chasseur indigène. Les rabatteurs étaient alignés devant eux.

La jeep effectua un virage impeccable et vint se placer face à la file d'éléphants, juste au milieu.

L'homme debout saisit un mégaphone et prononça une harangue en anglais. Olivier la comprit presque toute, car c'était de l'anglais prononcé avec l'accent français, tel qu'on l'apprend au lycée...

Sur un ton de général en chef, il donnait des recommandations pour la chasse qui allait commencer le surlendemain.

Il termina en précisant l'heure du rassemblement. Il était nu-tête, vêtu d'un short kaki, et d'une chemise militaire de même couleur. Il portait une ceinture de cuir cloutée de cuivre à laquelle pendait l'étui d'un revolver. Devant lui, un fusil à fauves était accroché au pare-brise de la jeep.

Celle-ci tourna sur place et traversa la clairière, venant vers Olivier. L'homme, qui allait s'asseoir, se releva en l'apercevant et parla au chauffeur. La voiture s'arrêta à la hauteur d'Olivier. Celui-ci ne bougeait pas, ne disait rien. L'homme le regardait, intrigué, puis agacé. Il demanda :

— *You want something ?*

Olivier demanda à son tour :

— Vous êtes monsieur Jamin ?

— Oui...

— Je suis Olivier...

— Olivier ?

Olivier, Olivier, ce nom lui disait quelque chose... Tout à coup, son visage s'éclaira :

— Olivier ?... Vous voulez dire... Olivier... le fils de Martine ?...

— Et le vôtre, d'après l'état civil, dit Olivier glacial.

D'un bond, Jacques sauta à bas de la jeep tout en criant, par-dessus la tête d'Olivier :

— Yvonne ! Yvonne !

Une voix répondit du haut des arbres, demandant ce qui se passait.

Jacques cria :

— Venez voir ! C'est formidable ! C'est MON FILS !

Il prit Olivier par les épaules, le fit pivoter, et le présenta.

Dans sept arbres géants, au milieu des branches, étaient construites de grandes huttes de rondins et de paille, auxquelles on accédait par des escaliers de bois. C'étaient les chambres destinées aux chasseurs, des « huttes sauvages » de luxe pour milliardaires.

Une fenêtre de la plus proche encadrait le buste

de la femme à qui Jacques s'était adressé. Elle était brune, avec des cheveux plats qui pendaient jusqu'au bas de son visage. Elle portait une chemise d'homme orange, un peu délavée. Elle regardait les deux hommes sans rien dire. L'enthousiasme de Jacques ne suscitait en elle aucun élan, même poli. Autant qu'Olivier put en juger de bas en haut, elle paraissait triste, et un peu maigre.

— C'est la femme de Ted, mon associé, dit Jacques. C'est elle qui reçoit nos clients, et moi qui leur procure les émotions fortes...

Pendant les quel-
ques quarts d'heure qui s'écoulèrent avant l'arrivée
de la nuit, Jacques fit visiter à Olivier les installa-
tions de son quartier de chasse, sans cesser de parler
ou de crier des ordres aux domestiques qui apparais-
saient dans tous les coins. Il ne se rendit pas compte
de la froideur d'Olivier, à qui, de toute façon, il
ne laissait pas le temps de placer un mot.

Il avait les cheveux de la même couleur que ceux
de son fils, mais plats et coiffés dans le style anglais,
avec une raie sur le côté gauche, sans un poil blanc.
Ses yeux étaient plus clairs que ceux d'Olivier et
surtout moins graves. C'était le regard d'Olivier qui
semblait être adulte, et celui de son père pareil à
celui d'un enfant.

— Tu coucheras ici : c'est la case de Rockefeller.
Je te laisse, tu dois avoir besoin de faire un peu de
toilette. On dîne dans une heure...

La salle à manger occupait la plus grande des
cases. Le tronc de l'arbre la traversait à une extrémité, et une de ses branches montait en diagonale
du plancher jusqu'au plafond, à travers toute la
pièce. Une molle épaisseur de peaux de tigres et de
tapis indiens recouvrait tout le sol. Des têtes de
tigres, de buffles et de rhinocéros étaient accrochées

à l'énorme branche et aux murs, entre des lampes où brûlait de l'huile parfumée. Des armes de chasse de tous calibres, capables de tuer depuis l'éléphant jusqu'à la mouche, étaient disposées entre les trophées, luisantes, bien entretenues, prêtes à servir. Au centre de la grande table anglaise en acajou, un dieu de cuivre tendait dans tous les sens ses mains nombreuses, dont les attributs avaient été remplacés par des bobèches. Une gerbe de bougies y flambait, illuminant une nappe de dentelle précieuse, de la vaisselle fine, et des coupes de cristal.

La chaise de Jacques était vide. Debout, il racontait en la mimant une scène de chasse. Il avait mis un smoking blanc et Yvonne une robe du soir brodée de perles, à bretelles, sans mode, faite pour plaire aux clients anglo-saxons. Olivier était en blouson, mais rasé, lavé, peigné.

— Pan! pan! pan! dit Jacques en épaulant un fusil imaginaire, je lui ai mis deux pruneaux dans l'œil et un dans le nez! Si je l'avais manqué, il tombait sur mon client et en faisait un steak tartare! J'ai juré de ne pas dire son nom, il était ici incognito, mais si j'avais manqué le bestiau, le plus grand royaume d'Europe n'aurait plus de roi!...

— N'exagérons pas, dit Yvonne froidement, il n'est pas roi.

Jacques éclata de rire et vint se rasseoir.

— C'est vrai! C'est sa femme qui est reine! Ça arrive, dans les ménages.

Deux enfants et un vieillard assis près du tronc de l'arbre jouaient sur des petits violons indigènes un air à la fois guilleret et mélancolique. Les cuisines étaient derrière le tronc de l'arbre. Des serviteurs vêtus de blanc, nu-pieds, coiffés du petit bonnet népalais, se hâtaient de l'arbre à la table, apportant ou rapportant sans cesse quelque chose, avec empressement et un évident plaisir.

Deux d'entre eux soulevaient pour l'emporter l'énorme plat d'argent posé aux pieds du dieu-candélabre, et dans lequel saignaient les restes d'une pièce de viande entourée d'une quantité de légumes et de fruits cuits.

Jacques leur ordonna de laisser le plat, son fils n'avait pas fini... Et qu'on change le champagne, vite, celui-là était tiède. Il vida sa coupe dans le seau où trempait la bouteille, prit dans le plat une épaisse tranche de viande et la posa dans l'assiette d'Olivier.

— Mange! Quand j'avais ton âge, je mangeais comme un loup, maintenant je mange comme un lion! Il faut manger de la viande! Sinon, on devient triste et on vieillit!

Il déboucha la nouvelle bouteille qu'on venait d'apporter, et la tendit vers la coupe d'Olivier. Mais celle-ci était restée pleine, et dans son assiette la nouvelle tranche de viande en chevauchait une autre qu'il n'avait pas achevée.

Jacques se rendit compte vaguement que peut-être quelque chose n'était pas absolument normal dans l'attitude de son fils.

— Qu'est-ce qui se passe? Qu'est-ce que tu as? Tu ne manges pas, tu ne bois pas!... Je n'ai tout de même pas engendré un curé?

Olivier devint très pâle. Yvonne qui, depuis son arrivée, s'était rendu compte de la tension nerveuse dans laquelle il était enfermé, vit le dessous de ses yeux se creuser et blêmir sous les pigments dus au grand soleil de la route.

Olivier se cala bien droit au dossier de sa chaise.

Jacques, en le regardant d'un air intrigué, emplissait sa propre coupe et la vidait.

— Je regrette, dit Olivier, d'avoir accepté de partager votre table avant de vous avoir dit ce que j'avais à vous dire. Mon excuse est que j'avais faim... Vous voudrez bien me retenir le prix de mon repas quand nous aurons réglé nos comptes...

— Qu'est-ce que tu racontes? dit Jacques stupéfait. Quels comptes?

Yvonne eut un petit sourire et regarda Olivier avec un intérêt accru.

Un serviteur avait pris la bouteille dans la main de Jacques et emplissait de nouveau sa coupe. La petite musique reprenait sa rengaine avec des variantes, et le vieux se mit à chanter d'une voix de nez...

— Je suis venu vous demander..., dit Olivier...

Il s'interrompit, puis cria :

— Vous ne pouvez pas faire taire cette musique?

Jacques le regarda avec étonnement, puis parla calmement au vieillard et aux deux enfants, qui se turent.

Il y eut quelques secondes d'un extraordinaire silence. Les serviteurs ne bougeaient plus, les flammes dorées des lampes et des bougies montaient droit dans l'air immobile. On entendit, dehors, le piaillement d'une tribu de singes effrayés puis le feulement ennuyé d'un tigre.

— Ils ne sont pas loin, cette nuit! dit Yvonne à mi-voix.

— Ils sont où ils veulent, on s'en fout! dit Jacques énervé, sans quitter Olivier des yeux. Alors? Me demander quoi?...

Olivier était redevenu calme, froid. Il tira un petit papier de la poche de son blouson.

— Je suis venu vous demander ce que vous me devez... La pension alimentaire impayée... trente millions.... Voici les chiffres, vous pouvez vérifier...

Il déplia le papier, le posa devant lui, et le poussa vers Jacques, qui le prit et le regarda comme un objet incongru, inconvenant, et en même temps stupéfiant, quelque chose qui n'aurait dû en aucune façon se trouver là, sur cette table, et en ce moment.

— Je n'ai pas compté, dit Olivier, tout le linge sale et les vaisselles que ma grand-mère a lavés depuis vingt ans... Quant à ce que ma mère a fait, votre fortune ne suffirait pas à le payer, ni à elle ni à moi...

Yvonne, tournée vers Jacques, le regardait avec passion, comme un photographe qui attend que naisse, de la blancheur trompeuse du papier trempé dans le révélateur, une image dont il espère qu'elle sera exceptionnelle.

— Eh bien Jacques, dit-elle doucement, voilà la minute de vérité...

— La vérité ?...

Jacques secoua le papier qu'il venait de lire, et par ce geste se débarrassa de sa stupeur.

— La vérité, c'est que mon fils n'est pas un curé, c'est un comptable!... Moi qui croyais que tu venais voir ton père... Chasser avec lui... Devenir copain... Bon, je te les donnerai tes millions!... Je regrette, c'est une soirée fichue!... Excusez-moi, je vais me coucher...

Il vida sa coupe et se leva.

— Il ne vous donnera rien du tout... dit Yvonne à Olivier, parce qu'il n'a rien.

Jacques, qui s'éloignait déjà de la table, s'arrêta et se retourna.

8

— Rien n'est à lui, ici, RIEN! continuait Yvonne doucement.

Elle avait une voix basse, de femme à qui la vie n'a pas été tendre.

— L'installation, les capitaux, les fusils, même son smoking! Tout est à mon mari!...

— Pardon! dit Jacques. Les capitaux, d'accord! C'est lui qui les a apportés. Mais la moitié de l'affaire est constituée par mon travail! Et quand je dis la moitié!... Qu'est-ce qu'elle serait cette affaire, sans moi? Et Ted, qu'est-ce qu'il serait? Zéro!

Il revint vers sa chaise et voulut prendre sa coupe qu'un serviteur avait remplie. Yvonne l'en empêcha.

— Arrête un peu de boire! dit-elle, très lasse, et assieds-toi...

Elle se tourna vers Olivier.

— Je n'en peux plus... Je me demande s'il y a une solution... Je l'aime parce qu'il est comme un enfant, et en même temps j'essaie d'en faire un homme... J'ai peut-être tort, je ne sais plus...

— Tu crois que tout cela intéresse Olivier? demanda Jacques.

Il était resté debout et se choisissait un long cigare dans une boîte.

— Oui! Ça le regarde! Parce que tu vas être obligé de lui dire la *vérité*!...

« Ça te fera peut-être quelque chose quand tu entendras ta propre bouche dire à ton fils que tu n'es rien et que tu n'as rien! Pas même ce cigare!...

Peu à peu la colère l'avait emporté sur la lassitude, elle s'était levée en parlant, et elle lui arracha des doigts le cigare qu'il promenait délicatement sur la flamme d'une bougie.

— Tout est à Ted! Tout! Ton travail! Ta vie!

Tout ce que tu fais ne sert qu'à camoufler son trafic!

Les serviteurs, silencieusement, rapidement, débarrassaient la table, changeaient les assiettes, apportaient des plats surmontés de montagnes de fruits, une glace gigantesque, multicolore. Ils ne comprenaient pas un mot de français, ils n'imaginaient pas ce qui pouvait se passer, ne cherchaient pas à le comprendre, ils étaient comme des fourmis, affairés, efficaces, rapides. Le vieux musicien et les deux enfants, qui n'avaient rien à faire, regardaient paisiblement, attendant qu'on leur ordonnât de recommencer. Tout ce qui arrivait devait arriver, rien n'était extraordinaire. Singes, vaches, hommes, d'ici ou d'ailleurs, faisaient et disaient ce qu'ils avaient à faire et à dire. Cela ne regardait personne.

Jacques avait choisi tranquillement un autre cigare et l'allumait à une flamme. Il protesta avec calme contre ce qu'affirmait Yvonne. Elle lui avait souvent parlé du marché clandestin auquel elle était persuadée que se livrait Ted. Il achetait pour des sommes dérisoires des statues volées dans les temples, le plus souvent des statues érotiques, et les revendait très cher à des touristes. Jacques affirmait que tout cela était faux, pur produit d'une imagination féminine romanesque.

— Tu sais bien que c'est vrai! dit Yvonne, mais tu fais semblant de ne pas y croire, pour pouvoir continuer ton barnum!

Olivier regardait et écoutait se développer l'affrontement qu'avait déclenché l'apparition de son papier plié en quatre.

— Napoléon! lui dit Yvonne. Il joue à Napoléon! Big Chief! Le Grand Sioux! La Longue Carabine! Du cinéma! Il se fait du cinéma toutes les minutes du jour et tous les jours de l'année. Et rien ne lui appartient. Ni le décor, ni les accessoires, ni les costumes, ni même son rôle !

Jacques, sans s'asseoir, reprit sa coupe et la vida. Il semblait très calme, mais sa main tremblait un peu. Puis, en souriant, il s'adressa lui aussi au témoin et au juge, à Olivier.

— Tout ça, c'est de l'énervement de femme !... Parce qu'elle n'arrive pas à me persuader d'abandonner cette affaire, qui est superbe, pour partir avec elle, rentrer en France, aller cultiver quelques hectares de terre qu'elle a hérités de ses parents !... Tu me vois, moi, planter des betteraves ?

Il se mit à rire franchement, et ajouta d'un air de certitude tranquille :

— Ces histoires de statues, c'est du délire ! Ted est un honnête homme !...

— Ted est un voleur ! cria Yvonne. Il te vole ta vie ! Comme il vole tout le monde ! Quand il achète une statue, il vole celui qui l'a volée, et il vole le type à qui il la vend dix fois ce qu'elle vaut, sous prétexte que c'est dangereux ! Dangereux pour qui ? Qui est-ce qui va chatouiller les tigres, pour détourner l'attention ? Un jour, tu en manqueras un, et tu seras bouffé !

— Manquer un tigre ? Moi ?

Jacques éclata de rire, jeta son cigare dans le seau à champagne, décrocha un fusil, l'épaula, tourna sur lui-même en faisant feu huit fois. Cela dura cinq secondes. Les douilles vides avaient jailli sur la table, sur les musiciens, sur une épaule d'Yvonne. Un petit nuage de fumée bleue à peine visible s'étirait entre le regard d'Olivier et le visage de son père. Les serviteurs s'étaient figés sur place, sans peur ni émoi. Aux murs, quatre têtes de tigres, trois de buffles, et une de rhinocéros, avaient perdu chacune un de leurs yeux de verre.

Jacques sourit, content de lui.

— Tu vois? C'est pas encore demain que ton père sera bouffé!...

Yvonne vint vers lui. Elle le regardait avec indulgence, avec amour et pitié. Elle lui prit son fusil des mains et le tendit à un serviteur.

— Maintenant que tu as fait ton numéro, viens regarder ton fils en face, et répète-lui que tu vas lui donner ce qu'il te demande.

Elle poussait doucement Jacques vers la table, il se rebiffa.

— Laisse-moi tranquille! Ne te mêle pas de ça, c'est une affaire entre hommes...

— Pour ça, dit Yvonne, il faut qu'il y ait DEUX hommes!... Tu ne trouveras plus jamais une telle occasion d'en devenir un!... Dis-lui la vérité!... Allons!... Dis-lui!... Parle!... Est-ce que tu vas lui donner seulement un million, sur les trente que tu lui dois?...

Jacques, après avoir détourné son regard à droite et à gauche, finalement regarda Olivier qui le regardait. Il tira un peu sa chaise, s'assit lentement, abandonnant toute attitude pour n'être plus que ce qu'il était, déshabillé de l'apparence, nu sous la douche de la vérité.

— Je regrette, mon petit... Je ne pourrai même pas te donner un million... Je ne l'ai pas... Ni la moitié ni le quart... Elle a raison... Je n'ai rien... Rien...

Il prit sa coupe de nouveau pleine, puis se rendit compte que ce n'était plus de jeu, la reposa, haussa les épaules, regarda Olivier avec un petit sourire misérable.

— Ce n'est pas l'idée que tu te faisais de ton père, hein ?

Olivier semblait réfléchir. Il mit un certain temps à répondre.

— Non...

Puis il ajouta après un silence :

— Je croyais que c'était un salaud plein d'argent qui nous laissait crever...

Lentement, son visage se détendit, quelque chose se dénoua dans sa poitrine et libéra tous ses muscles crispés. Il eut un sourire d'enfant, prit sa coupe, à laquelle il n'avait pas touché depuis le début du repas, la leva vers son père, et but.

LA JEEP S'ARRETA A l'embranchement de la piste et de la route. Olivier sauta à terre. Jacques, au volant, lui tendit son sac. Le soleil déjà haut commençait à chauffer dur.

— C'est long, à pied! Tu ne veux vraiment pas attendre la fin de la chasse? Et rentrer avec nous?

— Non...

— Qu'est-ce qui te presse tant, à Katmandou? Une fille?

— Oui, dit Olivier.

Il n'y avait maintenant plus d'obstacle. Cet argent qu'il avait dressé autour de lui comme une muraille s'était transformé en nuage, en vapeur, évanoui. Jane était là, visible, à quelques pas. Il lui suffisait de marcher et de la rejoindre. Les autres garçons, il n'aurait même pas besoin de les balayer, c'est elle qui les mettrait hors de sa vie.

— Elle est belle? demanda Jacques.

Olivier sourit et leva le poing droit, pouce en l'air.

— Comme ça!

— Tu es amoureux?

— Peut-être.

Jacques soupira.

— Fais attention aux filles!... C'est bien agréable un moment, mais, tout le temps, quelle plaie!... Allez! Bonne route!... Salut!...

Il salua de la main, et fit virer la jeep, qui s'enfonça dans la forêt.

Au commencement, Olivier compta les jours, deux jours, cinq jours, six jours, puis il s'embrouilla et ne sut plus, et cela lui était égal. Il marchait, montait, descendait, marchait, montait, et il y avait toujours une nouvelle barrière à franchir. Il ne sentait plus aucune fatigue, et sans son impatience de retrouver Jane, il aurait pris plaisir à la route interminable. Ce n'était pas seulement la course vers Jane qui le rendait léger, mais aussi d'avoir perdu son poids de haine et de mépris envers son père.

Il était venu de l'autre bout du monde avec un couteau, pour tailler une livre de chair dans le ventre d'un milliardaire immonde, et il avait trouvé un enfant inconscient et joyeux, aussi pauvre que lui. Les quelques billets que Jacques lui avait donnés, qu'il avait d'abord refusés, puis acceptés pour ne pas l'humilier, serrés dans son sac, le soulevaient comme une montgolfière parce qu'ils étaient le don de l'affection d'un père et de l'amitié d'un homme. Les millions qu'il était venu exiger d'un étranger, dont il était le fils, s'il les avait obtenus, il les aurait emportés sur lui comme un rocher.

Il ne s'était plus rasé depuis la soirée de la maison de chasse. Un matin, alors qu'il arrivait à proximité d'un nouveau col, il passa sa main sur ses joues et son menton, et se rendit compte qu'il devait être parti depuis longtemps.

La route franchissait le col en tournant et s'enfonçait dans une lumière qui paraissait plus claire et plus intense. Olivier parvint au sommet et s'arrêta, stupéfait.

A ses pieds s'étendait une immense vallée, verte comme un gazon anglais, brodée par le travail des hommes en d'innombrables pièces festonnées, sans le moindre espace libre pour l'herbe folle ou la jachère. Derrière la vallée, loin à l'horizon, d'énormes chaînes de montagnes sombres s'appuyaient les unes sur les autres pour monter toujours plus haut. Leurs derniers sommets s'enfonçaient dans une masse gigantesque de nuages, posés sur eux comme un interdit, un espace sans limites et sans formes que le monde des hommes ne devait pas franchir. Au-dessus de leurs lents bourgeonnements démesurés s'élançait un univers de transparence blanche et blême, dentelé, aigu, irréel, léger comme un rêve et écrasant de puissance, qui occupait la moitié du ciel.

— L'Himalaya!... murmura Olivier.

Le miroir, pâle, immense, de la montagne surhumaine, envoyait vers la vallée une lumière légère, extrait de ciel, suc de l'azur, lumière de lumière, plus blanche que le blanc, plus transparente que l'absence de tout, qui pénétrait la lumière ordinaire et éclatait en elle sans s'y confondre, se posait, en plus de la clarté du grand jour, sur chaque contour de paysage, chaque maison, chaque arbre, chaque paysan-fourmi piqué sur la terre, et l'ourlait de beauté, même l'affreux camion qui montait en grondant vers le col. Elle rendait l'air moins épais, plus facile à respirer, et l'effort pour toute chose joyeux. C'était une lumière de fête de Dieu offerte aux hommes pour leur donner la certitude que ce qu'ils cherchent existe, la justice, l'amour, la vérité, il faut chercher, marcher, continuer toujours. Si la mort interrompt le voyage, peu importe, le but continue d'être là.

Quand le camion passa près d'Olivier toujours immobile, celui-ci cria « Katmandou? », en montrant la vallée. Et tous les occupants du camion firent joyeusement « non » de la tête en riant et criant des commentaires.

Olivier prit un raccourci et se mit à le descendre en chantant pom-pom-pom-pom, un air idiot, un air de bonheur.

Sur tous les che-
mins, la foule confluait vers Katmandou, dans ses
vêtements les plus colorés, dont certains étaient
presque propres. Par familles, par villages entiers,
les adultes, les vieux et les enfants de tous âges se
hâtaient allégrement, venant du nord, du sud, de
l'est, de l'ouest, et de tous les degrés intermédiaires, vers le centre de l'espace en ce jour du
temps, la grande place solaire de Katmandou, où les
temples de toutes tailles s'élevaient aussi nombreux
que les arbres de la forêt, habités par tous les dieux
du ciel et de la terre. Ce jour-là, en ce lieu, les hommes
et les dieux allaient se voir et se parler, et se réjouir
ensemble d'être chacun à sa place dans l'univers,
et d'y faire ce qui devait être fait par chacun, dans
la joie de la vie et de la mort successives, opposées et
pareilles.

Olivier, sur la route, fut bientôt enrobé par une
foule de plus en plus dense, joyeuse, crasseuse, qui
sentait l'herbe sèche et la bouse. Encadré, poussé,
emporté, il entra dans Katmandou par la porte de
l'ouest.

La cohue s'étrangla dans une rue étroite qui me-
nait vers la place. Une poussière âcre montait du

sol, faite des molécules desséchées de fientes de vaches, de chiens et de singes, et d'excréments humains, déshydratés par le soleil et piétinés à longueur d'année. Elle entra dans les narines d'Olivier, y apporta une puissante odeur de merde qui le suffoqua. Il mit vivement son mouchoir sous ses narines, mais la fine poussière filtrait à travers, et lui desséchait l'arrière-nez comme de la chaux vive. Il remit son mouchoir dans sa poche, aspira un grand coup par la bouche, s'emplit jusqu'au nombril de l'odeur de la merde, et ne la sentit plus. C'était comme la mer quand on s'y jette et qu'on boit la première tasse. Si on la refuse on continue d'avaler l'eau amère jusqu'à la noyade. Si on l'accepte on devient poisson.

La foule s'arrêta pour laisser passer une vache qui sortit du couloir d'une maison et traversa nonchalamment la rue. Elle était dodue et prospère, et ne se pressait pas. Elle alla pencher son mufle dans la boutique d'en face, mais elle n'y trouva que des pots de cuivre incomestibles, se détourna et se mit à marcher lentement vers les temples. La foule la dépassait en prenant bien garde de la bousculer ou de la gêner. La rue était bordée des deux côtés de boutiques sans vitrines, sorte d'échoppes grandes ouvertes où s'étalaient des ustensiles de métal, des cordes, des outils, des images pieuses, des colliers de perles rouges, des tresses de laine, des vêtements népalais ou occidentaux, des bonnets de toutes couleurs rangés dans des petits casiers, des petits tas de poudre rouge et jaune sur des feuilles vertes ou des morceaux de papier de riz, des fragments de nourritures inconnues assemblées en cônes, des pétales de fleurs, des objets et des marchandises dont Olivier ne pouvait imaginer la nature ni l'usage, mêlés à de la pacotille en plastique, bassines, bracelets, statuettes horribles venues des fabriques indiennes. Au-dessus des marchandises brillantes, les maisons semblaient prêtes à crouler, les boutiques à s'effondrer. D'admirables fenêtres en bois sculpté se disjoignaient, les dentelles de bois qui entouraient les boutiques étaient mangées par le temps, les pas des portes usés et les poutres ventrues. Mais un peuple vif, jeune de santé et d'humeur, traversait la ville momifiée et entraînait Olivier.

Il regardait sans grand espoir par-dessus les épaules et les têtes, à la recherche de la silhouette de Jane, ou d'un de ses compagnons. Mais il n'apercevait aucun visage européen et n'entendait que des exclamations et des mots inconnus. Il se sentait plus étranger que dans un pays étranger, comme plongé au milieu d'une autre espèce vivante, avec qui il ne pouvait pas plus avoir de communication qu'avec des fourmis ou des poules. Une espèce d'ailleurs bienveillante, dont il devinait que ne pouvait lui venir aucun mal, aucun bien non plus, rien que des sourires et des gestes aimables et le langage incompréhensible, la gentillesse et l'indifférence, et la distance infinie d'un autre monde. Les vieux et les jeunes, les mâles et les femelles passaient autour de lui sans lui prêter plus d'attention qu'à un objet sans utilité, tout à leur joie d'aller fêter leurs dieux et se réjouir avec eux.

Il voyait déjà, au bout de la rue, par-dessus les dernières maisons, pointer la forêt des temples, il entendait un tintamarre de musique et de chants aigus. Il fut poussé sur la place au moment où arrivait en face un orchestre de petits violons et d'instruments bizarres, à vent, à percussion et à cordes, en bois ou en métal, certains peints de couleurs criardes, dont les musiciens tiraient des harmonies qui eussent fait s'évanouir de bonheur les amateurs de musique atonale. Mais le rythme était allègre, et la mélodie dégagée. Les musiciens précédaient un buffle couvert de fleurs et de flots de laine de couleur, tiré par un homme masqué d'un visage de singe rouge.

Derrière le buffle marchait une sorte de guerrier aux bras et aux épaules énormes, vêtu d'une seule ceinture d'étoffe, et qui portait sur son épaule droite l'épaisse, longue, large, lourde lame d'un sabre recourbé dont le fil aigu était à l'intérieur de la courbe. Derrière le guerrier, un groupe de danseurs vêtus jusqu'aux pieds d'étoffes éclatantes, masqués de visages de dieux ou de démons aux grimaces fraîchement peintes, mimaient tout en marchant un épisode du temps et de la création.

A la droite d'Olivier, un temple gigantesque escaladait le ciel. Bâti en brique ocre, en forme de pyramide à degrés, à quatre faces, il était surmonté de onze toits quadrangulaires superposés dont la taille diminuait à mesure qu'ils s'élevaient, continuant l'élan de la pyramide vers le ciel où ils s'enfonçaient.

Sous le premier toit, en haut des marches, s'ouvrait une porte à travers laquelle Olivier voyait brûler mille flammes dorées. A gauche de la porte il aperçut un groupe de hippies, une vingtaine, filles et garçons, avec de longues barbes, de longs cheveux et des vêtements extravagants, assis ou debout, tout en haut de la foule entassée sur la face de la pyramide, et regardant comme elle le cortège qui arrivait.

Ils étaient trop loin et trop haut pour qu'il pût

discerner leurs visages mais, malgré la distance, il fut certain qu'il aurait reconnu Jane si elle avait été parmi eux. Au moins pourraient-ils lui dire où elle se trouvait, ils devaient la connaître.

Il se glissa de profil entre les groupes agglomérés, parvint jusqu'au temple. Sur les premières marches, les paysans avaient étalé leurs légumes, des bottes d'épinards aux feuilles grandes comme des moitiés de journaux, des amoncellements de radis plus gros que des bouteilles, des entassements de petits oignons frais aux longues queues vertes, des fruits de toutes sortes, qui débordaient jusque sur le sol, dans la poussière qui était celle de ce monde, et qui ne sentait plus rien pour celui qui l'avait acceptée.

Olivier passa entre les deux gardiens du temple, accroupis en bas de l'escalier qui montait vers la porte aux lumières. C'étaient une lionne de pierre et son lion débonnaire, la moustache et le sexe peints en rouge. Des doigts pieux leur avaient frotté le front avec de la poudre de safran, et semé des pétales de fleurs sur la tête. Le cortège de musiciens et de chanteurs entraînait le buffle tout autour de la place, s'arrêtant à chaque autel, à chaque stèle, devant chaque statue de chaque dieu, tous fleuris de poudres et de fleurs. Les musiciens jouaient, les danseurs dansaient devant le dieu, le cortège repartait, le buffle tête basse savait vers quoi il était emmené.

Olivier arriva en haut de la pyramide, et, dès qu'il mit le pied sur la dernière marche, reconnut l'odeur de la marihuana, mais plus forte, plus âcre que celle des cigarettes de Sven. Deux garçons et quatre filles étaient en train de fumer, sans doute le fameux hachisch de Katmandou.

Le groupe l'accueillit avec une passivité aimable.
Il n'y avait là aucun Français. Olivier interrogeait :
— *Jane? Jane? You knov Jane? Sven? Harold?
Jane?*

Ils faisaient des gestes négatifs, ils répondaient
en anglais, en allemand, en hollandais. Non ils
ne connaissaient pas. Un Américain qui parlait un
peu français lui dit qu'il y avait beaucoup de garçons et de filles « voyageurs » dans Katmandou, ils
arrivaient, ils repartaient, ils revenaient, ils ne se
connaissaient pas tous.

— Mais où sont les autres ?

Il fit un geste rond qui englobait tout l'horizon.

La voiture américaine rouge ? Oui, il croit qu'il
l'a vue. Quand ? Où ? Il ne sait pas... Il faut
demander à l'Hôtel Himalaya. C'est là que vont
les Américains riches. Où est l'Hôtel Himalaya ?
Encore un geste vague... Là-bas.

Olivier fit demi-tour pour redescendre. Trois
autres cortèges encadrant chacun un buffle arrivaient dans la place, venant des trois autres points
cardinaux. Les orchestres des quatre cortèges
jouaient des musiques différentes par leur rythme,
leurs airs et les timbres de leurs instruments, comme
sont différents et pourtant s'unissent les quatre
parties du ciel, et les quatre éléments de la Terre.

La foule autour d'eux, épaisse, mouvante, s'ouvrait et se refermait, tourbillonnait lentement,
suivait l'un, suivait l'autre, ajoutait les chants de
ses voix, isolées ou groupées, en broderie multicolore
sur le tissu croisé des quatre musiques. De la foule
des hommes surgissait la foule des toits sur laquelle
une foule de singes s'agitait, se grattait, et jacassait.

Au-dessus des toits, la grande transparence de la
Montagne avait tiré de bas en haut sur son mystère

le voile roulant des nuages. Ceux-ci continuaient à monter vers le sommet du ciel en masses blanches, grises et noires, qui se chevauchaient et se combattaient, surgissaient d'elles-mêmes et se multipliaient.

Olivier ne voyait plus la ville. La forêt des temples la lui cachait. Il y en avait une quantité non mesurable. Il lui semblait qu'ils s'étendaient au-delà de toutes les limites et qu'ils couvraient le monde. Il eut, pendant un instant très bref, l'impression que c'était bien, et que tout était en ordre. Et puis il n'y pensa plus. La place était une clef. Ses yeux l'avaient vue, son cerveau physique en avait reçu l'image claire, mais son intelligence n'était pas faite pour la lire et la comprendre.

Tous les temples étaient bâtis sur le même modèle, mais leur orientation, la hauteur de leur pyramide, le nombre de leurs degrés et de leurs toits variaient selon la signification de l'emplacement efficace qui leur avait été donné dans l'architecture de la place. Celle-ci était l'image active de l'univers vivant, visible et invisible. Chaque temple emplissait sa fonction de moteur, de frein, charnière, un muscle, un os, le cœur ou l'âme, ou l'œil ouvert, ou une main tendue pour recevoir ou pour offrir.

Au centre de l'univers, au milieu de la place, était creusé un bassin de granit, carré comme les temples. Au fond du bassin se dressait une colonne posée dans une coupe ronde. C'était le lingam dans le yoni, le sexe mâle et le sexe femelle unis dans l'éternité de la pierre pour l'éternité de la vie que leur union créait. L'univers, autour d'eux, la place, les temples, la foule, les vaches, les chiens, les nuages, la Montagne cachée, et les étoiles qui viendraient avec la nuit, étaient le fruit de leur amour jamais interrompu.

Couchée perpendiculairement au bord ouest du bassin, face à l'horizon du soleil, une vache de pierre, peinte en jaune, regardait, adorante, la jonction, l'emboîtement, le comblement, l'adhérence, la fusion du vide et de la plénitude, dont elle était, vivante, issue.

Un chien aboya au-dessus d'Olivier. Surpris, il dressa la tête et vit un corbeau, couleur de cigare, posé au bord du toit inférieur du temple, qui le regardait d'un œil jaune. L'oiseau narquois pointa son long bec vers lui et recommença à l'injurier avec la voix d'un teckel. Un singe agacé cria, sauta vers lui et le saisit par la queue. Le corbeau lui frappa la main d'un coup de bec sauvage. Le singe s'enfuit en hurlant. L'oiseau cligna de l'œil, se rengorgea, et se mit à ronronner.

Un nuage blanc, minuscule, naquit dans l'azur à la verticale de la place et se mit à s'arrondir comme une rose. Le premier cortège était arrivé au bord du bassin. Les musiciens se disposaient tout autour et continuaient de jouer. Les nuages de la montagne s'approchaient du nuage du milieu du ciel, en grondant d'un horizon à l'autre. L'homme au masque de singe rouge sauta dans le bassin et tira sur la corde liée aux cornes du buffle, l'obligeant à avancer la tête en direction de l'accouplement de pierre.

La musique des quatre orchestres, mélangée à la grande rumeur chantante de la foule, répondait au concert des nuages vers lesquels montaient pointues des voix aiguës de femmes poussant de longues notes verticales. Les singes glapissaient par bouquets de toits. Les corbeaux s'envolèrent tous ensemble et se mirent à dessiner entre le ciel et la terre de longues courbes, et des arabesques nouées et cousues par des gerbes de cris rauques. Une vache couchée dans la poussière se dressa, leva la tête et mugit. Le guerrier nu leva son sabre terrible en haut de ses deux énormes bras verticaux, se tint un instant immobile et tout à coup hurla en frappant, et trancha d'un seul coup la tête du buffle.

Un jet de sang frappa le lingam et coula dans le yoni. La foule poussa une énorme clameur. La bête décapitée restait debout sur ses quatre pattes, le sang jaillissait de son cou, en pulsations fumantes. Elle s'écroula. Les nuages se mêlaient en haut du ciel dans la fureur ou la joie illuminée d'éclairs. Le deuxième cortège s'approchait avec le second buffle. La foule tournait et se gonflait, et bourgeonnait comme les nuages, en chantant les noms des dieux, qui sont les visages de la vie et de la mort, de l'éternité.

AU LEVER DU SOLEIL le corbeau couleur de cigare descendit de son perchoir au bord du toit du temple, se posa près de la tête d'Olivier endormi sur la marche la plus haute, et se mit à lui fouiller les cheveux du bout de son bec dur, à la recherche de peut-être quelque savoureuse tique.

Olivier s'assit brusquement, et le corbeau indigné sauta en arrière en grondant de colère. Olivier lui sourit, se gratta les cheveux, bâilla, ouvrit son sac qui lui avait servi d'oreiller, y prit un paquet de riz cuit enveloppé dans une feuille de plastique et se mit à le manger par petites boulettes qu'il confectionnait du bout des doigts. Le corbeau, immobile à un mètre de lui, le regardait d'un œil puis de l'autre, se demandant ce qu'attendait cet abruti pour lui donner sa part. Olivier lui jeta une boulette. L'oiseau baissa la tête en oblique pour voir de son œil droit cette nourriture, se redressa, la piqua du bout du bec, la goûta, la cracha en poussant un cri horrible, et s'envola jusqu'à l'autre bout de la place sans cesser de crier comme un chien dont la queue vient de passer sous la roue d'un camion. Ainsi tous les corbeaux de la ville, ceux qui sont couleur de cigare, et ceux qui sont noirs comme doivent l'être les corbeaux, et ceux, marron ou noirs, que l'âge avait rendus gris, et les oiseaux bleus à crête rouge, les colombes et les moineaux, les longs oiseaux verts qui ressemblent à des branches, et les chiens et les vaches, tout le peuple des singes, et le seul chat de Katmandou qui est un chat-léopard aux oreilles rondes dans le palais de Boris, tous les animaux et quelques hommes qui les comprennent surent qu'un garnement arrivé hier pendant la fête et dans les cheveux duquel on ne trouvait rien à manger, avait offert à son frère oiseau du riz empoisonné.

Ce n'était pas du poison, c'était seulement l'odeur de la feuille de plastique.

Olivier, éreinté, courbatu, s'allongea de nouveau sur sa couche de brique, ferma les yeux, et au bout d'un instant les rouvrit. Le soleil levant éclairait les poutres obliques qui soutenaient le toit. Chacune d'elles était sculptée et peinte sur toute sa longueur, ainsi transformée en un dieu ou une déesse, dont le visage, l'attitude, les attributs, le nombre de bras, la posture, différaient d'une poutre à l'autre. C'était tout le peuple du ciel qui soutenait le temple. Et le peuple de la terre soutenait le peuple du ciel en accomplissant sa fonction essentielle : sur chaque poutre, sous les pieds du dieu ou de la déesse, et lui servant de support, à une échelle plus humble, dans une dimension modeste, un couple d'humains se joignait, dans les postures les plus diverses. Plus exactement, la femme se livrait aux travaux quotidiens, pilait le mil, piquait le riz, lavait ses cheveux, allaitait son enfant, nettoyait le sol, cuisait une galette, trayait la vache, et l'homme, sans lui faire perdre son temps, sans la déranger dans ses tâches qui devaient être accomplies chacune à son heure, ne cessait de l'ensemencer avec un membre énorme par-devant, par-derrière, par en haut, par en bas, parfois avec l'aide du voisin, parfois en invitant aussi la voisine, mais sans que jamais la femme, la mère, la matière, la mer, ne cessât de faire ce qu'elle avait à faire depuis toujours et pour toujours, mettre l'ordre partout, chaque vie à sa place, tirer la nourriture du vivant pour le vivant, faire de la terre du fruit et du fruit un enfant, écraser le grain brut pour en cuire un pain d'or, et recevoir à chaque instant la semence nouvelle au plus profond d'elle-même, pour germer, se poursuivre, et se multiplier.

Olivier, amusé, se leva et fit le tour du temple, le nez en l'air, suivant les exploits de l'homme d'une poutre à l'autre. Il lui trouva bientôt l'air stupide. Il ressemblait à un pompier, sa lance à la main. Mais il ne parviendrait jamais à éteindre le feu. Et cet objet, qu'il croyait lui appartenir, et qu'il enfonçait avec application dans chaque trou qu'il rencontrait, il paraissait bien qu'il n'en était que le porteur et l'esclave.

Olivier parvint au bout du cycle. Sur la dernière poutre, l'homme avait disparu. La femme était seule, le buste vertical, ses deux mains maintenant ses jambes levées vers le ciel, son sexe ouvert comme une porte cochère, accouchant d'une fille figée dans la même position qu'elle, et qui accouchait d'une fille qui accouchait d'une fille qui accouchait... La dernière visible était grosse comme une lentille, mais entre ses cuisses écartelées le flot de la vie continuait à couler jusqu'à l'infini.

Un garçon d'une dizaine d'années, le cheveu ras, la morve au nez, sortit par la porte derrière laquelle ne brûlaient plus que quelques lumières. Son visage, sa chemise et sa culotte avaient la même couleur de crasse universelle, mais ses yeux brillaient d'un éclat neuf et sain, d'une joie que rien n'avait salie. Il tenait une baguette à la main. Quand il vit ce qu'Olivier regardait, il vint se camper derrière lui en riant, se planta la baguette à la hauteur du sexe et l'agita de bas en haut en criant « zip! zip! zip!... » puis il se détourna et descendit en sautant à pieds joints d'une marche à l'autre et criant à chaque saut « zip!... zip!... zip!... »

En bas, les paysans arrivaient en trottant, chargés de leurs monceaux de verdure, qu'ils portaient, non dans le dos comme les sherpas, mais sur deux plateaux suspendus aux extrémités d'une barre posée sur leurs épaules.

Toute la place rosissait sous la caresse du soleil, chaque matin nouvelle. Mais sous leur fard de fausse jeunesse Olivier vit que les temples étaient, comme la ville, incroyablement vieux, usés, boiteux, inclinés, leurs marches édentées, leurs toits échancrés, prêts à couler sous le poids des singes.

La densité de vie de la foule en fête les avait pendant quelques heures ragaillardis et redressés, mais, elle repartie, ils s'affaissaient de nouveau comme des vieillards au coin de la cheminée lorsque la flamme du feu s'éteint et que la braise se couvre de cendre.

Olivier avait cherché Jane la veille, à travers la foule, pendant les dernières heures du jour. Il avait rencontré des hippies de toutes provenances, tous perdus dans la nonchalance de la drogue. Aucun ne connaissait Jane, ni Sven, ni Harold. Il avait trouvé l'Hôtel Himalaya, devant lequel stationnaient quatre taxis, avec une tête de tigre peinte sur le capot, et toute leur carrosserie zébrée comme le corps du fauve. Mais aucune voiture américaine. Les touristes venaient à Katmandou par avion. Très rares étaient ceux qui risquaient le voyage en voiture. Il s'était avancé vers la porte de l'hôtel gardée par un superbe gourka en turban et tenue blanche impeccable. Mais il s'était arrêté brusquement. Demander qui ? Il ne connaissait de Laureen que son prénom...

La nuit tombait. La foule des villages s'écoulait hors de Katmandou, des petits groupes de musiciens, ou des violonistes isolés, l'entraînaient vers les campagnes. Les marchands fermaient les volets de bois de leurs boutiques, les lumières des temples s'éteignaient. Olivier se sentit tout à coup atrocement seul, comme perdu dans les ruines d'un cratère de la lune. Il s'accrocha à un couple de hippies américains crasseux, sur lesquels pendaient des cheveux, des vêtements, des colliers, des amulettes, et qui l'emmenèrent dans une pièce sombre occupée par une longue table flanquée de deux bancs où d'autres hippies, passifs, attendaient que l'un d'eux arrivât avec un peu d'argent pour payer à manger. Ce fut Olivier qui paya. Contre quelques roupies, le patron, un Indien, posa au milieu de la table un grand plat de riz tacheté de quelques débris de légumes, et des assiettes, des cuillers, et des verres d'eau pour tous. Ils emplirent leurs assiettes mais peu la vidèrent. Après deux bouchées, ils n'avaient plus envie de manger, ils n'avaient envie de rien, ils étaient comme des végétaux qui reçoivent la pluie, le soleil, et ce que la terre leur donne, sans avoir besoin de bouger une feuille.

En face d'Olivier se trouvait une fille blonde plus propre que les autres, les cheveux tirés en un gros chignon derrière la nuque, les joues roses, l'air d'une institutrice flamande. Elle regardait quelque chose dans le vide, au-dessus de l'épaule gauche d'Olivier, elle ne fit même pas le semblant de manger, elle ne mit rien dans son assiette, elle ne bougeait pas, ses avant-bras étaient croisés sur ses cuisses, ses mains molles abandonnées. Elle respirait très lentement. Sa tête était droite et immobile, sans raideur. Elle regardait par-dessus l'épaule d'Olivier, et Olivier savait qu'il n'y avait rien à regarder par-dessus son épaule. Pendant tout le temps qu'il resta là, elle continua de regarder ce rien, sans bouger et sans parler. Olivier n'osait plus lever les yeux vers elle. Elle lui faisait peur.

Il regarda les garçons et les filles qui étalaient le riz dans leurs assiettes, le tournaient, en faisaient de petits tas, l'étalaient de nouveau, en portaient de temps en temps quelques grains à leur bouche. Il s'aperçut que les filles étaient plus absentes que les garçons, parties plus loin, plus profondément séparées des lois élémentaires, des nécessités et des obligations de vivre. Une angoisse l'étreignit à la pensée de Jane. Où en était-elle? Était-il possible qu'elle se fût, elle aussi, déjà installée sur ce rivage de brume, d'où c'était le monde réel qui apparaissait comme un fantôme de plus en plus invraisemblablement lointain, évanoui?...

Personne autour de la table ne connaissait Jane. Mais il y avait d'autres endroits de « réunion », et d'autres tables, et d'autres routes, d'autres temples et d'autres fêtes. C'était le pays des dieux, et chaque jour fêtait l'un d'eux, puisque chaque jour recevait la lumière. Les musiciens et les fidèles allaient de l'une à l'autre, par les vallées et les sentiers, de collines en collines couronnées de temples.

Et les « voyageurs » venus de tous les coins de la terre allaient aussi à travers les campagnes, croyant comprendre et ne comprenant rien, ayant perdu leur monde sans en trouver un autre, errant à la recherche d'une raison d'être, noyant dans la fumée le souvenir de ce qu'ils avaient quitté et l'angoisse de ne rien pouvoir saisir pour remplacer ce qu'ils refusaient.

Jane, Sven, Harold ? Ils étaient peut-être à Swayanbunath, peut-être à Patan, peut-être à Pashupakinath, peut-être à Pokarah, peut-être ailleurs... Ils marchaient... Tous marchaient... Aucun ne trouvait nulle part sa place ni la paix. Ils repartaient... Ils fumaient... La fille blonde et propre au chignon bien tiré regardait par-dessus l'épaule d'Olivier. Elle ne regardait rien.

Olivier ne savait où coucher. Les deux Américains l'emmenèrent à leur hôtel. Les rues désertes étaient parcourues par quelques chiens maigres, éclairées par-ci par-là par une faible ampoule électrique accrochée au croisement de deux fils à un carrefour. Les boutiques étaient closes et cadenassées. Les corbeaux et les singes dormaient.

L'hôtel s'ouvrait par une porte étroite entre deux boutiques. Au-dessus de la porte, un petit dieu de bois à douze bras veillait au fond d'une niche, éclairé par une veilleuse, honoré de grains de riz et de pétales frais. Le couloir débouchait dans une cour carrée au milieu de laquelle un lingam se dressait dans un yoni, au milieu d'une assemblée de dieux de pierre qui les regardaient et les adoraient. Les fronts des dieux étaient frottés de rouge ou de jaune, et leurs mains étaient pleines de riz, leurs épaules et leurs têtes fleuries de fleurs fraîches.

Autour de la cour, des colonnes de bois soutenaient une galerie sculptée en dentelle, vermoulue et échancrée ; sous la galerie s'ouvraient les portes des chambres.

En débouchant du couloir, Olivier avait de nouveau senti l'odeur puissante du hachisch. Malgré sa répugnance, il suivit les deux hippies jusqu'à leur chambre qui se trouvait au fond de la cour vers la droite. Le garçon poussa la porte et entra le premier, sans se soucier de la fille, qui suivit. Olivier fit un pas pour entrer derrière eux, et s'arrêta net sur le seuil. La pièce était éclairée par une lampe à beurre, qui brûlait dans un trou de mur, entre deux briques. Il n'y avait rien d'autre qu'une rangée de paillasses sur le sol de terre battue, sans drap ni couverture. Des garçons ou des filles allongés dormaient ou fumaient. Quatre paillasses restaient inoccupées. A droite de la porte, un couple qui avait fait l'amour s'était endormi à peine désuni, le garçon et la fille à demi dévêtus.

Olivier fit demi-tour, retenant sa respiration, traversa la cour, courut dans le couloir, arriva dans la rue, s'arrêta, leva la tête vers le ciel où brillaient les étoiles et respira un grand coup. L'odeur de la merde entra en lui jusqu'aux orteils, et lui parut délicate, naturelle, fraîche et saine, comme celle des premières violettes au printemps.

La lune aux deux tiers éclairait au bout de la rue l'extrémité du toit d'un temple. Il s'endormit, éreinté, sur la plus haute marche. Un chien jaune qui l'avait suivi vint se coucher près de lui, la tête sur sa poitrine, pour se réchauffer et lui tenir chaud. Quand le corbeau arriva au lever du soleil, le chien était parti à la recherche des premières nourritures du matin.

Il LA CHERCHA EN-core toute la journée. Il parcourut Katmandou rue par rue, interrogea tous les hippies, ne reçut de ceux qui le comprenaient que des réponses négatives ou vagues. Malgré sa quête et son angoisse, il devina peu à peu ce qui faisait le climat incomparable de Katmandou, dans lequel il se débattait comme une abeille tombée dans un bol de lait. Il rencontrait des dieux partout, au-dessus des portes, entre les fenêtres, au milieu même des rues, dans les trous creusés dans la chaussée, ou sur les socles plantés en pleine circulation, ou abrités dans des temples à tous les carrefours, assemblés dans les cours, pen-chés aux fenêtres, soutenant les toits ou juchés dessus, aussi nombreux que les habitants humains de la ville, peut-être plus, et aussi divers, et aussi semblables. Ils ne constituaient pas un simple décor, un peuple immobile au milieu duquel se déplaçait le peuple des vivants, ils participaient à l'activité de chaque instant. Les hommes, les femmes leur parlaient, les saluaient au passage, leur donnaient deux grains de riz, un pétale de fleur, leur frottaient le front d'un pouce affectueux, les enfants leur grim-paient dessus, les singes et les oiseaux leur prenaient leur riz et leur donnaient leur fiente, les vaches venaient se gratter le ventre contre eux, les moutons tondus s'endormaient à leurs pieds, les corbeaux couleur de cigare se perchaient sur leur tête pour aboyer aux passants leurs compliments ou leurs insultes, les paysans accrochaient leurs bottes d'oignons à leurs mains tendues. Ils vivaient la vie de tous avec tous. Les bêtes, les hommes et les dieux étaient tressés ensemble comme les cheveux, les fleurs et les brins de laine rouge dans les coiffures des femmes, en une seule amitié familière et ininterrompue. Dieu était partout, sous mille visages de chair, de pierre, de poils ou de plumes, et dans les yeux des enfants innombrables groupés par bouquets nus devant les portes des maisons où ils semblaient ne savoir faire autre chose que rire du bonheur d'être vivants.

Dieu était partout, et les « voyageurs » venus le chercher de si loin ne le trouvaient nulle part, parce qu'ils oubliaient de le chercher en eux-mêmes.

Katmandou était construite dans la forme d'une étoile à huit branches. Parties de la place du Temple, huit rues de marchands s'ouvraient vers les huit directions de la vallée. Entre elles s'étendaient les huit quartiers des artisans, où les petits ateliers ouverts sur la rue remplaçaient les boutiques. Au nord, en dehors de l'étoile, le long de la route qui conduisait à l'aéroport, s'étaient construits les affreux bâtiments de ciment des Ambassades, les Hôtels pour touristes, l'Hôpital de la Croix-Rouge, la Fabrique de pain, les Casernes, la Banque, le Château d'eau, l'Usine électrique et la Prison.

Au sud, le quartier des potiers s'arrêtait au bord d'une mare à l'eau sombre. C'est en ce lieu qu'Olivier, à la fin du second jour, termina son exploration.

Au bout d'une rue où des jarres et des pots de terre de toutes tailles s'entassaient contre les murs jusqu'à hauteur des toits, il déboucha dans le paysage noir. La mare circulaire était assez vaste pour que les personnages qui se trouvaient sur le bord opposé lui parussent minuscules. L'eau en était couleur de nuit. Une multitude de porcs noirs, bas sur pattes, longs, poilus, tourbillonnaient autour d'elle, fouillaient de leur groin la boue sombre de ses bords, et l'avalaient avec les vers et les larves qu'ils y trouvaient. Des buffles s'y baignaient jusqu'aux cornes, s'y roulaient et se relevaient noirs d'un mélange d'eau et de boue. Une villageoise vint y vider une cuvette de plastique bleu, qui contenait les excréments familiaux de la journée, puis brossa le récipient en le frottant avec sa main. Un peu plus loin, trois femmes, en riant et bavardant, trempaient du linge dans la mare et le tordaient, le trempaient encore et le tordaient de nouveau. Une d'elles défit sa coiffure, mouilla longuement ses cheveux, puis se déshabilla entièrement en restant accroupie et se frotta d'eau des pieds à la tête, avec une grande décence, sans rien montrer de sa nudité.

En se détournant pour s'en aller, Olivier vit Jane. Elle était couchée sur le dos, à la limite de la vase, le visage de profil, une joue à plat sur le sol, ses cheveux emmêlés lui couvrant le visage, son blue-jean souillé de boue. Une truie enceinte la reniflait, lui ouvrit sa blouse d'un coup de groin, découvrant un sein. Olivier se précipita en hurlant le nom de Jane. Un porc lui passa entre les jambes et le fit tomber. Pendant qu'il se relevait la truie s'était retournée et urinait sur Jane. Olivier arriva comme un obus et frappa la bête à coups de pied. Elle s'enfuit en couinant, sans pouvoir s'arrêter de pisser.

Les trois lavandières s'étaient retournées et regardaient. Olivier, éperdu d'horreur, se baissa, souleva le buste de Jane et lui écarta les cheveux. Ce n'était pas elle.

Elle lui ressemblait, de taille, de forme, et par la couleur de ses cheveux. Mais elle avait un grand nez maigre et de petits yeux presque jaunes qui le regardaient du fond du monde de la drogue, où la compassion d'un homme et l'urine d'une truie sont des choses égales, et l'une et l'autre sans importance. Elle était un peu plus âgée que Jane. Elle paraissait avoir cent ans. Il essaya de la faire lever, de la faire marcher. Ses jambes ne la portaient pas, elle lui glissa entre les bras et tomba assise. Elle ouvrit une main et essaya de la tendre vers lui. Elle disait « oupi », « oupi »... Il comprit qu'elle demandait une roupie. Il lui mit un billet dans la main et lui referma les doigts autour.

Les trois lavandières riaient, comme si elles assistaient à une scène comique entre des animaux inconnus. Il s'en alla sans se retourner, le cœur soulevé, et se demandant où était Jane, Jane! Jane!...

Il remonta dans la rue des potiers, s'assit sur une marche d'un petit temple, dont les quatre coins étaient ornés de bêtes cornues à têtes de cuivre. Elles grimaçaient vers le ciel, lui montraient leurs crocs, et griffaient l'air de leurs pattes antérieures. Elles étaient les gardiennes féroces chargées de faire peur aux démons.

Mais le démon habitait la poitrine d'Olivier. Etait-ce cela l'amour?

Cette fille, qu'il avait à peine connue, tenue dans ses bras une seule nuit, lui avait tout à coup, après son entrevue avec son père, semblé constituer la réponse à toutes ses questions, la solution à tous ses problèmes. Il avait marché vers elle pendant des jours et des jours, se souvenant de ses grands yeux qui le regardaient sans l'ombre d'un mensonge, de son sourire clair, de ses paroles, et surtout de la plénitude, du calme qu'il éprouvait lorsqu'il était auprès d'elle, même sans parler, même sans la regarder. Elle était assise dans l'herbe, près de lui, ou à quelques pas, et autour de lui et en lui tout était bien, en équilibre, et en paix.

A mesure qu'il marchait vers Katmandou, sa joie et son impatience augmentaient. Il avait descendu la dernière montagne en courant, comme on dévale vers une source, un lac, une cascade, pour s'y jeter en riant, la boire, la brasser, s'y noyer de vie.

Il n'avait trouvé que la poussière.

Heure après heure, pendant qu'il cherchait en vain, il avait eu la révélation progressive de l'abîme d'absence qui s'était creusé en lui et autour de lui depuis la minute où il s'était séparé de Jane, presque légèrement, sans y attacher d'importance. Sa hâte à quitter son père, sa course vers Katmandou, c'était le besoin de redevenir vivant en la retrouvant, de combler ce vide insupportable, dont il n'avait pas eu conscience tant qu'il marchait sur le chemin dont il savait, si long qu'il fût, qu'il le conduisait vers elle.

Au bout du chemin, il n'y avait personne.

Il n'y avait plus rien au monde et plus rien en lui. Assis sur la marche de brique, la tête dans les mains, à bout de force et d'espoir, il n'était plus qu'une souffrance, un appel, un besoin pire que la faim et la soif mortelles. L'absence de Jane le blessait d'une plaie sans limite, comme si une main énorme aux ongles déchirants l'avait vidé de tout l'intérieur de lui-même, raclé jusqu'à la peau. L'absence vidait aussi l'univers autour de lui, maisons, villes, choses qui bougeaient et qui étaient des gens et des bêtes, images sans couleur, sans odeur, sans bruit.

Qu'elle l'eût quitté, qu'il ne l'eût pas retrouvée lui paraissait non seulement atroce, mais surtout si absurde, si impossible à croire, qu'il ferma les yeux et étendit sa main gauche ouverte, CERTAIN qu'il allait sentir sa paume et ses doigts se poser sur ELLE, qu'ELLE se mettrait à rire de bonheur, et se jetterait contre lui et se blottirait dans ses bras, et qu'il la serrerait si fort qu'elle crierait de mal et de joie...

Quand il rouvrit les yeux, il vit trois enfants nus assis en face de lui de l'autre côté de la rue étroite, entre deux piles de jarres et de pots, et qui le regardaient avec sérieux et amitié. Il referma sa main qui ne s'était pas posée et la ramena lentement vers lui. Alors les enfants se mirent à rire et à agiter leurs bras. Ils lui criaient « bye bye ! », « Hello! ». Grâce aux touristes américains, ils commençaient à se civiliser.

Olivier se leva, et respira profondément. Il ne devait pas désespérer. Elle était sûrement quelque part, à Katmandou ou dans les environs. Il allait la retrouver! Et s'il ne la retrouvait pas? Jamais? Est-ce qu'il allait cesser de vivre à cause d'une fille? Qu'est-ce qu'elle avait de plus que les autres? Est-ce qu'il était en train de devenir idiot? Si elle ne voulait pas se montrer, qu'elle aille au diable! Pourquoi n'était-elle pas venue avec lui quand il le lui avait demandé? Parce qu'elle couchait avec ce type! Et avec combien d'autres avait-elle couché, avant ? Il y avait plein de filles, à Katmandou et ailleurs, qui la valaient bien, et même mieux.

Il se mit à marcher à grands pas, sûr de lui, regon-flé, soulagé. Mais avant d'arriver au bout de la rue, il savait que les autres filles ne comptaient pas, fussent-elles mille fois plus belles, et que l'univers sans elle n'était qu'une construction absurde et morne qui ne signifiait rien et ne servait à rien. Elle pouvait avoir couché avec ce type et avec dix mille autres, cela n'avait pas plus d'importance que quelques grains de poussière. Ce qui était important, unique, c'est qu'ils étaient faits pour être ensemble, que depuis le commencement des commencements tout avait été créé pour qu'ils fussent ensemble, réunis au milieu de tout. Et leur séparation était contre nature et monstrueuse comme un soleil noir.

Il avait ralenti le pas, il ne savait plus où aller, le vide l'entourait de toutes parts, il ne sentait plus sa propre présence que par sa douleur.

Il finit par se retrouver assis à la même table que la veille, devant un plat de riz. C'est là qu'il ren-contra Gustave, le Marseillais, un ancien mitron qui avait un jour plaqué le pétrin pour suivre un groupe de hippies, parce qu'il trouvait bien plus agréable de vivre sans travailler que de boulanger du matin au soir. C'était un petit homme maigre d'une trentaine d'années, coiffé de longs cheveux noirs frisés hérissés en boule, avec de petits yeux vifs couleur de pruneaux, et une moustache et une barbichette à la d'Artagnan. Il ne fumait pas. Il jouait d'une petite flûte en fer blanc. Il s'était aperçu qu'il faisait rire les paysannes du marché en leur jouant « Plaisir d'amour » ! Il ne savait pas pourquoi cet air mélancolique les faisait se tordre de rire. Il jouait, s'interrompait, et tendait la main avant de continuer à jouer. Elles lui donnaient quelques oignons, un radis, une feuille d'épinard, une orange. Il revenait toujours avec sa besace pleine.

Il savait qui était Jane et il dit à Olivier où il pourrait la rencontrer.

Romain CLOSTER-

*wein me téléphona à deux heures du matin pour
me demander de partir avec lui à huit heures
pour Katmandou. Je le connaissais depuis
1948. Il me raconta en quelques mots l'histoire
de Mathilde depuis mai. La veille au soir, un
télégramme chiffré de l'Ambassadeur de France
au Népal l'avait respectueusement averti que sa
fille était à Katmandou, et cherchait à entrer
en Chine communiste. Il était décidé à aller
la chercher et à la ramener par les oreilles
et à coups de pied. Assez de liberté, assez
d'idioties.*

*Il ne connaissait rien du Népal. Il savait
que j'y étais allé il y avait peu de temps pour
préparer le scénario du film de Cayatte. Je pouvais lui être utile, il me priait de l'accompagner.
Je lui répondis que je n'en savais guère plus que
lui sur le Népal. J'y étais resté juste assez pour
humer la couleur locale et n'avais noué aucune*

relation. Mais je compris qu'il avait surtout besoin de ne pas être seul. J'acceptai. Mes vaccinations étaient encore bonnes. Quant à lui, il se moquait bien des règlements et du choléra. Je me levai, me rasai, et commençai à faire ma valise.

En 48, quand j'avais fait la connaissance de Romain Closterwein, il commençait à remplacer son père, Hans Closterwein, dans quelques-unes de ses activités, et il voulait y adjoindre le cinéma. Il jugeait possible d'investir fructueusement dans cette industrie. Les Américains gagnaient beaucoup d'argent avec des films, pourquoi n'en ferait-on pas autant en Europe ? Il finança un film dont je fus chargé d'écrire le scénario. C'est ainsi que nous nous rencontrâmes et que se noua entre nous une amitié intermittente, basée sur une estime réciproque, objective, clairvoyante, et un peu sceptique.

Il m'invitait de temps en temps dans sa maison blanche, pour me faire admirer une de ses acquisitions, ou simplement pour bavarder, quand il en avait assez de ne rencontrer que des imbéciles. Il savait bien que je n'en étais pas un, et je le sais aussi, ce qui ne me rend guère service. Et lui est un des hommes intelligents que j'ai rencontrés. Moins d'une douzaine en vingt ans de conscience un peu éveillée.

Nous avons les mêmes goûts. J'aimerais vivre, comme lui, avec la Licorne, ou la Vierge bleue du Maître de Moulins. Il a des trésors enfouis dans sa cave, qui ne servent à lui ni à personne. Moi j'ai mon plein d'emmerdements et pas un sou. Mais j'aime le rencontrer. L'intelli-

*gence est plus rare que l'or. J'ai vu, année après
année, grandir Mathilde. Il m'a retéléphoné à
quatre heures du matin pour me dire qu'on
partait à six. Aucun de ses avions n'avait un
assez long rayon d'action. Il avait loué un* Boeing,
*qui s'arrêta à Katmandou au bout de la piste
trop courte, juste à un demi-centimètre de la
catastrophe.*

*Nous descendîmes chez Boris. C'est un ancien
danseur de Diaghilev, à qui un précédent roi
du Népal a fait cadeau d'un palais. Il l'a transformé en hôtel, avant que les Chinois aient
construit l'unique route qui traverse le Népal de
la frontière du Tibet à celle de l'Inde. Les Sherpas apportèrent sur leur dos, à travers les montagnes, les immenses baignoires victoriennes et
la robinetterie de cuivre, les lits, les armoires,
les tables, les chaises, les tonnes de peinture,
tout un mobilier acheté en Inde et tous les accessoires, y compris les bidets, qu'il dut faire venir
de France.*

*L'hôtel de Boris a vieilli, celui de l'Himalaya
est plus moderne, mais moins pittoresque, et
Boris sait tout. Non seulement ce qui se passe
à Katmandou, mais aussi à Hongkong, à
Tanger, à Beyrouth et même à Londres et à
Paris. Il savait pourquoi Romain Closterwein
venait à Katmandou, mais il l'accueillit avec
une réserve discrète, et ne dit mot.*

*Un taxi-tigre nous fit franchir en dix secondes
les trois cents mètres qui séparent l'hôtel de Boris
de l'ambassade de France. L'Ambassadeur
n'était pas là. Où était-il ? On ne savait pas...
On ne pouvait pas le dire... Romain saisit le
jeune diplomate pâle et un peu sale — on devient*

très vite sale à Katmandou si on ne reste pas constamment sur ses gardes — par les revers de son
veston d'alpaga puis par sa cravate-club, et
lui serra le kiki jusqu'à ce qu'il devînt violet.
Nous apprîmes ainsi que l'Ambassadeur était
chez Boris, en train de jouer au tennis.

Le taxi-tigre fit le retour en neuf secondes.
Dans un coin des immenses jardins du palais
de Boris, un rectangle de toile de jute était tendu
autour d'un court de tennis. Sur les quelques
marches non rabotées d'une estrade de planches,
tout le corps diplomatique mâle et femelle était
présent, applaudissant mollement aux échanges
de balles d'un rouquin en bermuda blanc, et
d'un asiatique en short bleu-de-chauffe. Il faisait
extrêmement chaud. La balle elle-même semblait
avoir du mal à se mouvoir, les spectateurs trans-
piraient, les spectatrices sentaient grouiller dans
leur ventre les effets sournois des amibes et de la
quinine, tout le monde s'ennuyait et souhaitait
être ailleurs, n'importe où.

Dans les grands jardins du palais-hôtel, autour
du petit rectangle de jute qui protégeait l'élite
occidentale, se promenaient en liberté des chevaux, des vaches, des porcs roses dodus, tous ces
animaux ayant la particularité très exceptionnelle
d'être propres. Un cheval entra dans l'hôtel en
même temps que nous et l'Ambassadeur. Mais
il nous abandonna au pied de l'escalier.

Dans la chambre de Romain, l'Ambassadeur
nous apprit que Mathilde, arrivée à Katmandou
depuis plusieurs semaines, avait fait le siège
de l'ambassade de Chine pour obtenir un visa
d'entrée au pays de Mao. On ne lui disait pas
non, on ne lui disait pas oui, on lui disait qu'il

*fallait attendre un jour ou deux, elle revenait,
il fallait attendre encore, elle revenait, il fallait
attendre...*

*Depuis quatre jours, elle avait quitté sa cham-
bre chez Boris et ne s'était plus présentée à
l'ambassade de Chine. L'Ambassadeur de
France ne pensait pas qu'elle eût obtenu un
visa. Personne n'en obtenait jamais. Il ne savait
pas où elle était.*

*Boris le savait, mais il ne nous en informa
pas, parce qu'il savait aussi qu'il était trop
tard. Il fit semblant de croire que nous avions de
grandes chances de la rencontrer chez les Tibétains. Tous les garçons et les filles d'Occident
y allaient presque tous les soirs. Nous atten-
dîmes la fin du jour. Romain me raconta la
scène terrible du mois de mai, entre Mathilde
et lui. Je restai un moment sans rien dire. Nous
étions assis dans de vieux fauteuils poussiéreux,
dans l'immense chambre au plafond cloisonné.
Un serveur empressé nous avait apporté du thé,
de la confiture, des fruits, des tranches d'un
pain étrange, et du beurre qui provenait de la
ferme de Boris, dans la montagne. Du beurre de
yack ou de buffle, je ne savais pas.*

*Je dis à Romain que Mathilde avait raison,
il était à fusiller et il le serait, un jour ou l'autre.*

*Il en était convaincu. Il avait pleine cons-
cience d'appartenir à un monde périmé, con-
damné, dont la fin approchait rapidement. Mais
il ajouta que Mathilde, qui se croyait du côté des
fusilleurs, se trouvait en réalité du même côté
que lui, quels que fussent ses sentiments et ses
convictions. Son hérédité, son éducation, son
milieu, son sang, sa chair, son esprit avaient*

construit année par année un être précis et parti-
culier : la fille, petite-fille, arrière-arrière-petite-
fille de milliardaires. Elle était cela, physiolo-
giquement, intimement, dans le moindre de ses
réflexes mentaux et physiques. Et elle ne pouvait
rien y changer, même si elle avait acquis, sous
l'influence de ses lectures et de ses fréquentations,
quelques idées et une terminologie nouvelles.
Elle était ce qu'elle était : à fusiller elle aussi.

Mais s'il ne parvenait pas à l'en convaincre,
très vite, elle risquait d'être fusillée avant lui...

Lui avait la solide intention de durer encore.
La fusillade qui le concernait, l'incendie de sa
maison blanche, ce n'était pas pour demain...

La nuit venue, nous allâmes chez les Tibétains. Je savais où c'était, je n'y avais jamais
mis les pieds. C'était aussi un ancien palais, qui
avait appartenu à un prince exilé par la nouvelle dynastie. Il se composait de quatre vastes
ailes encadrant un immense jardin planté
d'arbres, de petits temples et de statues. Le Roi
l'avait donné aux Tibétains fuyant leur pays
envahi par les Chinois. Ils en habitaient les
pièces du rez-de-chaussée par familles et tribus,
et louaient les pièces de l'étage aux « voyageurs »,
à qui ils laissaient le soin de faire leur propre
ménage.

Le soir, tous les hippies de l'étage, tous ceux
de Katmandou, et tous ceux qui étaient de passage, se rassemblaient dans le jardin, par petits
groupes, autour de petits feux, fumant, rêvant,
chantant, s'endormant sur place, faisant l'amour
ou leurs besoins dans un coin d'ombre, au pied
d'un dieu ou d'un arbre géant.

Nous passâmes sous le porche et entrâmes

dans le jardin. Il y avait là plus d'un millier de garçons et de filles, autour de quelques petits feux, ou groupés autour de la flamme d'une lampe à beurre. Quelques guitares essayaient de chanter. Cela faisait penser au rassemblement des gitans aux Saintes-Maries-de-la-Mer, à la veille de la fête, mais sans le pétillement et les flammes de la joie.

Sur cette foule si jeune était posé un voile de lassitude et de vieillesse qui étouffait les sons et les lumières, et toutes les manifestations de la vie. Et l'écœurante odeur automnale, pourrie, du hachisch, croupissait entre les quatre murs du palais comme du purin.

Je me tournai vers Romain. Son visage glacé exprimait une certitude qu'il exprima en paroles.

— Mathilde ne peut pas être là !

J'étais de son avis. Cependant nous commençâmes à la chercher minutieusement. Il partit d'un côté, moi de l'autre, passant d'un groupe au groupe suivant. Je regardais tous les visages des filles, et ceux dont je pouvais douter s'ils appartenaient à des filles ou des garçons. Parfois je butais contre quelqu'un allongé dans l'ombre. J'utilisais ma lampe électrique le moins possible, mais je me rendis compte très vite qu'elle ne dérangeait personne. Je me déplaçais sur une île fantôme, cernée par la nuit, sans limites précises entre l'une et l'autre, et sur laquelle un peuple d'êtres absents faisait semblant de vivre. Par-ci, par-là, repoussant un peu l'obscurité grise, brûlait un feu vif, s'élevait un chœur qui chantait, avec des voix ressemblant à des voix vivantes, une ballade, un folk-song, un blues qui s'engluait en lui-même et mourait lentement.

Les cigarettes, les pipes, les cassolettes, passaient d'une bouche à l'autre, et peu à peu, derrière elles, les groupes, les feux et les chants s'éteignaient, la nuit grise les submergeait.

Respirant malgré moi la fumée dont je traversais les remous et les épaisseurs stagnantes, je sentais le sol mollir sous mes pieds, l'île devenir un immense radeau en naufrage, emporté par une lente houle sur une mer perdue d'où il ne pourrait plus jamais aborder nulle part.

Je me heurtai à quelqu'un debout, solide, qui me repoussa. Je l'éclairai. C'était un dieu rouge et noir, à tête d'éléphant, sculpté dans un rectangle de pierre, qui portait dans ses deux mains le soleil et la lune. Je fis descendre le faisceau de lumière du visage du dieu à celui d'une fille assise à ses pieds, appuyée contre lui. Elle était très belle, solitaire et lasse. De longs cheveux d'acajou coulaient sur ses épaules maigres, ses yeux étaient clos mais elle ne dormait pas. Elle attendait. Son nom crié éclata derrière moi :

— Jane ! Jane !

C'était plus qu'un appel, c'était un cri de résurrection, comme celui de Jésus lancé vers Lazare, mais crié au moment où Jésus lui-même ressuscita !

Elle l'entendit, ouvrit ses immenses yeux violets, redressa son buste, s'illumina. Ce n'était plus la lumière de ma lampe qui éclairait son visage, mais la gloire du soleil.

Olivier arriva en courant, entra dans la lumière, tomba à genoux, joignit ses mains et la regarda. Ils se regardaient, émerveillés. Ils ouvrirent leurs bras, se prirent lentement dans les bras l'un de l'autre, refermèrent leurs bras l'un

*sur l'autre, joue contre joue, les yeux fermés,
sans dire un mot.*

*Je sentais de nouveau sous mes pieds le sol
solide, et autour de moi le monde qui vivait.
J'éteignis ma lampe.*

— Tu es seule? Ou sont tes copains?

— Quels copains?

— Harold, Sven...

— Ah oui!... Harold est parti... avec une Américaine...

— Laureen?

— Tu la connais?...

— Bien sûr, voyons!

Comment pouvait-elle avoir oublié? Il s'inquiétait de la trouver si absente malgré le bonheur avec lequel elle l'avait accueilli. Il promenait ses mains sur elle avec délicatesse, dans l'obscurité revenue. Il sentait partout les os fragiles affleurer sous les courbes du long corps mince qu'il avait découvert dans la lumière blême du butane.

— Tu as maigri... Tu ne manges pas? Tu n'as plus d'argent?

— Si, on mange...

— Et Sven, où est-il?

— Il va revenir, il est à l'hôpital.

— Malade?

— Non... Il est allé vendre son sang...

— Maintenant? A cette heure?

— Il y a toujours un infirmier de garde, avec des dollars...

Olivier savait que c'était la dernière ressource des hippies. Quand ils avaient vendu tout ce qu'ils possédaient, il leur restait à vendre leur sang. Les hôpitaux des pays qu'ils traversaient, ou sur lesquels ils s'étaient échoués, étaient toujours preneurs et payaient bien. Les filles, en général, préféraient se prostituer. Trois roupies, c'était le tarif. Un franc cinquante. Le prix d'un peu de riz et d'un peu de hachisch. A Katmandou, les plus laides même trouvaient des clients, des marchands népalais, des Indiens. Les paysans n'avaient pas d'argent : c'était leurs femmes qui vendaient les légumes.

Jacques avait dit à Olivier :

— Fais attention à ces gamines. Drogue, vérole et tuberculose. Elles finissent à Pashupakinat, sur un bûcher...

Il entoura Jane de ses bras. Il aurait voulu l'enfermer en lui-même, de toutes parts, pour la mettre à l'abri. Il allait l'emporter loin de tout cela. Il la sentait frêle, fragile, sans poids. Elle frissonnait. Il lui demanda si elle avait mal.

— Je vais louer une chambre chez Boris. Demain on fera venir un médecin. Puisqu'il y a un hôpital, il y a bien un médecin !...

Elle refusa d'aller chez Boris. Elle attendait Sven. Ils avaient une chambre ici, à l'étage. Il pourrait dormir avec eux... Elle tremblait de plus en plus. Elle ne voulait pas partir.

Sven arriva comme une ombre dans l'ombre. Il ne manifesta aucune surprise de voir Olivier, seulement une joie amicale. Olivier ne le voyait guère, mais entendait sa voix très calme, avec quelque chose d'assuré, de chaleureux et de distrait à la fois, qui contrastait avec l'anxiété de Jane. Sven s'assit près d'elle et lui donna deux petits paquets de papier, plats, dont Olivier vit la blancheur dans la nuit. Elle en enfonça un dans la poche de son blue-jean, ouvrit l'autre, le porta à ses narines et aspira une partie de son contenu. Sven toussait. Il posa sa guitare sur ses genoux et se mit à jouer un air heureux mais interrompu par des trous et des arrêts. Il avait déjà pris sa dose. Il était dans l'euphorie, avec les ruptures du temps et de la conscience. Le geste de Jane avait glacé Olivier. En si peu de temps elle en était arrivée là... Il fallait l'arracher à ce pays, à cette ordure, vite, vite...

Elle ne tremblait plus. Elle n'attendait plus. Elle se mit à rire, se serra contre Olivier et lui chanta en anglais le bonheur de l'avoir retrouvé. Puis elle le lui dit en français. Elle avait été très malheureuse, elle avait eu besoin de lui comme de boire ou de respirer, et il n'était pas avec elle, et elle pensait qu'elle ne le reverrait jamais plus...

Mais il était revenu! Il était là! C'était merveilleux! Elle lui montrait dans le ciel toutes les étoiles qui chantaient pour eux, Dieu était l'amour, Dieu était lui et elle, ils ne se quitteraient plus, ils seraient heureux toujours. Elle riait, chantait, parlait, se frottait contre lui, lui prenait le visage à deux mains l'embrassait partout, riait parce que sa barbe piquait, elle lui dit qu'elle n'avait plus couché avec personne depuis qu'il l'avait quittée, et rien de ce qu'elle avait fait avant ne comptait. Il y avait seulement une nuit, une seule, la nuit avec lui dans la lumière dorée de Bouddha, une nuit grande comme toute sa vie, cette nuit-là seulement, avec lui.

Elle lui prit une main, l'ouvrit et en embrassa la paume, puis la glissa dans sa blouse et la pressa

contre elle. Olivier eut le cœur serré. Dans le creux de
sa main, le pauvre sein blotti, le sein diminué,
brûlant, dont la douce pointe essayait encore de
s'émouvoir, le fit penser au pigeon blessé qu'il avait
accueilli dans sa poitrine, et n'avait pas eu le temps
de sauver.

— Jane, Jane, mon amour, je t'aime...

Il le lui dit très doucement, avec une grande
chaleur enveloppante, pour la protéger déjà avec
des mots, la fit lever et l'emmena à travers la nuit
et la fumée vers la sortie de ce cauchemar. Mais
arrivée sous le porche elle ne voulut pas aller plus
loin. Elle refusa d'aller chez Boris et l'emmena
vers sa chambre. Ils montèrent un escalier de bois
et de terre semé de débris, éclairé par une faible
ampoule au bout d'un fil. Il débouchait sur une
terrasse carrée bordée vers l'extérieur d'une balus-
trade de bois sculpté de mille personnages divins
et de tous les animaux de la Terre. Des charognards
étaient posés sur toute sa longueur, les uns endormis, accroupis, d'autres dressés, allongeant leur
cou déplumé. Quelques-uns, en voyant arriver Jane
et Olivier, secouèrent leurs lourdes ailes puis se
rendormirent. Olivier frissonna de dégoût. Jane
riait, légère, le tirait par la main, l'entraînait
dans un immense couloir aux boiseries à demi
pendantes, sur lesquelles s'ouvraient les portes
des chambres. Entre les portes étaient encore
accrochés les portraits du prince, en grand uniforme composite, pantalon de zouave, casque de
pompier, médailles jusqu'aux cuisses, rubans de
tastevin, manches bouffantes, sabre de cuiras-
sier, l'air terrible, tremblant aux flammes vacil-
lantes des lampes à beurre nichées dans des
alvéoles.

Il y avait des « chambres » de toutes dimensions. Dans les anciens salons de réception couchaient plusieurs centaines de hippies, sur des paillasses ou à même le sol. Une odeur épaisse de sueur, de crasse, d'urine et de hachisch coulait par leurs portes ouvertes. Jane tirait toujours Olivier par la main, en pépiant comme un oiseau joyeux, un oiseau anglais dont il ne comprenait pas le langage. Elle l'emmena presque jusqu'au coin où le couloir tournait à angle droit, poussa une porte, le fit entrer dans ce qui avait dû être un vaste placard ou une penderie, qui ne contenait que quatre paillasses inoccupées. Un reste de bougie était posé sur une vieille valise, à côté d'une boîte d'allumettes. Jane l'alluma, se laissa tomber sur une couche qui bénéficiait d'une couverture bleu foncé, attira Olivier, l'embrassa et le déshabilla sans cesser de parler et de rire, puis se déshabilla elle-même, très vite, se serra contre lui, s'étendit sur lui, sous lui, riant, pleurant, parlant, lui mordillant les oreilles, le nez, nichant sa tête sous son bras, râlant de bonheur comme un chat qui n'en peut plus de ronronner, frottant son visage contre son sexe, l'adorant à deux mains, le prenant dans ses lèvres, le quittant pour s'allonger de toute sa longueur sur ce corps d'homme, cette chaleur d'homme, de l'homme seul, de l'unique, tant désiré, tant attendu, se retournant pour le sentir aussi dans son dos et ses jarrets et le derrière de ses cuisses, partout, sur ses hanches, sur son ventre, dans ses mains, partout, comme un poisson a besoin de sentir, partout autour de lui et dans lui, l'eau qui est lui-même.

Peu à peu, elle se calma, rassasiée, désaltérée, et se blottit le dos contre la poitrine d'Olivier, les cuisses serrées, les bras croisés sur sa poitrine menue.

Olivier l'enveloppa de ses bras, se colla contre elle pour lui tenir chaud, et se mit à lui parler très doucement, lui répétant sans cesse la même chose : tu es belle, je t'aime, je t'emmènerai, nous serons heureux, tout va bien, nous irons au bout du monde, au grand soleil, avec les fleurs et les oiseaux, tu es plus belle que les fleurs, tu es plus belle que le ciel, je t'aime, je t'aime...

Elle s'endormit dans ses bras, dans sa chaleur, dans son amour, dans le ravissement, dans le bonheur...

Olivier resta éveillé. Son bonheur à lui se mêlait d'angoisse. Comment emmener Jane hors de ce pays de sables mouvants où s'enfonçaient dans la drogue et dans la mort tant de garçons et tant de filles venus de tous les endroits du monde, attirés par le mirage de la liberté, de la fraternité entre tous les êtres vivants, et de la proximité de Dieu ? A Katmandou, on faisait ce qu'on voulait, c'était vrai. Personne ne s'occupait de personne. C'était vrai. Nos frères les oiseaux ne se dérangeaient même pas quand on leur marchait sur la queue, parce que depuis dix mille ans personne n'avait tué un oiseau. C'était vrai. Dieu était présent partout, sous dix mille visages. C'était vrai.

C'était vrai pour les hommes et les femmes et les petits enfants nés dans le pays. Ce n'était pas vrai pour les enfants de l'Occident à longs cheveux et à longues barbes. Ils étaient, eux, les enfants de la raison. Elle les avait séparés à tout jamais de la simple compréhension des évidences, inanimées, vivantes, divines, qui sont les mêmes et par qui tout est clair, depuis le brin d'herbe jusqu'aux infinis. A leur naissance, le bandeau de la raison s'était posé sur leurs yeux avant même qu'ils fussent ouverts. Ils ne savaient plus voir ce qui était visible, ils ne savaient plus lire le nuage, plus entendre l'arbre, et ne parlaient que le langage raide des hommes enfermés entre eux dans les murs de l'explication et de la preuve. Ils n'avaient plus le choix qu'entre la négation de ce qui ne peut se prouver, ou une foi absurde et aveugle dans des fables improbables.

Le grand livre évident de ce qui est, l'équilibre de l'univers et les merveilles de leur propre corps, le pétale de la marguerite, la joue de la pomme, le duvet doré de la fauvette, les mondes du grain de poussière n'étaient plus pour eux que des organisations matérielles et analysables. C'était comme si, sur un livre ouvert, des experts se fussent penchés uniquement pour en analyser l'encre et le papier, ne sachant plus le lire et niant même que les signes dessinés sur ses pages eussent une signification.

Il y avait cependant une différence entre les garçons et les filles qui venaient de l'Occident vers Katmandou et leurs pères : les enfants s'étaient rendu compte que la raison et la logique de leurs parents les conduisaient à vivre et à s'entretuer de façon déraisonnable et illogique. Ils refusaient cette absurdité et ses obligations, devinant vaguement qu'il devait exister un autre mode de vie et de mort en accord avec l'ordre de la création. Ils cherchaient éperdument la porte par laquelle ils pourraient s'évader de leurs murailles. Mais les murailles étaient en eux depuis leur naissance. Ils y créaient par la drogue l'illusion d'une ouverture qu'ils franchissaient en rêve, dans le pourrissement de leur esprit et de leur corps, et ne parvenaient qu'à leur ruine.

Olivier se demandait comment trouver l'argent

pour emmener Jane très loin, très vite... Il pensa à Ted, l'associé de son père. Jacques avait fini par reconnaître qu'il était vrai que Ted trafiquât des statues volées dans les temples. Il les vendait aux touristes et se chargeait de les leur faire parvenir en Europe ou en Amérique. Jacques ne savait pas par quel moyen. Olivier décida d'aller trouver Ted et de lui offrir ses services. Il pourrait peut-être ainsi gagner rapidement assez d'argent. En attendant, il veillerait sur Jane, et l'empêcherait de continuer à se droguer. Mais où vivraient-ils ? Son père lui avait offert la clé du petit appartement qu'il habitait près de la Place des Temples. Il avait refusé par un réflexe d'enfant orgueilleux, et le regrettait, car il se trouvait maintenant devant une responsabilité d'homme. Il pourrait peut-être trouver à louer quelque part une chambre convenable. La première chose à faire était d'aller trouver Ted. Il savait où. Il était passé plusieurs fois, pendant sa quête de Jane, devant les bureaux de « Ted and Jack », au rez-de-chaussée d'une maison moderne de deux étages, à la limite du quartier occidental et du vieux Katmandou. Il s'y rendrait dès demain matin.

Quelqu'un toussa au loin dans le couloir. Jane s'éveilla. D'abord elle ne se souvint pas, puis tout à coup elle se sentit enveloppée par Olivier et elle sut qu'il était là. Elle se retourna face à lui d'un seul coup, s'accrocha à ses épaules et se serra contre lui.

— Tu es là ! Tu es là ! Tu es là ! disait-elle.

C'était la merveille, l'inespéré, l'incroyable, il était là, contre elle, dans ses bras, elle le sentait tout le long d'elle de haut en bas, depuis ses pieds jusqu'à sa joue, sur sa joue, il était là, lui qu'elle avait attendu, attendu pendant des éternités.

— Pourquoi tu m'as laissée dormir ? Pourquoi ?...

Elle l'attira sur elle et s'ouvrit. Elle ouvrit aussi sa bouche et ses mains, elle le reçut dans chaque pore de son corps.

Entièrement étendu sur elle de toute sa surface, sa bouche sur sa bouche, ses mains sur ses mains, ses doigts mêlés à ses doigts, il la sentait écrasée, fragile, prête à être brisée. Il se fit léger, la délivra de son poids sans séparer sa peau de sa peau qu'il nourrissait de sa chaleur et de sa vie, et entra en elle lentement, avec toute sa puissance et une délicatesse infinie, peu à peu, pas à pas, chaque fois souhaité, désiré, appelé un peu plus loin, avec de plus en plus d'impatience, jusqu'à ce qu'il fût au milieu d'elle.

Et quand il y parvint, ce fut comme si avec l'extrémité de sa douce et dure irrésistible force il avait appuyé sur le sceau qui maintenait liés tous ses refus, ses angoisses, ses négations et ses satisfactions illusoires. Le sceau s'évanouit, tout ce qui refusait appela, tout ce qui craignait s'éblouit, et les souvenirs de ce qu'elle avait cru être du plaisir furent balayés pour laisser la place à la grande vérité qui allait lui être donnée. Elle sentit, depuis le centre d'elle-même, la présence d'Olivier l'emplir jusqu'à toutes les limites de son corps.

Il bougea lentement en elle, ouverte et reclose, et chaque mouvement commença à faire fondre sa chair et ses os, et à les transformer en un état qui n'avait pas de nom, et qui devait être celui des premiers jours de la création, avant les formes et les êtres, quand naissait l'éblouissement inimaginable de la lumière sur les eaux, qui n'étaient rien que les eaux et qui contenaient tout ce qui allait exister, et qui le savaient.

Olivier était entré en elle, dans sa chair nue et vive, comme dans une ouverture faite par une lame, et maintenant, arrivé au milieu d'elle, il y tenait présents et y multipliait, au bout de lui-même, toute sa pensée et son amour.

Il la sentait, la cherchait, la devinait, la prévenait, cherchait plus loin, plus doucement, plus fermement, plus sûrement, profondément, délivrant à gauche, à droite, et toujours plus loin, plus loin encore, les sources chaudes, sans mesures, des océans de joie.

Elle ne savait plus, elle avait perdu sa forme, son poids, sa présence, elle-même. Elle était la joie pure, inconnaissable, indicible, liquide, ininterrompue, où bougeaient les commencements du monde, et d'où elle s'étendait en ondes sans limites qui se succédaient sans cesse et s'ajoutaient et s'ajoutaient encore jusqu'à ce que cela fût si énorme qu'il fallait crier jusqu'aux oreilles de Dieu, instant qui dépasse tout ce qu'un être peut sentir, et dont la mémoire impuissante et frustrée se rappelle qu'il fut, mais ne peut se rappeler ce qu'il était, car ni la tête ni le cœur, ni les mots, ne peuvent le contenir.

Et puis ce fut l'envahissement de la paix dans son corps revenu, nourri d'un bonheur dont elle sentait la chaleur et le poids l'écarter et la répandre sur le nuage où elle était posée. Etait-ce le bonheur ou le sommeil ou la mort en Paradis ? Les yeux fermés, elle souriait un peu. Elle eut la force de dire « Olivier... Toi... » puis s'endormit. Olivier embrassa doucement ses yeux clos, la quitta, s'allongea contre elle, et tira sur eux la couverture.

Sven les réveilla en venant se coucher. Il avait fait le moins de bruit possible, mais dès qu'il fut étendu, il commença à tousser. Il mit sa main sur sa bouche, s'efforça d'étouffer les quintes, mais elles montaient de ses poumons avec des mucus dont il se débarrassait dans de vieux morceaux de papier. Quelques instants après, cela recommençait. Olivier se réveilla et sentit que Jane ne dormait plus et écoutait. Il lui parla très bas dans l'oreille :

— Il y a longtemps qu'il tousse comme ça ?

Elle fit « oui » de la tête.

— Il a besoin d'être soigné. Il devrait entrer à l'hôpital...

Elle fit « non » d'un geste nerveux, comme si Olivier évoquait une action impossible. Alors il se souvint des petits paquets de papier blanc. Le bonheur de la présence et de l'amour de Jane avait momentanément écarté de sa conscience leur image menaçante.

Dès ce matin, il irait trouver Ted. Mais il fallait que Jane fît un effort. Maintenant qu'il était auprès d'elle, elle devait s'arracher à cette habitude. Il ne la quitterait plus, il l'aiderait.

Sven avait cessé de tousser et semblait dormir. Olivier demanda doucement :

— Cette poudre, dans ce papier, qu'est-ce que c'était ? De la coco ?

Il sentit qu'elle s'arrêtait de respirer. Puis au bout d'un moment elle répondit :

— C'était rien... Ne t'inquiète pas...

— Tu sais que ça t'empoisonne !... Si tu continues, ça peut te tuer !...

— Tu es fou, c'est seulement un peu, comme ça... Pour tenir compagnie à Sven... C'est rien...

— Il ne faut plus... Maintenant, je suis avec toi... Plus jamais, tu promets ?

Elle fit « oui, oui, oui » de la tête, très rapidement.

— Jure-moi ! dis « Je jure ! »...

— Tu es bête, puisque c'est rien...

— Jure!

Elle restait silencieuse, immobile... Très tendrement, il insista :

— Allez!... Jure...

Elle se tourna vers lui, l'embrassa sur les lèvres et dit :

— Je jure!... Tu es content?

Il répondit simplement :

— Je t'aime...

LA FAIBLE LUEUR de l'aube entrait par une sorte de fenêtre en forme d'écu, fermée par un panneau de bois ajouré de mille trous de dentelle. Olivier se leva sans réveiller Jane, la recouvrit, enfila son pantalon et s'agenouilla pour la regarder. A la grande paix de l'amour commençait à succéder, même dans son sommeil, un état d'inquiétude nerveuse qui se traduisait par de petites crispations subites du coin des lèvres ou de sa main droite qui pendait hors de la paillasse.

Il allait être obligé de la laisser seule pendant qu'il irait voir Ted. Il ne voulut courir aucun risque, attrapa le blue-jean de Jane, trouva dans la poche le paquet entamé et le paquet intact. Il sortit, nu-pieds.

Dans les arbres, des milliers d'oiseaux chantaient. Au milieu du ciel encore assombri, les sommets de la Montagne immense étaient comme des fleurs de lumière coupées du reste du monde.

Olivier respira profondément. Il se sentit calme, heureux et sûr. Jane et lui étaient arrivés au bout de leurs mauvais chemins, chacun de son côté, et maintenant ils allaient, ensemble, s'engager sur une route peut-être difficile mais claire comme ce jour qui se levait.

Il sema au vent du matin le contenu des petits paquets, jeta les papiers froissés et se dirigea vers une fontaine qu'il avait entendue chanter la veille près du dieu rouge et noir.

Jane s'éveilla en frissonnant. Il lui fallut quelques instants pour se retrouver présente au monde et se souvenir. Elle avait froid, elle s'assit, en s'enveloppant dans la couverture, et chercha Olivier du regard. Il n'était pas là, mais elle vit sa chemise, son blouson et son sac. Elle ne fut pas inquiète. Il allait revenir. Ce n'était pas lui qui lui manquait en ce moment.

Elle attrapa son blue-jean par une jambe, le tira vers elle, mit sa main dans une poche, puis dans l'autre. Son cœur sauta dans sa poitrine comme un lapin affolé. Elle se leva, laissant glisser la couverture, étreignant le blue-jean dont elle vida les poches, jetant tout ce qu'elle y trouvait, un mouchoir sale, un rouge à lèvres usé, un petit poudrier de cuir vide, au miroir cassé, et de la monnaie népalaise, trois pièces de cuivre, deux d'aluminium. Quand les poches furent vides, elle les fouilla encore l'une après l'autre, plusieurs fois, affolée de n'y rien trouver, jeta le blue-jean au fond de la pièce, se laissa tomber à quatre pattes sur la paillasse, cherchant tout ce qu'elle avait jeté, rouvrant le poudrier, le mouchoir, qu'elle avait déjà ouverts avant de les laisser tomber, cherchant sous la couverture, par terre, partout, nue, à quatre pattes, grelottante, claquant des dents de froid et d'horreur.

C'est ainsi qu'Olivier la trouva, comme une bête maigre qui cherche la nourriture sans laquelle elle va mourir dans la minute qui suit. Elle ne savait plus ce qu'elle voyait, ce qu'elle touchait, ses côtes saillaient, ses pauvres seins vides pendaient à peine,

elle posait ses mains partout, fouillait sous le matelas, gémissait, cherchait encore où elle avait déjà
cherché, tournait vers le mur ou vers la porte, et
elle vit devant elle les pieds nus d'Olivier.

Elle se releva avec une énergie fantastique,
comme un ressort d'acier. Elle avait compris.

— C'est toi qui l'a prise !

Il dit « oui », doucement.

Elle tendit vers lui sa main gauche ouverte,
paume en l'air, les doigts crispés, presque tétanisés.

— Donne! *Donne !* DONNE!

Il répondit très calmement :

— Je l'ai jetée...

Elle reçut la phrase comme un coup de bélier
dans la poitrine. Mais c'était une réalité à laquelle
elle ne *pouvait* pas croire.

— Va la chercher! Vite! Vite! Avant qu'on la
prenne!

— Je l'ai vidée en l'air... Personne ne peut plus
la prendre...

Elle recula lentement jusqu'au mur, comme si
quelque chose d'énorme pesait sur elle et la poussait.
Quand elle toucha le mur, elle s'y adossa et s'y
appuya de ses deux mains ouvertes en arrière. Au-
dessus de sa tête, la fenêtre de bois découpait le
soleil levant en dentelle rose.

— Pourquoi tu as fait ça?... Pourquoi?... Pourquoi?...

Il la vit glacée, grelottante, perdue, il s'avança
doucement vers elle, ses avant-bras à demi tendus
pour la recevoir, la prendre, l'envelopper, la réchauffer.

— Parce que je ne veux plus que tu t'empoisonnes... Tu avais juré...

Il arrivait près d'elle. Il tendit les mains, les posa sur ses bras, sentit sa peau froide comme celle d'un poisson mort. Elle se dégagea en criant et lui griffa la poitrine de ses dix ongles, de haut en bas.

— Ne me touche pas!... Va-t'en!... Imbécile!... Tu veux!... Tu veux!... Qu'est-ce que tu te crois?... Tu veux! Et moi, qu'est-ce que je suis, MOI? Je suis libre! Je fais ce que *moi* je veux! Tu m'as volée! Volée! Volée! Tu es un monstre! Tu es horrible!... Va-t'en!...

Olivier ne bougeait pas. Sven, réveillé par les cris de Jane, s'était levé et toussait. Il dit doucement à Olivier :

— Il vaut mieux... que tu t'en vas... maintenant...

Olivier ramassa ses affaires. Jane, toujours adossée au mur, le regardait faire sans bouger la tête. Seuls le suivaient ses grands yeux violets où les pupilles dilatées ouvraient deux trous de ténèbres. Ses dents claquaient.

Olivier mit sa chemise et son blouson et se chaussa, ramassa son sac et se dirigea vers la porte. Il n'avait pas levé une fois son regard vers elle. Au moment où il allait sortir, elle cria :

— Attends!

Il se retourna vers elle, la regarda, attendit.

— Maintenant, il faut que j'en achète d'autre!... Je n'ai pas d'argent!...

Elle avait commencé avec une voix basse, rauque, mais à chaque mot elle parlait de plus en plus fort, et elle finit en criant :

— Tu as couché avec moi! Ça se paye!...

Et elle tendit de nouveau vers lui sa main gauche ouverte, la paume en l'air, comme la griffe d'une bête nue.

Olivier prit dans la poche de son blouson les

billets qui y restaient, et les jeta sur la paillasse. Puis il sortit.

Jane s'écroula en sanglotant sur les billets, la couverture, les débris jetés hors de ses poches, l'odeur de leur nuit d'amour, l'odeur pourrie des sueurs et des crasses de tous ceux qui s'étaient avant eux étendus sur cette couche un moment transfigurée par la grandeur de leur union. Elle ne sentait rien, ni le froid ni la puanteur, rien que le manque, la frustration, l'échec et le désespoir. Tout était perdu, fichu, tout était mort, et le besoin de la drogue lui rongeait l'intérieur du ventre comme un troupeau de rats.

— Le fils de mis-
ter Jack?... Oh! très étonnant... Il est la vérité
que vous ressemblez à lui faiblement!... Je suis
heureuse qu'il a un si beau fils... *Hello? Mr Ted?*
Mr Jack's son is here. Yes!... His son!... Yes, he
says... He is asking for you... Well! Well!...

Elle raccrocha. C'était la blonde secrétaire de
l'agence « Ted and Jack », plantureuse, souriante,
optimiste, propre comme une Anglaise, rose comme
une Hollandaise. Elle était assise derrière un bureau
couvert de piles de dépliants touristiques, sous une
énorme tête de tigre accrochée au mur. Elle se leva
pour lui ouvrir une porte et lui montrer un escalier
au fond d'un couloir.

— Vous montez en haut du deuxième étage...
Mr Ted vous attend... Dans son bureau...

Tout le long du mur du couloir étaient accrochés
d'autres trophées, et au pied de l'escalier une tête
de buffle aux cornes immenses, au-dessous de laquelle avait été disposé, comme pour la souligner,
le sabre terrible qui l'avait tranchée.

— Je regrette beaucoup, dit Ted, mais je ne vois
pas comment je pourrais vous aider...

C'était un gros homme à la peau rose et au poil

transparent. Il ressemblait à un des porcs bien nourris des jardins de Boris. Il avait demandé à Olivier son passeport, pour s'assurer de son identité, et, à demi assis sur le coin de son bureau empire qui avait dû, lui aussi, franchir les montagnes sur le dos des Sherpas, il feuilletait négligemment le document, après l'avoir examiné avec beaucoup d'attention.

Il le posa sur le bureau et y prit une statuette en bronze représentant une déesse exquise, qu'il caressait avec une volupté machinale, la faisant glisser dans le tunnel d'une de ses mains fermées, puis de l'autre.

— Cette jeune fille à laquelle vous vous intéressez... Malheureusement... Il y en a tant dans le même cas... Ils viennent ici, garçons et filles, ils croient arriver au paradis... Ce n'est que le fond d'un cul-de-sac. Ils ne peuvent pas aller plus loin... L'Himalaya... La Chine... Hein ? Pas facile !... Pas possible !... Ceux qui peuvent repartent... Les autres pourrissent !...

— C'est pour ça qu'il faut que je l'emmène ! Très vite !... Avant qu'elle soit complètement perdue !...

— Emmenez-la, emmenez-la, mon petit !... Emmenez-la !... Si elle veut bien !... Elle a sans doute plus besoin de sa drogue que de vous... Vous avez eu tort de jeter sa coco... Ce n'est pas comme cela qu'on les soigne... Vous lui avez créé, en plus du manque, un choc de frustration qui a dû lui faire un mal atroce. Et elle a retourné sa souffrance contre vous... A la première prise, elle oubliera tout ça et elle vous voudra de nouveau, mais pour la guérir, il faut un vrai traitement, dans une clinique sérieuse. Ici, ça n'existe pas. A Delhi, peut-être... L'Europe, ça serait mieux... Avez-vous de l'argent pour l'emmener ?

— Vous savez bien que non! C'est pour ça que je suis venu vous demander...

— Vous rêvez, mon petit, cette histoire de statues, c'est du roman feuilleton... Notre agence est exactement ce qu'elle est, une agence de voyages et de safari qui vit largement sur l'argent des gogos qui veulent des émotions fortes, et pouvoir raconter à leurs amis du Texas qu'ils sont montés au sommet de l'Himalaya, qu'ils ont ramassé du poil de Yéti et massacré quatorze tigres... Les poils de Yéti, ce sont des poils de queue de yack, l'Himalaya ils l'ont regardé d'en bas, les tigres, c'est votre père qui les tue... C'est un fameux fusil, votre père... A part ça, c'est un enfant. S'il était un peu mûr, il serait aussi riche que moi... mais il ne dépassera jamais l'âge de douze ans... Croyez-moi, laissez tomber cette petite... Elle est déjà perdue... Vous ne pouvez plus rien... Il n'y a pas de travail ici pour un Européen... Vous avez votre billet de retour ?

— Non.

— Ah!... Ecoutez, je peux parler à l'Ambassadeur... Il peut peut-être vous rapatrier... Ils le font quelquefois... C'est un ami...

Olivier se répétait sans cesse ce qu'Yvonne et Jacques lui avaient dit :

— C'est un salaud... C'est un salaud... C'est un salaud...

Son sang bouillait, mais extérieurement il restait glacé comme le sommet de la Montagne.

— Je ne partirai pas sans elle. Moi, c'est sans intérêt. C'est *elle* que je veux sauver. Je *sais* que vous vendez des statues. Je peux aller en chercher pour vous où vous voulez. Partout où personne n'ose aller. Si vous me payez assez cher. Je n'ai peur de rien. De personne. Je veux de l'argent, vite... Si vous me le faites gagner, vous en gagnerez dix fois plus!...

Ted posa avec brusquerie la statuette sur le bureau et prit le passeport qu'il tendit à Olivier.

— J'ai assez entendu parler de cette histoire! Et je n'aime pas qu'on raconte sur moi de telles stupidités, qui peuvent me faire expulser du pays et me ruiner si jamais une oreille de policier les entend! Je vous conseille de vous taire! Sans quoi, c'est vous que je ferai expulser, et sans délai!... Et quand votre père rentrera, je lui en dirai deux mots!

Il y avait une lourde menace dans cette dernière phrase. Olivier prit le passeport. Son regard restait fixé sur la statuette de la déesse sur le bureau. Elle était d'un bronze sombre, presque vert, et doré au front, au nez, aux fesses, aux hanches, partout où la caresse des mains de Ted, jour après jour, en avait usé la patine.

Ted suivit le regard d'Olivier et éclata de rire.

— Tenez! Regardez d'où elle vient!

Il souleva la statuette et présenta le dessous de son socle minuscule devant le visage d'Olivier. Celui-ci y vit collée une étiquette un peu jaunie où se lisaient clairement deux mots imprimés : SOU-THEBY LONDON (1).

_____

(1) Southeby est une galerie londonienne mondialement connue, spécialisée dans la vente des tableaux de grande valeur et des objets d'art très rares.

Olivier RETOURNA chez les Tibétains. La chambre de Jane était vide, mais son sac et celui de Sven étaient là. Il erra un peu dans le jardin, presque désert. Quelques hippies assommés de drogue dormaient à l'endroit où ils étaient tombés. Une fille brune et sale, allongée près d'un buisson, s'assit à son approche et lui fit une offre dans une langue qu'il ne comprit pas. Alors elle écarta les jambes et mit la main sur son pantalon à l'endroit de son sexe, puis elle leva la main avec trois doigts écartés.

— Tree roupies... Drei roupies... Trois roupies... You Frenchman ? Me... ich been... gentille... Trois roupies...

Il passa sans répondre, le cœur serré dans un étau de fer.

Il s'assit au pied d'un arbre et ouvrit son sac. Une vache s'approcha et mit son nez dans le sac ouvert. Il n'avait rien à lui donner. Elle choisit un mouchoir et le mangea, puis s'en fut lentement en continuant de remuer la mâchoire inférieure.

Olivier plongea la main dans tout son fourniment, trouva sa dernière réserve, une enveloppe qui avait pris la forme bombée du fond de son sac et qui contenait un dernier billet de dix dollars, cinq mille anciens francs. Combien de roupies? Il ne savait pas. Il alla à la banque royale. On lui en donna le minimum, quelques billets crasseux, des piécettes, et des papiers à signer, le passeport à présenter, toute la justification légale du bénéfice officiel.

Il se rendit dans la rue des marchands. Il faisait un grand soleil, et la foule était rare. Des jeunes gens à bicyclette circulaient à toute vitesse entre les vaches, les chiens et les dieux. Katmandou n'avait découvert la roue que depuis quinze ans à peine mais sa jeunesse s'en offrait un délire. Il y avait des marchands et des loueurs de bicyclettes partout. Les vieux n'osaient pas croire qu'on pouvait tenir en équilibre sur ces choses qui tournaient, mais les jeunes s'y jetaient en folie, fonçaient à pleins mollets, freinaient pile, dérapaient, repartaient, s'arrêtaient, faisaient sur place des équilibres d'acrobates, en riant de bonheur. Ceux qui pouvaient en acheter une au lieu de la louer, les fils de riches marchands, la peignaient de cent couleurs vives, lui plantaient des caravanes de dieux sur le guidon, lui accrochaient des fleurs aux pédales et des rubans partout, qui volaient loin derrière elle, sillage de joie.

Olivier regarda boutique après boutique, reçut beaucoup d'offres et de sourires, une énorme quantité de politesse et de gentillesse, et finit par trouver les outils qu'il cherchait, pour une somme infime. Il retourna ensuite à la Place, monta sur la plus haute marche du grand temple et s'y installa pour la nuit, après avoir mangé une douzaine de bananes exquises, grosses comme son pouce.

Le lendemain matin, il était de nouveau dans le

bureau de Ted. Celui-ci avait d'abord refusé de le recevoir, mais Olivier avait dit à la secrétaire qu'il ne s'en irait pas avant de l'avoir vu, et il était, d'autorité, monté dans le bureau du second étage.

Ted arriva, en robe de chambre, furieux, mal éveillé, pas rasé, prêt à jeter dans l'escalier ce petit emmerdeur.

Mais les premières paroles s'arrêtèrent dans sa gorge quand il vit ce qu'Olivier avait posé sur son bureau. Il resta la bouche ouverte, le souffle coupé.

C'était deux statues, ou plutôt deux groupes. Dans le premier, une femme debout, ses vêtements tombés sur ses chevilles, les jambes écartées, les genoux fléchis, encadrée par deux hommes qui lui tenaient chacun un sein, enserrait dans sa main droite la verge de l'un et dans sa main gauche celle de l'autre. Verges optimistes, marseillaises, pharamineuses, qui se projetaient longuement au-delà des mains inquisitrices. L'un des hommes avait le teint plutôt rose, et l'autre plutôt jaune, mais leurs visages se ressemblaient, tranquilles, ornés d'une fine moustache, surmontés d'un bonnet brodé qui constituait toute leur vêture.

Le visage de la femme, par contre, exprimait la plus grande perplexité. Elle était visiblement en train de comparer les mérites respectifs de ses deux soupirants et les trouvait aussi intéressants l'un que l'autre. Dans sa position à demi accroupie, son sexe offert attendait, et certainement s'impatientait. Les trois personnages, en bois sculpté et peint de façon primitive, n'évoquaient rien de pornographique ni même d'érotique. Ils composaient un tableau naïf et un peu comique, familier.

Le deuxième groupe apportait la solution à la perplexité de la malheureuse. Toujours debout,

mais s'étant débarrassée des vêtements qui l'entra-
vaient, elle recevait à la fois ses deux prétendants,
l'un par devant et l'autre par derrière. Ils se tenaient tous les trois par les épaules pour rester en
équilibre, et celui qui la visitait de face, sans doute
pour rendre plus aisée cette double opération, lui
tenait une jambe soulevée à l'horizontale, de sorte
qu'elle se trouvait perchée sur un seul pied comme
un héron. Elle bénéficiait, il est vrai, de deux autres
supports presque aussi gros que sa cuisse. Les
visages des trois personnages n'exprimaient ni
volupté ni émotion d'aucune sorte. Celui qui opé-
rait par derrière avait posé sa main libre sur un
sein de la femme, mais peut-être était-ce simplement pour se cramponner. Aucun des deux n'avait
perdu son petit bonnet brodé.

Et sur les trois têtes, comme sur celles du premier groupe, était posé le pied nu, énorme, d'un
dieu, qu'Olivier avait dû scier en même temps que
les humains sur lesquels ils appuyaient leur existence.

Ted tourna au rouge, au violet, au blanc, puis
éclata :

— Vous êtes fou ! Complètement fou ! A enfermer ! Tout le monde les connaît ! On vient les voir
du monde entier ! La police doit déjà chercher partout ! Vous êtes complètement timbré ! Ramassez-
moi ça et fichez le camp ! Et vite ! Allez ! Allez !
Fichez le camp ! Je ne veux pas de ça chez moi une
seconde de plus !

Olivier n'avait pas dit un mot. Il regardait Ted
qui paraissait réellement épouvanté, et il se demandait si Jacques et Yvonne, finalement, ne s'étaient
pas trompés sur lui.

Eh bien, c'était raté, tant pis. Il vint au bureau,
posa son sac près des statues, en enfonça une dans

son sac, enveloppa l'autre dans une chemise qu'il mit sous son bras, et se dirigea vers la porte.

Ted essuyait son front ruisselant avec un grand mouchoir vert pâle. Au moment où Olivier allait sortir, il cria :

— Combien vous en voulez, de vos saloperies ?

Il s'épongea encore, se moucha. Olivier ne répondit pas. Il n'avait aucune idée de ce que ces objets pouvaient valoir.

— C'est invendable! dit Ted. Je vais être obligé de les cacher pendant des années! Avec le risque! Vous vous rendez compte? C'est comme si vous aviez volé la Tour Eiffel... Alors, combien?...

Olivier ne répondit pas.

— Je vous en donne...

Ted s'arrêta. La convoitise, la peur, la perspective d'un fabuleux bénéfice se battaient dans sa tête. Il n'y voyait plus clair.

— Fermez cette porte, bon Dieu! Poussez le verrou! Tournez la clef! Montrez-moi encore un peu ça..

Il prit lui-même le paquet sous le bras d'Olivier et extirpa celui de son sac. Il posa les deux groupes sur son bureau, les regarda et se mit à rire.

— Ils sont marrants! Il faut reconnaître... Ils sont marrants... Un peu de whisky ?

— Non merci, dit Olivier.

Ted ouvrit un frigo mural invisible, en sortit un flacon, un verre et des glaçons, se servit et but.

— Asseyez-vous donc! Ne restez pas planté!

Olivier s'assit au bord d'un fauteuil, Ted au fond d'un divan-lit disposé au-dessous du frigo clandestin. Il se mit trois coussins derrière le dos, but, regarda de nouveau les deux groupes et se réjouit de plus en plus.

— Vous avez du culot, mais vous êtes fou! Fou à lier! Il ne faudra jamais, jamais recommencer! Un coup pareil!... Je veux dire... Si nous travaillons ensemble... Pourquoi pas... Si vous êtes raisonnable... Vous êtes intelligent... Vous avez compris... Un seul de ces groupes, c'est pas mal, c'est curieux... Mais les deux, c'est formidable!...

Il regretta aussitôt d'avoir lâché une telle imprudence. Il regarda Olivier de coin, fit une grimace dégoûtée.

— Mais c'est invendable... Invendable!... Même si je trouve un client, comment voulez-vous sortir ça du pays?... Vous vous voyez sortir de France la Vénus de Milo?... Invendable!... Je vais être obligé de les garder pour moi... Pour ma collection personnelle. Et quel risque! Vous vous rendez compte? Une perquisition, et je suis cuit! Vingt ans de prison!... Et les prisons népalaises, c'est quelque chose!... Même les rats y crèvent!... Je ne veux tout de même pas que vous ayez fait cet exploit pour rien!... L'héroïsme, même inconscient, ça mérite une médaille!... Je vous en donne... pour les deux... Voyons... Je suis généreux parce que je les trouve marrants ces deux trucs, je les aime bien... Et puis, vous m'êtes sympathique, vous avez du culot, du sentiment, vous êtes amoureux, moi tout ça, ça me bouleverse... Vingt dollars... Pour les deux! D'accord?

Olivier ferma les yeux et revit Jane à quatre pattes nue sur la paillasse, éperdue, folle comme une chienne affamée qui a mangé ses petits... Il rouvrit des yeux glacés, il dit :

— Mille dollars!

Quand il repartit, une heure plus tard, il avait quatre cents dollars dans sa poche, emportait une caméra 16 mm et des instructions précises. Il devait s'installer chez Boris, lui dire qu'il venait faire un reportage sur les fêtes népalaises. Boris lui louerait une moto qui lui permettrait de passer partout. Il devait visiter les petits temples et les monastères lointains, dans les montagnes. Plus jamais opérer à Katmandou! Jamais! Le jour, se mêler aux foules des fêtes, il y en a partout, tout le temps, repérer ce qui était intéressant, et revenir la nuit quand il n'y avait personne. De préférence même plusieurs nuits plus tard. Et surtout ne pas oublier de se servir de sa caméra! Tout le temps! Qu'on le voie toujours la caméra à l'œil! Un crétin de cinéaste, un cinglé d'Occidental qui délire devant ce qui est l'ordinaire de la vie quotidienne, un pauvre type qui fait sourire les policiers...

Et qu'il ne revienne jamais à l'agence de jour! Jamais! Voici une clef, qui ouvre la porte de derrière dans la ruelle. Il laisse sa moto très loin, il vient à pied, la nuit, il regarde s'il n'y a personne, il ouvre, il referme, il monte directement au bureau, il se couche sur le divan, il attend que Ted arrive. D'accord comme ça? Pour les prix, on s'entendra toujours, d'après l'intérêt de ce qu'il apportera... D'après la demande aussi, évidemment... En ce moment, ça ne va pas tellement bien, les Américains lâchent les dollars avec des élastiques, et les Allemands ne sont pas tellement amateurs... Mais il pourra quand même ramasser assez vite de l'argent pour emmener la petite et la faire soigner. La pauvre gamine... Est-ce qu'elle est belle?... Quelle pitié! C'est toujours les plus belles qui font les pires bêtises...

Olivier alla chez Boris. On lui donna une chambre immense avec une salle de bains qui aurait contenu un appartement parisien.

Boris lui offrit l'apéritif dans son propre appartement auquel on accédait par un escalier tournant en fer forgé. Il ouvrait de tous côtés sur les toits en terrasse. Le chat-léopard, tapi sous un divan, regardait Olivier de ses yeux rapprochés, aux pupilles rondes, avec une grande curiosité et une méfiance non moins grande. Olivier raconta à Boris sa petite histoire de cinéma. Boris le crut ou fit semblant et lui promit une moto pour le lendemain, avec toute la liste des fêtes qu'il pourrait atteindre avec ce véhicule, et une carte rudimentaire.

Maintenant, il s'excusait, il devait le quitter, une histoire lamentable : une petite Parisienne qui avait voulu passer en Chine. Maoïste, vous vous rendez compte ? Avec un père milliardaire !... Elle avait essayé d'avoir un visa. C'est comme si on essayait d'obtenir un billet d'entrée pour une termitière...

Alors elle avait loué un avion et un guide. L'avion s'était posé dans une vallée près de la frontière, le guide l'avait conduite à proximité d'un col où elle avait peut-être une chance de passer. Il l'avait laissée s'avancer seule. Quand elle y était parvenue, elle s'était trouvée face à face avec une patrouille chinoise. Elle avait crié « Camarades! » Ils avaient tiré tous à la fois, et derrière elle une patrouille indienne tirait en même temps... Oui... Oui... il y a des troupes indiennes au Népal, le long de la frontière tibétaine, enfin, je veux dire chinoise... De même qu'il y a des troupes de travailleurs chinois qui entretiennent la route qui traverse le Népal jusqu'à la frontière indienne. L'armée népalaise est neutre. Non, non, elle ne se mêle de rien... Ce sont de bons soldats, pourtant, terribles... Les fameux gourkas, vous en avez entendu parler ?

Jamais les Anglais n'ont pu les battre... Grâce à eux, le Népal n'a jamais été occupé... Mais le roi actuel est intelligent... Cette histoire entre la Chine et l'Inde, il ne veut pas s'en mêler... Des patrouilles, ça ne gêne personne, au contraire, ça garantit sa frontière... Et la route, eh bien ma foi, elle est utile...

La petite, fusillée par-devant et par-derrière, a roulé sur la pente, du côté népalais. Le guide l'a ramassée et l'a ramenée en avion. Son père est là... Oui, là, chez moi.... Il n'a pas voulu qu'on la brûle... Il veut la ramener à Paris... Il a un avion grand comme la Tour Eiffel. Mais il faut que je lui trouve de la glace, au moins cent kilos de glace pour la conserver, jusqu'à ce qu'il ait reçu assez d'essence pour repartir. Vous voulez bien m'excuser ? Chat ! Viens ici, chat ! C'est son nom. Viens, mon joli... Viens, mon beau... Non, il ne veut pas... Il est un peu sauvage... Il faut que je lui trouve une femme, c'est difficile... Il s'habitue difficilement au jour. C'est un animal de nuit. Au milieu de la nuit, il saute sur mon lit, et il me donne de grands coups de patte sur les joues, pour me réveiller. Il veut jouer. Le jour, il aimerait mieux dormir. Il ne deviendra pas plus gros, c'est sa taille. Il pèse une livre et demie...

A une question d'Olivier, Boris répondit qu'il y avait un excellent docteur anglais à l'hôpital de la Croix-Rouge, le Dr Bewall. Et il s'en fut.

Olivier alla chez les Tibétains pour chercher Jane. Il la ramènerait chez Boris, la ferait examiner par le docteur, et ne commettrait plus la bêtise de lui supprimer brutalement sa drogue. Dès qu'il aurait assez d'argent, ils partiraient. Ils emmèneraient aussi Sven, si elle voulait.

La chambre de Jane et Sven était occupée par quatre hippies américains, trois garçons, et une fille qui parlait français. Ils ne connaissaient pas Jane et Sven. Non, ils ne savaient pas où ils étaient partis. Ils ne savaient rien. Les sacs de Jane et de Sven n'étaient plus là.

OLIVIER RESTA PLUS longtemps absent qu'il ne l'aurait voulu. Même les plus petits temples, les plus éloignés, les plus perdus au bout de pistes insensées, ne restaient presque jamais déserts la nuit. Ce n'était pas un pays où on enferme Dieu à clef en dehors des heures ouvrables. Il y avait toujours quelqu'un en train de venir saluer, adorer, prier. La conversation entre les dieux et les hommes ne s'interrompait ni dans la lumière du jour ni à celle des lampes. Olivier devenait fou d'impatience et d'angoisse en pensant à Jane. Non seulement il ne gagnait rien, mais elle, pendant ce temps, devait continuer à s'empoisonner, à maigrir, à déchoir...

Enfin, une nuit, il se trouva seul dans un petit temple où il avait repéré, pendant le jour, une statuette de déesse en bronze, à six bras épanouis, avec un sourire ravissant et une charmante poitrine, facile à desceller et à emporter dans son sac.

Le temple se trouvait à flanc de montagne, au sommet d'un interminable escalier. Olivier avait caché sa moto dans la vallée, la lune éclairait l'escalier vide, il se mit au travail à coups de marteau et de burin, son marteau enveloppé de chiffons pour amortir les bruits.

Mais le ciment friable cachait d'épaisses barres de bronze faisant corps avec le socle carré et enfoncées dans les trous de quatre pierres qui en entouraient étroitement la base. Un travail d'artisan, datant de la construction du temple avec lequel la statue, ainsi, faisait corps.

Olivier jura et insulta tous les dieux de l'univers, prit une scie à métaux dans son sac, l'huila, réussit à la glisser entre la pierre et le socle, et commença à attaquer la première barre.

C'est alors qu'il entendit une musique, un pop-song accompagné de flûtes et de guitares. Il se retourna et vit un troupeau de hippies portant des torches, des lanternes de papier et des lampes électriques, en train de gravir l'escalier.

Une rage meurtrière le prit contre ces dingues, ces salauds, ces empoisonneurs, qui venaient jusqu'ici l'empêcher de sauver Jane. Il se jeta dans l'escalier, frappa les premiers à la volée avec son sac chargé d'outils, les précipita sur les autres, hurla des injures, les frappa des mains, des pieds, de la tête, des coudes, leur fit dégringoler les marches, rouler les uns sur les autres, sur leurs guitares et leurs lanternes, avaler leurs dents et leurs flûtes. Ahuris, passifs, gémissants, ne comprenant rien, ils s'enfuirent sans avoir une seconde l'idée ou le désir de résister. Ils étaient une trentaine. Il aurait pu les exterminer comme des moutons. Ils se retrouvèrent en bas, quelques-uns saignant, boitant, ne cherchèrent même pas à savoir, reprirent leur route vers un autre lieu, un autre temple, un autre visage de Dieu plus accueillant. Olivier vit s'éloigner les lucioles des quelques torches électriques qui fonctionnaient encore. Il reprit son travail.

Il en termina avec la quatrième barre juste

avant l'aube, enfouit la statue dans son sac sous
ses vêtements, rejoignit sa moto, la lança sur la
pente sans allumer le moteur ni les phares, à tom-
beau ouvert sur la piste à peine visible, les yeux
écarquillés, évitant au dixième de seconde les trous
les plus profonds et les bosses meurtrières. Il mit
plein gaz lorsqu'il rejoignit une sorte de route.
Mais il ne fut de retour à Katmandou que dans
l'après-midi. Trop tard, trop tôt pour aller chez
Ted. Il rentra chez Boris, se baigna dans une bai-
gnoire qui aurait convenu à un éléphant et où coulait une eau verdâtre, se rasa, changea de linge, et
partit à la recherche de Jane. Il emportait la statue
dans son sac. Il ne pouvait pas courir le risque de
la laisser à l'hôtel. Son « boy », un Népalais d'une
quarantaine d'années, dont il ne parvenait pas à
se rappeler le nom, charmant, souriant, empressé,
toujours à l'affût derrière sa porte dans l'espoir
qu'il allait lui commander quelque chose à faire,
était certainement très honnête, mais non moins
certainement curieux.

Chez les Tibétains, la chambre de Jane et Sven
était vide. Plus que trois paillasses. Pas de sac. Il
entra dans les autres chambres, où traînaient et
dormaient quelques filles et garçons crasseux et
abrutis. Pas plus auprès d'eux qu'auprès de ceux
qu'il rencontra dans le jardin, il ne put obtenir de
renseignement. Il alla s'asseoir au restaurant où il
avait rencontré le Marseillais. Celui-ci n'y était
pas. La blonde à chignon était toujours là. Elle
avait changé de place. Elle était sur le banc d'en
face, elle regardait la porte, sans ciller, sans voir
quand quelqu'un entrait. Elle avait maigri, elle
se tenait moins droite, une mèche pendait de son
chignon dans son cou. Sa peau rose était devenue

blême, ses mains posées sur la table, sales, et ses ongles noirs.

Deux barbus assis de part et d'autre d'un jeu d'échecs le regardaient en semblant réfléchir. Pendant plus d'une heure qu'Olivier resta là, ni l'un ni l'autre ne bougea une pièce. A la fin, le patron, qui se souvenait d'Olivier, s'approcha de lui, et lui montra d'un geste la tablée qui attendait, sans impatience, sans même avoir conscience d'attendre, que quelqu'un vînt ou ne vînt pas payer le plat de riz collectif. Il demanda :

— *Rice... Riz... You pay?*

— Qu'ils crèvent! dit Olivier.

Il sortit, son sac dans le dos, le cordon lui sciant les doigts et l'épaule. Elle était lourde, cette déesse, et elle avait au moins mille ans, peut-être plus, il allait en exiger un bon prix. La nuit était tombée, les rues vides, à part quelques Népalais rapides, des hippies qui traînaient par deux ou trois, des chiens jaunes en quête de détritus, et des vaches couchées un peu partout.

Olivier se risqua dans la ruelle derrière « Ted and Jack. » Il n'y avait personne, toutes les fenêtres étaient éteintes, sauf celles de la maison même de Ted, au premier.

Un dernier coup d'œil. Il sortit la clef de sa poche. La serrure joua sans peine. Il entra et se trouva devant la tête de buffle. Il poussa doucement la porte, monta jusqu'au second. Les marches craquaient. Ainsi Ted saurait qu'il était arrivé.

Effectivement, à peine avait-il déposé la statue sur le bureau que Ted arriva et commença à lui reprocher aigrement d'être venu si tôt. C'était une imprudence folle, s'il continuait comme ça, il se verrait, lui, obligé de rompre leur association. Il se tut brusquement quand il vit la déesse, s'approcha, la prit, la soupesa, la regarda de tous côtés, remarqua les moignons des barres sciées, demanda des explications qu'Olivier lui fournit, insistant sur le fait qu'ils étaient la preuve de la très grande ancienneté de la statue.

Ted faisait la moue. Il dit que le temple pouvait fort bien avoir été construit il y avait cinquante ans, que la statue était d'un style bâtard, d'influence à la fois hindoue et chinoise. Un morceau banal. Il en offrit dix dollars.

Olivier était trop occidental pour comprendre que c'était là la base extrême, et même ridicule, par jeu, d'un marchandage qui est, en Orient, la règle de toute transaction.

Il n'y vit, comme lors de leur précédent marché, que l'expression de la malhonnêteté de Ted.

— Vous êtes un salaud! dit-il. Vous m'en donnez deux cents dollars ou je la fous par la fenêtre.

Il arracha la statue des mains de Ted et marcha vers le lourd rideau de feutre brodé d'animaux qui masquait la fenêtre unique.

Ted, avec une agilité incroyable, le rejoignit et le saisit à bras le corps.

— Mais vous êtes malade, mon petit!... On discute avant de se mettre en colère!... Deux cents dollars, vous dites?

— Oui.

— C'est de la folie. Mais vous êtes le fils de Jack, et vous devez sauver cette pauvre petite, je vous les donne!

Il alla ouvrir un coffre aussi clandestin que le frigo et qu'il couvrit de son corps pour qu'Olivier n'en vît pas le contenu. Quand il se retourna, il tenait quinze billets de dix dollars et le coffre était refermé. Il jubilait. Il avait été, dès le début, décidé à aller jusqu'à trois cents dollars. Elle en valait bien mille.

— Comment va-t-elle, cette pauvre enfant ? Cette histoire me fend le cœur...

— Je ne sais pas où elle est, ni son copain, dit Olivier, sombre. Elle n'est plus chez les Tibétains, personne ne peut rien me dire, ils sont tous dans les vapes ! Incapables de voir l'Everest s'il leur tombait sur le nez !

— Ne vous inquiétez pas, dit Ted en poussant Olivier doucement vers la porte. Ils sont sans doute partis faire un petit pèlerinage quelque part. Ils sont tous pareils, en train de tourner en rond autour de Katmandou, pour se donner l'illusion qu'ils peuvent encore bouger, qu'ils ne sont pas au bout de tout... En tout cas, si elle est partie, ça prouve qu'elle a moins besoin de drogue. La poudre, elle ne peut la trouver qu'ici. C'est plutôt bon signe !...

— Vous croyez ? dit Olivier tout à coup regonflé d'espoir.

— Evidemment !... C'est logique !...

Au moment de mettre le paquet de billets dans sa poche, Olivier, saisi d'une sorte de réflexe, se mit à les compter.

Il releva la tête vers Ted. Une telle audace tranquille dans l'escroquerie le stupéfiait.

— Mais... il n'y a que cent cinquante dollars ! Nous avions dit deux cents !

Ted sourit et lui tapota l'épaule.

— J'en ai retenu cinquante pour la caméra... Comme ça, maintenant, elle est à vous... Quand vous partirez, je vous la reprends au même prix... A moins que vous ne réussissiez à la vendre le double !... Si vous êtes un peu habile, ce n'est pas difficile.

Olivier se connaissait un peu en caméra. Il avait des copains qui en possédaient. Il savait que celle que lui avait confiée Ted était un vieux clou d'avant le déluge, déréglée, dévissée et prenant le jour de partout, et que sa seule chance de ne pas déchirer ou voiler la pellicule était qu'il n'y en avait pas un centimètre à l'intérieur.

Il eut envie de discuter de nouveau pour ces cinquante dollars, puis renonça. Il était épuisé, découragé, il voulait dormir, avant tout, dormir, il lui fallait repartir en chasse et faire plus vite. Il avait mis deux semaines pour gagner cent cinquante dollars. Essence, chambre, location de la moto déduits, il ne lui restait rien. Il décida de prendre plus de risques et de se battre à mort contre Ted pour tirer de lui le maximum. Il devait parvenir à se faire cinq cents dollars nets par semaine, pendant un mois. Après, du vent!... Mais d'*abord*, retrouver Jane.

Comme ils arrivaient ensemble à une porte du premier étage, une porte s'ouvrit et une femme s'y encadra. C'était Yvonne. Elle s'exclama :

— Olivier! Par exemple! Qu'est-ce que vous faites ici?

— Je...

— Il est venu me demander conseil, interrompit vivement Ted. C'est un gentil garçon, qui a une histoire sentimentale avec une gamine hippie. J'essaie de les aider... Allez vite la retrouver, mon petit, allez... Passez par-derrière, par-là... Par-devant, c'est fermé à clef. Tirez la porte derrière vous.

Olivier ne bougeait pas. Il regardait Yvonne qui était en tenue de brousse, visiblement arrivée depuis peu.

— Mon père est là ? demanda-t-il.

Brusquement, il se sentit comme un enfant que son père va pouvoir aider, un père costaud, un père qui sait, un père qui peut, un père, recours premier, un père...

— Non, dit Yvonne, je suis rentrée par l'avion. Il ne rentre que la semaine prochaine, avec les jeeps, quand il aura liquidé tout son monde... Mais revenez me voir ! Demain !

— Il reviendra ! Il reviendra ! dit Ted. Maintenant, il est attendu, le coquin...

Il poussait Olivier vers les marches, en souriant largement.

— Vous reviendrez ? Sûrement ? demanda Yvonne.

— Oui, dit Olivier.

L'APPARTEMENT DE Ted et Yvonne, au premier étage, ne comprenait que deux pièces, une petite chambre à coucher, occupée par un grand lit couvert d'une exquise couverture brodée, du Cachemire, et un grand living ouvrant sur le palier, avec fauteuils, bar, divan, trophées, les inévitables peaux de tigre sur le sol, et une table contre un mur, pour le moment encombrée par des armes qu'Yvonne avait rapportées de la maison de chasse, et environnée de valises.

Yvonne entra dans le living, suivie de son mari.

— J'espère que tu n'as pas entraîné ce gamin dans tes sales combines, dit-elle.

— Quelles combines ?... Je n'ai pas de combines... Et tu vois cet innocent dans une combine quelconque ? Il est encore plus bête que son père !...

Il suivit dans la chambre Yvonne qui ouvrait un placard mural et y prenait une paire de draps. Elle revint dans le living. Il la suivit.

— Je l'ai mis en rapport avec un type de la N.B.C. qui était de passage il y a deux semaines. Il lui a commandé un film sur les fêtes du Népal. C'est une bonne affaire. La télé américaine, ça paie bien, mais... Qu'est-ce que tu fais ?

Yvonne ôtait le couvre-lit de satin violine du divan et commençait à y étendre un drap.

— Tu vois, je fais mon lit...

— Mais... Mais... Ton lit...

— Mon lit n'est plus ton lit... C'est fini! Je te quitte!... Je m'en vais!...

Ted blêmit.

— Avec Jacques?

Elle acquiesça.

— Avec Jacques... Nous partons pour l'Europe... Dès qu'il arrive, nous prenons l'avion...

Il y avait un bouquet de fleurs fraîches dans un vase à proximité de Ted. Il arracha le bouquet du vase, le tordit entre ses deux énormes mains roses couvertes de poils transparents, et jeta au sol les queues d'une part, les fleurs de l'autre.

— Idiote!... Je sais que tu couches avec lui... Je vous laisse faire... Qu'est-ce que tu vas gagner, à t'en aller?

Elle s'arrêta de lisser le drap, se redressa vers Ted.

— Je veux vivre proprement!... Avec un type propre!... Tu peux comprendre ça?

Il eut l'air un peu étonné, puis se mit à rire.

— Vivre?... Vivre de quoi?...

— J'ai la terre de mes parents... Nous la mettrons en valeur. Je vendrai mes bijoux, et j'ai de l'argent...

— Quel argent?... Quels bijoux?... Ils sont à moi!... Je les ai payés et ils sont dans mon coffre. Ton compte en banque est à mon nom... Tu n'as qu'une procuration que je vais annuler demain matin à la première minute. Tu n'as rien! Pas un sou! Pas même ça!

Il prit le sac d'Yvonne posé près des armes, l'ouvrit, le vida sur la table, rafla les quelques billets et les deux bagues qui en tombèrent et les mit dans sa poche.

— Tu n'as rien!... Jacques n'a rien... Quand on ressemble à un porc, comme moi, et qu'on épouse une fille dont on a envie, on prend ses précautions pour la garder... Que je te dégoûte, je le sais, depuis le jour où je t'ai ramassée à Calcutta, où tu jouais Célimène! Tu jouais mal, mais tu étais belle. Votre tournée miteuse n'avait plus le rond pour retourner en France. Venir jouer Molière devant les crevards de Calcutta, c'était une fameuse idée! Vous n'aviez même plus de quoi bouffer!... Je t'ai offert à dîner, du champagne, une bague, une voiture, des robes, et le mariage!... Ça t'a paru tellement fabuleux que tu as accepté. Mais quand nous avons fait l'amour... Non, soyons exacts, il n'est pas question d'amour, du moins de ta part... Je t'ai prise, tu t'es laissé faire, mais je voyais ta petite gueule de Parisienne toute crispée... Tu fermais les yeux pour que je ne puisse pas y lire ton dégoût... Un gros type rose couché sur toi avec son ventre... Un gros porc, tu pensais, un gros porc... et suisse par-dessus le marché!... Je dois reconnaître que tu n'as pas triché, en faisant semblant d'éprouver du plaisir. Tu n'as pas vomi non plus, et quand j'ai eu envie de toi, chaque fois tu t'es laissé faire. Tu n'as pas prétendue que tu étais fatiguée, comme tant d'honnêtes épouses... Tu as payé loyalement... Donnant, donnant. Correct, Quand j'ai pris ce joli petit crétin de Jacques comme associé, je savais ce que je faisais. Tu allais trouver avec lui une compensation. Tu avais besoin d'un peu de joie. C'était normal... Mais je te supposais quand même un minimum d'intelligence... Tu ne t'imagines pourtant pas que ce type est capable de faire autre chose que de baiser et tirer des coups de fusil?... De quoi il va te faire vivre, ton beau chasseur?... De la chasse aux rossignols?...

Ted prit dans les bras d'Yvonne le drap qu'elle tenait encore, et arracha celui du divan.

— Je vais coucher dans mon bureau... Ta chambre est encore ta chambre... Tu es ici chez toi... Jusqu'à ton départ...

Il fit le tour d'un fauteuil de velours rouge qui barrait l'accès de la porte, se retourna vers Yvonne qui s'était assise sur le bord du divan, et qui le regardait avec des yeux à la fois pleins de terreur et de défi. Il s'appuya au dossier du fauteuil, laissant pendre les draps sur le velours.

— Mais qu'est-ce qui lui a pris, tout à coup, au petit homme? Il était très bien, ici, la situation lui convenait parfaitement!... Un métier qui lui permettait d'épater les princes et les milliardaires, une femme qui ne lui coûtait rien... Il a décidé tout à coup d'abandonner tout ça pour devenir bouseux?

Yvonne se leva, raide, sèche, méprisante.

— Tu ne peux pas comprendre... Il a rencontré son fils, et il s'est vu dans ses yeux, et il a eu honte... Il veut tout recommencer à zéro. Il veut devenir un homme.

Ted éclata de rire.

— Ah! Ah! Ah!... Un homme!... Ecoute! Je vais être beau joueur!... Je vous paye les billets d'avion... A tous les deux... Aller-retour!... Ça vous donne un an!... Il sera revenu avant trois mois... *Et tu le sais*... Ici, il est quelqu'un!... Là-bas, zéro! Il ne te le pardonnera pas! Il va se mettre à te haïr! Il te plaquera! Il reviendra en supersonique! Me supplier de lui rendre sa place!... Et tu courras derrière comme une pauvre folle!...

Il ramassa les draps pour sortir, sourit, s'arrêta.

— Mais après tout, sous ses airs infantiles, il sait très bien mener sa barque... il s'est toujours arrangé pour mener une vie très agréable... Sans argent... Mais avec celui des autres... Quand tu lui auras dit que contrairement à ce qu'il croit tu n'as pas un quart de roupie, je te parie une nuit de noces qu'il n'aura plus aucune envie de partir... Tu tiens le pari?...

Elle ne répondit pas. Il lui souhaita une bonne nuit et sortit.

Elle s'approcha lentement de la glace qui surmontait les tables où étaient entreposées les armes. Elle se regarda, sans pitié. Le climat la détruisait, et la détruisaient aussi son horreur des amours de Ted, et la bataille dans son cœur entre son amour et son mépris pour Jacques. Elle vit dans le miroir son teint jaunir, ses joues tomber, des rides creuser les coins de sa bouche, flétrir ses yeux, ses seins fléchir, sa chair mollir. Elle sentit le poids ignoble de Ted sur son ventre et son odeur de bête rousse quand il transpirait sur elle, elle entendit Jacques pérorer, rire, le vit parader, inconscient, indifférent, satisfait, pas même jaloux... Elle savait qu'il ne partirait pas. Ted avait raison. Elle pourrirait sur place, entre ce porc et cet égoïste, et quand elle serait devenue imbaisable, Ted la rejetterait quelque part dans Calcutta, et Jacques laisserait faire, gentiment, avec beaucoup de sympathie.

Elle ouvrit le tiroir de la table, y prit un tube de tranquillisant. La dose conseillée était de deux comprimés.

Elle en prit six.

Le lendemain matin, Olivier sortit de chez Boris à la première heure. Au passage, le concierge lui remit une lettre qu'on avait apportée depuis plusieurs jours. Olivier demanda pourquoi on ne la lui avait pas remise la veille, à son arrivée. L'homme s'excusa, sur un ton désagréable. C'était un Indien. Olivier ouvrit la lettre. Quelques mots sur un vieux papier sale.

Tu es con, Jane t'aime. Dépêche-toi. Sven.

Les deux lignes d'une écriture hésitante, tremblée comme celle d'un grand vieillard, se courbaient, penchaient et tombaient sur la droite de la feuille. Le tracé d'une fleur, commencé sous la signature, n'avait pas été achevé.

Le concierge, nettement malveillant, ne put ou ne voulut pas dire depuis quand ce message attendait. Fou d'inquiétude, Olivier courut jusqu'au palais des Tibétains, ne trouva rien, n'obtint rien des hippies qu'il interrogea dans les rues et parfois secoua, parvint à la Place des Temples, posa encore vingt fois la même question :

— Jane ? Sven ?... Jane ? Sven ?...

qui provoquait toujours les mêmes gestes évasifs, indifférents, les mêmes sourires absents...

Il pensa brusquement qu'Yvonne pourrait peut-être le conseiller. Il se dirigea vers la rue qui conduisait chez « Ted and Jack ». Au moment où il allait quitter la place, il entendit la voix aigrelette et fausse d'une flûte qui jouait *Plaisir d'amour*... Le Marseillais!... Il ne se rappelait plus son nom... Il courut, tourna autour du grand temple, fendit un groupe de paysannes qui riaient... Gustave, voyant surgir son visage ravagé, s'arrêta de souffler dans son tuyau.

SVEN EST MORT.
*Ils le brûlent aujourd'hui à Pashupakinat. Jane
doit y être... Oui, sûrement, elle y est...*

C'était cela qu'avait dit le joueur de flûte. Olivier,
sur sa moto, se répétait les derniers mots : « Jane
y est, Jane doit y être. »

Il roulait manette des gaz à fond, sans voir la
route. Des réflexes hors de sa conscience guidaient
son engin et lui-même. Il doublait, croisait, à gauche,
à droite, les camions et les cars, ne sachant plus ce
qui était sa gauche ni sa droite, terrifiant les familles
trotteuses, faisant s'envoler, loin de chaque côté de
la route, des escadres d'oiseaux affolés par le bruit
du moteur au paroxysme. Il était comme le vent de
la tornade qui rugit entre les obstacles et passe...

Il s'arrêta en haut de la vallée crématoire, descendit de sa moto, la mit sur sa cale et vint jusqu'en
haut des marches. Ses jambes tremblaient.

L'escalier qui descendait jusqu'à la rivière sacrée
était assez large pour donner passage au défilé
d'une armée ou d'un peuple. Mais entre les deux
rangées d'éléphants qui le bordaient trompe en
l'air, face à la rivière, il était désert du haut en bas.
Chacun des éléphants de pierre avait dix fois la

taille d'un éléphant vivant. Ceux du bas paraissaient gros comme des lapins. La plupart ne brandissaient plus qu'un moignon de trompe, les marches de l'escalier étaient disjointes et ébréchées, les deux flancs de la vallée n'étaient qu'une forêt de temples, d'autels, de stèles, de statues, dont aucun n'était vraiment ruiné, mais tous un peu écornés, ou penchés, prêts à s'écrouler dans quelques jours, ou peut-être dans quelques siècles seulement.

Sur ce peuple de pierre figé dans son mouvement invisible, à l'échelle de l'éternité, s'ébattait le peuple accéléré des singes sautant et jacassant, bondissant sans arrêt comme des puces pourchassées, de l'épaule d'un dieu sur la tête d'une déesse ou à l'oreille d'un éléphant.

Quelques cortèges d'hommes apportaient sans hâte leurs morts accompagnés d'oriflammes de couleur et d'une musique aigre.

A gauche des marches, tout en bas, un immense Bouddha en or dormait, couché dans l'eau d'un bassin ovale, enfermé pour toujours derrière sept murailles sans portes. On ne pouvait le voir et lui rendre hommage que depuis le haut de l'escalier. Personne ne l'avait approché depuis mille huit cents ans, quand avait été scellée autour de lui la première muraille. Le bassin était toujours plein, et son eau claire. Les mains du Bouddha étaient jointes sur sa poitrine, et ses deux petits doigts réunis émergeaient de l'eau et brillaient.

Olivier se mit à descendre l'escalier en sautant les marches comme une balle qui rebondit. Les singes, juchés sur le dos des éléphants de pierre, criaient et bondissaient d'excitation à son passage. Il avait vu d'en haut les bûchers. Trois brûlaient déjà, d'autres attendaient les morts ou la flamme. Ils

étaient dressés sur le quai, chacun sur une sorte de
plate-forme de pierre nue, le long de la rivière qui
en recevait ensuite les cendres.

La rivière était presque à sec. Un mince courant
serpentait d'une rive à l'autre, à travers une vase
noirâtre et craquelée. Des femmes rieuses trempaient du linge dans le peu d'eau qu'elles trouvaient. Des ceintures et des chemises aux couleurs
estompées par la crasse séchaient sur une corde
tendue entre la pointe d'une petite chapelle et les
bras levés d'un dieu.

A une certaine hauteur de l'escalier, à un certain
bond vers les marches, après d'autres · sauts et
d'autres bonds, Olivier plongea dans l'*odeur*. Elle
faillit l'arrêter. C'était l'odeur de chair grillée,
brûlée, carbonisée, mêlée à celle de la fumée du
bois sur lequel coulaient la graisse et la sanie des
corps éventrés par le feu.

Il pensa que Jane était là, en bas, tout près d'un
de ces foyers horribles. Il fonça.

Sven était étendu sur les bûches traditionnelles,
sur un petit nombre de bûches, il faut très peu de
bois pour brûler un homme. Dans le processus d'une
mort naturelle, sauf en cas de quelques maladies
particulières, les derniers jours et surtout les dernières heures du passage délivrent l'homme de son
eau, le reste brûle comme une bougie. L'eau est
le support universel de la vie. Celui qui va mourir
n'a plus besoin d'elle, elle n'a plus rien à faire chez
lui, elle le quitte, il devient sec, menu, réduit à
l'essentiel. S'il est conscient et consentant, il sait
que ce qui le quitte et que ce qui reste encore et
qu'il va quitter n'est rien de lui, seulement un peu
de ce tout sans cesse en changement de lieux, de
temps, et de formes. Ce qu'il est, lui, il n'en sait

rien, mais s'il accepte en paix, peut-être deviendra-
t-il au dernier instant quelque chose dans la paix,
après tant de batailles déchirantes et vaines.

S'il refuse et s'il a peur, peut-être continuera-t-il
à refuser, à se battre et à avoir peur, comme pendant cette vie qu'il vient de parcourir et qui arrive
à son bout. Mais le plus souvent l'injuste souffrance
le tord et l'occupe, rendant impossible sa présence
consciente à l'instant de sa mort, ou bien la piqûre
autorisée par un médecin pitoyable le plonge dans
l'absence, et le passage se fait sans lui.

Qu'advient-il de ces clandestins ? Qu'advient-il
des autres ? Les dix mille dieux de Katmandou le
disent-ils à ceux qui les comprennent ? Les fleurs
du cerisier chaque printemps rouvertes donnent-elles
la réponse ? Le vol des oiseaux l'inscrit-il sur le
ciel ? Nous avons des yeux et nous ne voyons pas.
C'est notre seule certitude.

Ceux de Sven étaient clos sur cette vie. Son
visage était détendu et tranquille, entouré de ses
cheveux et de sa barbe blonde que quelqu'un avait
peignés et fleuris. Il y avait d'autres fleurs disposées
partout, sur lui et sur le bûcher. Sa guitare était
posée sur son ventre, et ses mains croisées sur elle
tenaient un rameau vert qui ressemblait à un
oiseau.

Quand Olivier arriva, un grand garçon maigre,
vêtu d'une sorte de voile blanc, serré à la tête et à
la ceinture par un cordon doré, était en train de
mettre le feu aux quatre coins du dernier lit de
Sven avec une torche de papier. Une vingtaine de
hippies, garçons et filles, accroupis en cercle autour
du bûcher, chantaient à voix basse une chanson
américaine dont Olivier ne comprenait pas les
paroles. Son air était à la fois mélancolique et

joyeux. Une fille jouait de la flûte, un garçon tapait du bout des doigts sur une sorte de tambourin. Des cigarettes de hachisch passaient de bouche en bouche, interrompant une voix dans le chœur, en délivrant une autre. Une femme qui semblait âgée d'une cinquantaine d'années, assise à la hauteur du visage de Sven, aspirait goulûment, à la fois par la bouche et par le nez, la fumée d'une cassolette. La barbe et les cheveux de Sven s'enflammèrent, illuminant son visage. La fumée du hachisch se mêlait à celle du bûcher. Jane n'était pas là. Olivier s'en était rendu compte d'un seul coup d'œil.

Il la vit en se retournant. Elle était couchée au pied d'une sorte de pilier triangulaire, gravé sur chaque face d'un dieu au front frotté de rouge, de jaune ou de blanc par la piété des passants.

Elle était exactement dans la même position que la fille qu'il avait prise pour elle, au bord de la mare aux porcs. Il eut peur, et l'espoir, de se tromper encore, s'agenouilla, écarta ses cheveux, et la reconnut.

Elle respirait à peine. Ses yeux étaient fermés, ses cheveux emmêlés, son visage gris de saleté. Submergé de fatigue, de pitié et d'amour, Olivier faillit succomber à sa détresse, s'allonger à côté d'elle et se mettre à sangloter.

Il ferma les yeux, refoula ses larmes, l'appela doucement par son nom. Elle ne bougea pas, ne répondit pas.

— Elle t'entend pas, elle est bourrée, dit une voix au-dessus de lui.

Il leva la tête, vit un personnage aux longs cheveux gris vêtu de défroques mi-européennes mi-orientales. Il fumait une pipe. Et cette pipe miraculeuse ne sentait que le tabac.

— Bourrée ? demanda Olivier, dans la tête de qui refusait d'entrer l'évidence...

L'homme s'agenouilla à côté de lui. Il sentait la sueur, la crasse et le tabac français. Il souleva la manche de la blouse de Jane, dévoilant la saignée du bras gauche, marbrée de piqûres et de croûtes.

— Héroïne, dit-il. On trouve de tout, dans cette saloperie de pays... Excuse-moi, j'ai tort... C'est pas le pays qui est une saloperie. C'est un pays épatant... J'y vis depuis dix ans, je le quitterai jamais... La saloperie, c'est ce que les salauds y apportent... Et la pourriture ambulante de cette bande de connards !...

Il montra les hippies chantonnant et dodelinant du buste autour du bûcher de Sven qui commençait à flamber bellement.

— Elle est belle, dis donc ! continua l'homme. Ce qui m'étonne, c'est qu'elle ait pas déjà été embarquée pour les bordels de Singapour ou de Hong-kong. Ça commence à s'organiser, par ici, les ramasseurs. Elle a dû se défendre, la poulette !... Pour ce que ça lui a servi...

— Elle est très mal, tu crois ?

— Je suis pas toubib... Mais pas besoin... Tu t'en rends compte comme moi... Si on pouvait la fourrer en clinique tout de suite... Mais ici !... T'as pas des pipes françaises, des fois ?... On vit pour rien ici, mais ce putain de tabac, faut le faire venir par avion, c'est la ruine !...

Olivier s'était levé et regardait l'interminable succession des marches de l'escalier qui semblait monter jusqu'au ciel.

— Je vais l'emmener... J'ai ma moto en haut... Tu veux m'aider à la porter ?...

— Personne aide personne, dit l'homme... Tu

crois aider, et tu fais du mal. Personne sait ce qui est bon et ce qui est mauvais... Tu veux l'emmener, tu as peut-être raison, ou peut-être il vaut mieux la laisser là... Tu en sais rien... Moi non plus...

Il cracha par terre et s'éloigna.

Olivier le vit se baisser, ramasser quelque chose, mégot ? croûte oubliée par les corbeaux et par les singes ? Le mettre dans sa poche et se diriger vers le petit pont, clochard d'un pied dans l'Occident et l'autre en Orient, philosophe, égoïste...

Personne n'aide personne... Personne... Personne...

Olivier, debout devant Jane inconsciente, regardait les morts fumer, les vivants se balancer, les dieux boiter, les singes sauter, et tout cela dans ses yeux devint peu à peu rouge comme une flamme, tout cela était une flamme énorme qui brûlait tout et tous dans une absurdité totale, sans raison et sans but, un incendie universel de douleur et de connerie.

Jane...

Il y avait elle et il y avait lui, et une chose simple à faire : essayer de la sauver.

Il se baissa, la ramassa avec une précaution infinie, ne sachant pas si un mouvement un peu brusque ne risquait pas d'être fatal à son cœur.

Quand elle fut dans ses deux bras, en travers de sa poitrine, il commença à monter l'escalier interminable entre les éléphants aux trompes brisées. Le ciel était là-haut. Il y parviendrait. Elle était dans ses bras, elle ne pesait rien, il l'emportait, il la sauverait. Que brûle le monde...

J̲ANE, TOUJOURS IN-
consciente, était étendue sur un lit. Un médecin
était en train de mesurer sa tension. Il n'en croyait
pas ses yeux ni son cadran. Il appuyait de nouveau
sur sa poire, lâchait la pression, recommençait.
Bien qu'il fût britannique, au troisième essai il ne
put s'empêcher de faire une grimace, releva
la tête vers Yvonne et lui dit en anglais :

— Presque zéro... Logiquement, elle devrait être
morte.

Olivier ne comprit qu'un seul mot : « *dead* » :
morte.

Il s'insurgea :

— Ce n'est pas vrai! Elle n'est pas morte!

— Chut, dit Yvonne. Il ne dit pas ça... Il dit
qu'il va la sauver...

Le médecin comprenait le français et comprenait
qu'Olivier avait besoin d'être réconforté. Mais la
sauver... Lui en tout cas... Il se garda d'exprimer son
scepticisme, commença à rédiger une ordonnance,
et donna des instructions à Yvonne.

Pour l'instant, la malade était intransportable.
Dès qu'elle serait en mesure de supporter un déplace-
ment, il faudrait la conduire à la clinique de
New Delhi pour laquelle il leur donnerait une lettre

d'introduction. Dans l'immédiat, on allait lui faire une perfusion et il faudrait la nourrir dès qu'elle serait en état de manger. Des bouillies, des farines, comme un bébé. Puis tout ce qu'elle voudrait. Pour l'héroïne, on ne pouvait pas l'en priver, cela la tuerait.

Il allait revenir avec le sérum pour la perfusion, et une boîte d'ampoules qui constituaient déjà le début d'un traitement : une solution d'héroïne mêlée à un autre produit. Il leur donnerait en même temps la lettre pour la clinique. On ne trouvait vraiment pas une infirmière convenable, ici, il était obligé de tout faire lui-même.

Il sortit rapidement. Ce n'était pas un très bon médecin, mais il le savait, et il savait aussi que le plus important, dans ce cas, était d'agir vite. Il avait déjà peur qu'il ne fût trop tard quand il reviendrait.

Yvonne expliqua à Olivier ce qu'il avait dit. Elle le fit asseoir et lui proposa du café ou de la nourriture, qu'il refusa. Il était au pied du lit, sur une chaise, le visage couvert de poussière, et ne quittait pas Jane des yeux. Il avait réussi à la faire tenir assise sur le siège de la moto derrière lui, le temps de s'asseoir à son tour et de l'attacher contre son dos avec sa chemise.

Il était revenu à une allure d'escargot, évitant les moindres cailloux. Parfois elle glissait, à gauche ou à droite ; il avait dû s'arrêter pour passer les bras de Jane autour de son propre cou et lui nouer les mains sous son menton, avec un mouchoir.

Il s'était dirigé tout droit vers « Ted and Jack », Yvonne seule pouvait l'aider.

Le médecin revint, suspendit au-dessus du lit la grosse ampoule de sérum, installa le caoutchouc, perça la veine, régla le goutte à goutte. Il avait apporté des bandes de toile, avec lesquelles il ficela Jane sur le lit. On pourrait la libérer quand elle aurait repris connaissance, mais *vraiment* connaissance, et à ce moment-là seulement lui faire sa toilette et la déshabiller.

Dans la veine de l'autre bras, il injecta une ampoule d'héroïne. Il montra à Yvonne comment il fallait faire. C'était délicat. Surtout pas une bulle d'air... S'il pouvait, il reviendrait lui-même faire les injections. Mais il était tout seul, et tant de malades...

Surtout ne pas céder aux supplications de la malade si elle réclamait une autre piqûre dans la journée! Et ne pas laisser les ampoules et la seringue à sa portée! Dans son état, une dose trop forte pouvait la rendre folle, ou la tuer.

— JE VOUS REMERCIE de l'avoir accueillie chez vous, dit Olivier.

Il était assis sur le divan, dans le bureau de Ted, un verre de Coca à la main. Ted, debout, bien rose, bien frais, souriant, buvait un whisky.

— C'était la moindre des choses, dit-il.

— Non... Vous auriez pu me dire de l'emmener à l'hôpital... Elle y serait morte... Maintenant, elle est sauvée... Grâce à vous... Je ne l'oublierai jamais...

Au bout de trois jours, Jane semblait avoir ressuscité. Quand elle avait rouvert les yeux, Olivier était devant elle. Dans ses veines coulait l'horrible apaisante héroïne. Un lent bonheur l'avait entièrement envahie. Olivier... Olivier... Olivier... Il était là. La joie était arrivée jusqu'à son visage, donnant du rouge aux joues et de l'éclat aux yeux dont le violet était devenu bleu pâle. Elle avait souri, ouvert les lèvres. Elle avait dit dans un souffle :

— Olivier !...

Il lui avait souri à son tour, en serrant bien les lèvres, en reniflant et en battant des paupières, pour escamoter le début des larmes qu'il n'avait pu empêcher de surgir. Il avait tapoté sa main encore immobilisée par les sangles. Il avait enfin pu parler :

— Ça va!... Tout va bien!...

Le médecin, revenu, avait été étonné, très heureusement étonné. Il déclara qu'on pourrait bientôt la transporter. Elle se nourrissait volontiers. Elle avait, en quarante-huit heures, repris des couleurs, et semblait-il, un peu de poids.

Yvonne lui faisait sa piqûre le matin. Olivier ne la quittait pas de la journée. C'était le soir qui était pénible, quand Olivier s'en allait et que le manque d'héroïne commençait à se faire sentir. Yvonne descendait la seringue et les ampoules dans son appartement, hors de sa portée. Sachant qu'il n'y avait rien à faire, elle finissait par s'endormir, se réveillant de plus en plus fréquemment à mesure que la nuit avançait, sentant croître l'angoisse et la souffrance, jusqu'au moment bienheureux où Yvonne arrivait...

— Dans deux ou trois jours, je crois que je pourrai l'emmener à Delhi, dit Olivier. Pour le voyage et le traitement, malheureusement je n'ai pas l'argent. Pouvez-vous me prêter mille dollars ? Je vous les rembourserai après, en travaillant pour vous, pour rien...

— Vous êtes un très gentil garçon, dit Ted... Et cette enfant est ravissante... Mais mille dollars !... Vous vous rendez compte ?... Et si vous ne revenez pas ?...

Olivier se leva brusquement.

— Vous me prenez pour qui ? Je vous signerai des papiers !

— Ils me feront une belle jambe, vos papiers, si vous êtes au diable !

Olivier blêmissait. Il posa brutalement son verre sur le bureau.

— Ne vous énervez pas... dit Ted. Je ne peux pas

vous prêter une somme aussi énorme... Voyons...
Vous devez bien le comprendre!... Soyez raisonnable!... Mais je peux vous la faire gagner... Vous
êtes déjà allé à Swayanbounath?

— Oui...

— Vous connaissez ce qu'on appelle la Dent du
Bouddha?

Olivier fronça les sourcils, essayant de se rappeler.

— Bon, je vais vous montrer...

Ted posa son verre et s'en fut chercher sur un
rayon un livre de grand format dont il tira une série
de photos en couleurs. Il les étala sur le bureau.
Elles représentaient, pris sous différents angles, un
Bouddha en bois polychrome, curieusement coiffé
d'un turban, portant de fines moustaches, et une
énorme émeraude rectangulaire enchâssée dans le
nombril. Il était niché dans une petite chapelle,
au sommet de laquelle était relevé un rideau de
grosses mailles de fer forgé.

— Ah oui, je vois... dit Olivier.

— Bon!... Il a la réputation d'être le portrait
authentique du Bouddha, fait d'après nature, de son
vivant, ce qui lui donnerait au moins deux mille
cinq cents ans d'âge... Il suffit de le regarder pour
se rendre compte qu'il est infiniment plus récent.
L'influence persane est évidente. C'est d'ailleurs,
pour moi, ce qui fait sa rareté et sa valeur. Mais pour
les fidèles qui viennent l'adorer de tout l'Orient,
presque comme le Bouddha lui-même, c'est le vrai,
l'unique portrait véritable de Çakya-muni, authen-
tifié par ceci...

Ted posa son doigt rose sur l'image de l'émeraude-
nombril.

— Une dent de Gautama lui-même, prise sur lui
après sa mort... Joli brin d'incisive, n'est-ce pas?...

Il rassembla les photos, les remit dans le livre qu'il replaça sur le rayon.

— J'ai un client pour ce petit Bouddha... Un Américain, bien sûr... Il revient chaque année. Il me demande : « Alors, cette dent ?... » Je n'ai jamais voulu marcher. C'est trop risqué. Mais si vous voulez tenter votre chance... Il en offre cinq mille dollars.

Olivier fut suffoqué par l'énormité de la somme. Ted lui fit remarquer que si l'émeraude était authentique, elle vaudrait à elle seule plus que le double. Mais il avait pris la précaution de la faire photographier avec des filtres adéquats. C'était seulement du verre teinté. Il valait mieux ne pas le dire à l'Américain, mais ce n'était pas le bijou qui l'intéressait, seulement la rareté de la statue.

Il s'était constitué un musée fantastique, qui devait être truffé de quelques pièces bien cocasses... C'était lui, Ted le savait, qui avait fait scier et emporter la tête du Roi Lépreux à Angkor, faute de pouvoir transporter la statue entière, trop volumineuse. Mais il prétendait posséder aussi une mèche de la barbe du Christ, coupée par un soldat romain. Ce qui était pour le moins discutable...

— Il est ici en ce moment, à l'Hôtel Himalaya. Si ça vous intéresse...

— Je marche! dit Olivier.

— Je m'en doutais. Vous êtes le seul à pouvoir réussir ça. Vous avez un motif plus impérieux que la simple cupidité, vous avez du culot, de l'agilité, du coup d'œil, et vous ne doutez de rien... Il se nomme Butler... Je l'avertirai... C'est *tout* ce que je ferai... Je ne me mêle de rien! Dès que vous avez la pièce, vous la lui portez à l'hôtel, il vous donne la somme, vous m'en apportez la moitié...

— Quoi !...

— Vous ne pensez tout de même pas que je vous sers cette affaire sur un plateau uniquement pour votre plaisir ?... Mais je vais vous faire faire des économies !... Il est venu avec son avion personnel. Je lui demanderai de vous emmener avec la petite, et de vous déposer à Delhi. Dès qu'il aura l'objet, il n'aura qu'une hâte : s'envoler pour aller le mettre à l'abri. Si vous le lui apportez la nuit, dès le matin vous serez partis tous les trois. Plus personne, plus de traces ! C'est un coup superbe ! Il dépend uniquement de vous de le réussir... Si vous le ratez...

— Je ne le raterai pas, dit Olivier. Mais je ne suis pas d'accord pour le partage. Deux mille pour vous, trois mille pour moi...

— Vous êtes en train de devenir quelqu'un, dit Ted en souriant. D'accord..

— Y A UNE LETTRE pour vous, Mme Muret, dit Mme Seigneur.

— Oh mon Dieu! Oh mon Dieu! C'est de mon petit! Vous m'excuserez !... J'y avais dit de m'écrire ici... J'avais peur des policiers... Je savais pas qu'y aurait une amistie... Oh mon Dieu, j'y vois rien... Mes lunettes sont sales... Vous voulez pas regarder, dites ?...

Il était encore tôt quand la gram' arrivait. mais Mme Seigneur était déjà derrière sa caisse, l'œil veillant à tout, et les premières clientes entraient, les plus jeunes femmes, pour le lait frais du premier biberon, les plus vieilles aussi, les solitaires qui ne dorment plus guère, qui sont debout avant le boulanger, qui ne savent que faire de ce qui leur reste de vie, et vont de boutique en boutique, dès l'ouverture, acheter quelques miettes, ou rien du tout, tâter la marchandise, discuter, se donner l'impression qu'elles ont encore besoin d'entretenir leur existence...

Les lunettes de Mme Muret n'étaient pas sales, rien n'était jamais sale sur elle ni dans elle, mais ses yeux étaient embués et ses mains tremblaient. Elle tendit l'enveloppe à Mme Seigneur qui l'ouvrit. Elle contenait une carte postale, et un billet de dix dollars.

— Eh bien dites-donc! Il a l'air de se débrouiller, votre gamin!.

Le billet en dollars avait rendu Mme Seigneur pleine de considération et d'un peu de hargne. Les jeunes! Y en a que pour eux! Milliardaires à vingt ans, rien qu'en vendant des cravates! Qui aurait cru ça de ce petit Olivier?

La grand-mère s'impatientait. :

— Qu'est-ce qu'il dit? Qu'est-ce qu'il dit?

— Il dit : « Ne t'inquiète pas, je vais bien, tout va bien. Fais changer le billet dans une banque. Je t'embrasse. Olivier. »

— Il va bien! Il va bien! Oh mon Dieu, soyez béni!... Il dit pas où il est?... D'où elle vient, la carte?...

Mme Seigneur regarda la carte et vit une montagne couverte de neige.

— Du Mont Blanc, dit-elle...

— Oh! Ben par exemple! Qu'est-ce qu'il fait sur le Mont Blanc? C'est bien encore une idée à lui, çà!...

Mme Seigneur eut un soupçon. Ce n'était peut-être pas le Mont Blanc... Elle chercha une inscription. Elle la trouva au dos, en plusieurs langues étrangères.

— C'est pas le Mont Blanc, dit-elle, c'est pas écrit en français... Y a un nom, Katmandou... Puisqu'il vous envoie des dollars, ça doit être en Amérique...

Mme Muret joignit les mains, extasiée :

— En Amérique ... Quel bonheur ! Il va y rencontrer sa mère! Vous savez que Martine est partie là-bas, depuis que son pauvre patron a eu cet accident... Vous voyez, on se fait du mauvais sang, on se ronge les sangs, et puis les choses finissent par s'arranger, le Bon Dieu est pas si mauvais... Merci, Madame Seigneur, merci!... Je monte tout de suite passer l'aspirateur...

Elle prit le billet, l'enveloppe et la carte, traversa à petits pas la boutique lumineuse qui sentait le lait frais et les bons fromages, elle était innocente et bonne comme eux, et enveloppée de bonheur comme d'un papier transparent.

A MI-CHEMIN DE LA
Montagne, au sommet d'une haute montagne entourée d'un cercle de montagnes plus petites, se dresse
le temple de Swayanbounath.

Il a la forme d'un sein blanc dont la base est
grande comme une ville.

A l'intérieur, juste au centre du Temple et du
sommet de la montagne, reposent depuis vingt-cinq
siècles les restes du prince Sidharta Gautama, qui
devint le Bouddha Çakya-muni, en découvrant
la voie sur laquelle doivent s'engager les hommes qui
veulent se délivrer à jamais de la souffrance.

Ainsi Swayanbounath constitue-t-il un des trois
sommets qui équilibreront la rotation du monde,
le second étant le Golgotha, sur lequel, cinq siècles
plus tard, Jésus-Christ ouvrit une nouvelle voie,
en prenant sur lui la souffrance des hommes.

Le troisième sommet n'est pas encore surgi des
eaux. C'est pourquoi la souffrance est encore présente partout, injuste et inexplicable.

Le temple de Swayanbounath, vieux de deux
mille cinq cents ans, est resté neuf, entretenu sans
arrêt depuis sa construction par la ferveur, la technique et l'adresse d'un peuple d'artisans qui vivent
dans les villages des montagnes en cercle autour de

la montagne, et qui ne font rien d'autre depuis vingt-cinq siècles, que de réparer ce qui s'use, et remplacer ce qui ne peut plus être réparé. Mais la masse du Sein elle-même, construite et hermétiquement close une fois pour toutes autour du Bouddha, n'a jamais subi, depuis, aucun déséquilibre ni affaissement.

Sa pointe est constituée par une tour quadrangulaire recouverte d'or, que prolongent vingt et un disques d'or de plus en plus petits, les derniers s'enfonçant à l'intérieur d'une couronne surmontée par un cône. Celui-ci, que termine une boule, est protégé par une pyramide formée de trois arbres d'or qui se rejoignent en leur sommet en forme d'une triple croix.

Du sommet de la pyramide partent des milliers de fils qui rejoignent tous les points de la montagne et des montagnes autour d'elle, les sommets de tous les temples secondaires, de tous les bâtiments, de toutes les chapelles, des arbres, des poteaux, de tout ce qui surgit et s'élève. A ces fils sont suspendus des rectangles d'étoffes de toutes couleurs que le vent agite sans cesse. Sur chacun de ces rectangles, la main d'un homme a écrit une prière. Ainsi le vent qui passe et les agite prie jour et nuit en dix mille couleurs.

La blancheur immaculée du Sein est entretenue sans arrêt par des peintres vêtus de blanc, le visage et les mains fardés de blanc, qui se déplacent heure après heure, jour après jour, dans le sens du soleil, chacun à la hauteur voulue pour que se rejoignent les tranches de blancheur qu'ils peignent tout le long de leur vie, voués à la tache unique de la blancheur, perdus dans le blanc.

Sur chacune des quatre faces de la tour d'or sont

peints les yeux immenses du Bouddha. Leur iris
sans pupille est bleu de nuit, à demi recouvert par
la courbe infléchie, bleu pâle et or, de la paupière
supérieure, que surmonte l'arc parfait du sourcil
bleu roi. Le regard n'est ni inquisiteur, ni indulgent,
ni sévère. Ce n'est pas le regard qui juge ou qui ex-
prime. C'est le regard qui voit, dans les quatre
directions.

Une foule continuelle de pèlerins serpente sur les
sentiers, parmi les montagnes en cercle, et monte
vers le Temple par tous les chemins et les escaliers
qui y conduisent. Autour du Sein lui-même s'étend
une vaste place couverte de bâtiments annexes,
de chapelles, de stèles, de statues de tous les dieux
de l'Hindouisme et du Tantrisme qui sont venus,
eux aussi, rendre hommage à la sagesse du Bouddha.
Et parmi eux circulent sans arrêt les fidèles, les
chiens, les singes, les canards, les porteuses d'eau,
les donneurs de fleurs, les bonzes, les mendiants, les
vaches, les hippies, les touristes-photo, les marchands d'oignons, les moutons, les pigeons, les corbeaux couleur de cigare, les enfants joueurs de vio-
lon, une foule multicolore et lente sur qui palpi-
tent les ombres légères des cent mille prières du
vent.

Olivier avait repéré dans l'après-midi la chapelle
de la Dent, et s'était arrêté longuement devant le
petit dieu moustachu. Il n'aurait pas de surprise
comme avec la déesse aux six bras. La statue de
bois était simplement posée sur un court piédestal
de pierre, fixée à lui par deux chaînes scellées dans
la pierre et reliées par leur autre extrémité à des
anneaux plantés dans le socle de la statue. Entre
l'anneau et l'extrémité de chaque chaîne s'interpo-
sait un étrange et énorme instrument qu'Olivier

reconnut pour en avoir vu de semblables dans une boutique de Katmandou. Cela ressemblait à la fois à un canon de mortier et à une arbalète : c'était un cadenas.

Toute cette ferraille était épaisse et forgée à la main, mais Ted avait donné à Olivier une cisaille démultipliée capable de trancher les câbles du pont de Tancarville. Il n'y avait pas de problème de ce côté-là, même si on rabattait pour la nuit, devant la chapelle, le rideau d'acier dont chaque maille avait l'épaisseur d'un pouce.

La difficulté provenait de la foule.

Olivier se rendit compte que rien n'était possible pendant le début de la nuit. Il redescendit jusqu'au fond de la vallée où il avait laissé sa moto à côté d'un ruisseau, mangea les provisions qu'il avait apportées, s'allongea, son sac sous la tête, et vit s'allumer une à une les étoiles énormes. Il s'endormit en pensant à la vie qu'il allait construire pour Jane avec les trois mille dollars. D'abord la guérir, ensuite l'emmener dans un pays neuf, un pays propre, le Canada peut-être, avec ses grandes neiges, ses hommes simples, ses arbres et ses haches. Et la rendre heureuse jusqu'à son dernier jour. Jamais le petit Bouddha enturbanné, depuis les siècles qu'il existait, n'aurait favorisé un destin aussi clair, une action aussi radieuse. C'était pour cela, sûrement, et pour cela seulement, qu'il avait été sculpté, peint et enchaîné en ce lieu, attendant avec la patience d'un arbre et d'un dieu qu'un garçon au cœur aussi pur que le sien vienne couper ses chaînes et l'emporter vers l'amour.

La lune en se levant réveilla Olivier. Il avait un peu froid, mais il se réchauffa vite en montant vers le Temple. Il croisait des groupes ou des individus isolés qui descendaient. Il comprit qu'il lui faudrait certainement attendre encore.

Cela lui fut confirmé lorsqu'il arriva sur la place. Il y avait encore un peu partout, entre les chapelles et les stèles, des petits groupes en prière, ou qui traînaient avant de s'en aller, ou des marchands qui repliaient lentement leurs petits tas de poudre de couleur dans des morceaux de papier. Des flammes de lampes palpitaient un peu partout. Olivier s'approcha de la chapelle de la Dent, pas trop, mais assez pour l'avoir sous son regard, posa son sac à terre et s'installa pour passer là la nuit, ce qui n'avait rien d'extraordinaire. Il constata avec satisfaction que le rideau de mailles d'acier était resté levé. On ne devait sans doute jamais le baisser. On comptait, plus que sur n'importe quoi, sur la vénération inspirée par la Dent, pour la défendre contre toutes les convoitises.

Peu à peu, à mesure que la nuit s'avançait, la place se vida. Il ne resta bientôt plus, au regard d'Olivier, qu'un dévot vêtu de blanc, coiffé d'un bonnet noir, qui, agenouillé et les mains jointes devant un dieu lui-même à genoux et joignant les mains, n'en finissait plus de lui parler, de lui affirmer, de l'interroger, de le supplier. Le dieu restait impassible et ne se fatiguait pas. Le dévot n'était pas de pierre. Il finit par se lasser, se releva avec quelque peine, et s'en alla lentement vers les plus proches escaliers, en se tenant les reins.

Olivier se leva, fit semblant de s'étirer et de bâiller en regardant tout autour de lui. La lune, presque à son dernier quartier, était assez haute dans le ciel pour donner assez de lumière. Il ne vit personne. Peut-être quelqu'un dormait-il quelque part, allongé sur la terrasse, mais il ne pouvait pas aller regarder partout pour s'en assurer. Il devait agir, très vite, et en silence.

Il s'approcha de la chapelle, posa nonchalamment son sac à ses pieds, en sortit la cisaille, et enfonça ses deux bras dans l'obscurité de la niche.

Un démon lui jaillit à la figure, en poussant des cris aigus. Olivier bondit en arrière, son cœur cognant comme un marteau. Il reconnut un singe, qui alla se percher à quelques mètres de là sur la tête d'un lion de pierre, se tourna vers lui et continua à l'injurier. C'était le commensal du Bouddha. Il habitait avec lui dans la chapelle. Il était furieux d'avoir été dérangé. Tous les singes de la place s'éveillèrent et se mirent à glapir, les chiens et les corbeaux à aboyer, les canards et les poules à pousser leurs cris stupides. Olivier rangea vivement sa cisaille dans son sac et s'éloigna d'un pas nonchalant. Dans un bâtiment adjacent, une porte s'ouvrit, une théorie de bonzes en sortit, portant des lampes allumées.

Ne prêtant aucune attention au tumulte, ils entreprirent leur périple matinal autour de l'interminable circonférence du Sein, en faisant tourner les milliers de moulins à prière disposés sur son pourtour, et en psalmodiant les paroles sacrées qui reliaient leur mouvement circulaire à celui des planètes, des galaxies, des univers, des atomes et des univers contenus dans les atomes, et à l'harmonie du tout, infiniment divers et pareil, infiniment étendu et en chaque partie de lui entièrement contenu.

Le jour se levait, réveillant le safran des robes des moines, faisant luire leurs crânes tondus, éteignant les lampes et allumant les couleurs des prières du vent.

Il était trop tard. Olivier calma sa déception en pensant que sans le singe il eût sans doute été surpris en pleine opération. Il savait maintenant quelle était l'heure limite. Il avait agi avec trop d'impatience. Ted lui avait recommandé de rester en observation pendant deux ou trois nuits au moins, avant d'agir. L'Américain attendrait.

Mais il y avait aussi Jane, Jane, qui attendait...

Il redescendit près du ruisseau, vérifia sa moto, s'assura qu'on ne lui avait pas volé son essence, but, se lava, se baigna et se rasa, et dormit quelques heures.

A son réveil, il se trempa de nouveau le visage dans l'eau fraîche, et essaya de trouver une solution à ce qui était maintenant le problème principal : comment se débarrasser du singe?

Il pensa que la manière la plus efficace serait de lui offrir vers le milieu de la nuit une banane droguée, qui l'endormirait jusqu'au matin. Si toutefois il voulait bien l'avaler. Et droguée avec quoi? Le hachisch risquait de le rebuter. Il fallait bien essayer. Il en trouverait sûrement dans un village. Tous les paysans comprenaient les jeunes occidentaux mimant le geste de fumer, et savaient ce qu'ils demandaient. S'il n'en trouvait pas, il retournerait à Katmandou et demanderait au médecin, comme si c'était pour lui-même, un somnifère efficace. Mais cela lui ferait perdre encore un jour.

Il se rendit à pied dans un village d'une des montagnes du cercle. Il avait besoin d'acheter aussi de la nourriture pour lui-même. Il trouverait sûrement du hachisch. Et il réussirait cette nuit...

L'ETAT DE JANE avait cessé de s'améliorer depuis le départ d'Olivier. Il lui avait recommandé avant de partir de ne pas s'inquiéter, il allait revenir tout de suite, et ils partiraient ensemble, aussitôt. Et Sven ? Sven viendrait avec eux ?... Oui, oui, Sven viendrait. La question l'avait surpris, il serait temps plus tard de lui rappeler la vérité, qu'elle avait oubliée...

Deux heures après son départ, elle commençait déjà à s'impatienter et à s'inquiéter. Elle demandait à Yvonne : « Où est Olivier ? Il va revenir ? » « Quand ? » « Pourquoi il n'est pas là ? » Yvonne ne savait pas où il était, mais elle affirmait qu'il allait revenir bientôt...

Elle interrogea son mari qui déclara ne rien savoir. Olivier l'avait seulement assuré qu'il allait se procurer de l'argent pour le voyage et la clinique. Il espérait que ce gamin n'allait pas faire une folie. En tout cas, il s'en lavait les mains. Il avait déjà été bien bon d'accueillir cette droguée. Si Olivier faisait une bêtise, il n'était pas disposé à en subir les conséquences.

— Tu aurais pu le lui prêter, cet argent !... C'est un garçon honnête...

Ted prit un air étonné, naïf.

— Le lui prêter?... Moi?... Je ne suis pas son père!...

Il savoura un instant sa trouvaille, puis insista :

— Jacques va être là bientôt... Je m'étonne qu'Olivier n'ait pas pensé à l'attendre pour lui demander ce dont il a besoin... Et vos projets de voyage, à vous deux, où en sont-ils?... Tu as un peu réfléchi?

Yvonne le regarda avec une haine totale, charnelle, viscérale, mentale, une haine et une répulsion qui montaient vers ses yeux de la moelle de ses os.

— Tu crois nous tenir, dit-elle, mais nous partirons!...

— Bon!... Bon!... Bon!... Dès qu'il sera rentré et que tu auras un peu bavardé avec lui, tu me confirmeras... Je vous prendrai vos billets... Mon offre tient toujours...

Ils se tenaient tous les deux sur le palier du second étage, entre la porte du bureau de Ted et celle de la chambre de Jane. Ted entra dans son bureau, laissant Yvonne immobile, figée en haut des marches, pétrifiée de haine et de désespoir. Elle savait bien, elle SAVAIT, que Jacques, lorsqu'il apprendrait qu'elle n'avait plus un sou, lui donnerait en souriant mille bonnes raisons de rester ici... Est-ce qu'ils n'étaient pas bien? Est-ce qu'elle n'était pas heureuse?... Un pays merveilleux... Un métier formidable... Et un mari qui lui donnait tout et ne lui demandait rien...

Elle lui avait affirmé, pour éviter toute scène de jalousie, qu'il n'y avait plus depuis longtemps aucun rapport sexuel entre Ted et elle. Elle n'était pas certaine qu'il la crût, mais il faisait semblant parce que ça l'arrangeait, comme il faisait semblant d'être riche, d'être le chef des éléphants, de la forêt, des tigres, de lui-même...

Comme il faisait semblant d'être heureux...

Pour l'arracher sans le détruire à ce monde imaginaire, elle lui avait proposé un autre monde, différent, mais aussi brillant : gentleman-farmer, une flotte de tracteurs, une chasse en Sologne, un appartement à Passy, le Tout-Paris, Maxim's...

Cela aurait été possible, avec les bijoux que Ted lui avait offerts année après année... Une fortune en pierres précieuses. Surtout des rubis, qu'il allait lui-même choisir une fois par an chez les mineurs de Barhan qui lui réservaient leurs plus belles trouvailles. Il les envoyait tailler en Hollande, et les faisait monter en colliers, en bracelets, en bagues, par les artisans du Népal et du Cachemire...

Mais ils étaient mariés sous le régime de la séparation de biens, contrat enregistré à Paris et à Zurich. Il avait payé lui-même les bijoux. Elle les avait portés... Oh, si peu!... Dans ce trou!... Mais ils ne lui appartenaient pas plus que l'air qu'elle respirait. Elle n'avait rien, qu'un morceau de plaine à betteraves, sinistre, dans la Somme, qu'il faudrait disputer à un fermier... Jacques ne partirait pas, elle le savait...

Elle savait aussi qu'elle ne pourrait plus jamais, JAMAIS, supporter le ventre de Ted sur son ventre. Et l'idée de le sentir de nouveau entrer en elle lui donna une nausée qu'elle ne put contenir. Elle dévala l'escalier pour aller vomir dans la salle de bains.

Quand vint le soir, Jane montra tant d'agitation qu'Yvonne téléphona au docteur. Elle lui dit que la jeune fille réclamait une deuxième piqûre, qu'elle gémissait et se tordait dans son lit. Le méde-

cin lui interdit absolument d'accéder au désir de la
malade. Evidemment, cette enfant avait deux
drogues : l'héroïne et ce garçon. Comment se
nommait-il ?... Oliver ? C'est ça. Oliver lui man-
quant, elle voulait le remplacer par l'autre drogue.
C'était normal. Compensation. Mais il ne fallait
pas. Est-ce que ce garçon allait être encore longtemps absent ? Sa présence était plus efficace que
n'importe quel traitement. Pourquoi était-il parti ?
Bien sûr, bien sûr, il faut gagner sa vie... Mais en
tous cas, pas de deuxième piqûre ! Surtout pas !
A aucun prix !

— Mais qu'est-ce que je peux faire ? Elle souffre !

— Rien... Vous ne pouvez rien faire... Laissez-
la seule... Elle ne se plaindra plus et elle sera déjà
moins malheureuse...

— Mais elle ne risque pas de faire une bêtise ?

— Quelle bêtise ?

— On dit que parfois, les drogués qui manquent
se suicident.

— Aucun danger ! Elle *sait* qu'elle aura sa piqûre
demain matin. Elle va s'impatienter, râler, souffrir,
mais elle attendra, parce qu'elle est sûre que
demain matin elle recevra son petit paradis empoisonné... Laissez-la seule, laissez-la. Dans sa
souffrance, il y a au moins une bonne moitié de
chantage. Quand elle sera seule, elle n'aura plus
que sa souffrance vraie. Ce n'est pas drôle, bien sûr,
mais elle finira par se calmer en pensant à demain
matin et elle dormira...

Quand elle eut reçu sa piqûre le lendemain matin,
Jane devint belle comme elle ne l'avait jamais été.
L'antidote mêlé à la solution de l'héroïne en atté-
nuait les effets les plus violents. Après une nuit
d'attente interminable et de souffrances physiques

devenues atroces au lever du jour, elle reçut la
paix, et elle se souvint d'Olivier, de l'amour d'Olivier, de la certitude du grand bonheur qui l'attendait auprès d'Olivier. Son teint devint frais comme
celui d'un enfant, ses yeux s'agrandirent, le bonheur
rayonna de son visage. Yvonne, la voyant si belle,
l'embrassa et l'assura de nouveau qu'Olivier serait
bientôt de retour. Jane se serra contre la poitrine
d'Yvonne et se mit à chantonner une chanson
d'Irlande. Elle s'arrêta aussitôt, embrassa Yvonne,
se serra de nouveau contre elle, lui dit :
— *I love you!... You are so good!...*
Yvonne fut submergée par une vague d'amour,
de tendresse et d'horreur. Cette fille, cette enfant si
belle, cette enfant perdue, pourrait être sa fille.
Elle aurait voulu la défendre, la sauver, l'emporter,
l'aimer, avoir enfin quelqu'un pour qui se battre
efficacement, quelqu'un de sa chair ou de son amour.
Elle n'avait pas d'enfant, pas de mari, un amant en
affiche technicolor, et elle-même n'était qu'une
épave, un déchet, une esclave, la portion de chair
nécessaire pour faire jouir un porc...
Et cette enfant adorable et si belle, cette enfant
fragile, merveilleuse, le médecin ne lui avait pas
caché qu'on aurait bien du mal à la sauver... Il lui
avait expliqué qu'elle était déjà perdue avant de
commencer à fumer sa première cigarette de
marihuana. Quelque chose avait dû se passer dans
sa vie familiale, qui l'avait blessée à mort. Et la
fuite dans la drogue n'était qu'une lente agonie
camouflée de fleurs, de musique et d'illusions. A
mesure que les illusions s'écroulaient, elle en cherchait d'autres plus violentes et plus illusoires encore.
Elle avait rencontré une chance, une seule chance :
ce garçon... Comment se nommait-il? Oliver...

Lui seul pouvait la sauver, la retenir sur le chemin de la mort. Dans sa lettre à la clinique de Delhi, il expliquait que le garçon devait être admis à rester auprès d'elle. Mais où était-il, cet imbécile ? Que faisait-il, loin d'elle ? Sans lui, elle se noyait. Elle n'avait plus vraiment, vraiment, plus beaucoup de souffle !...

Elle était radieuse. Elle mangea des fruits et du pain beurré, elle but du lait de yack, elle rit... « Olivier... Je l'aime... Olivier... Je l'aime... »

Yvonne descendit le plateau du petit déjeuner, tira la porte avec son pied. Jane ne s'était jamais sentie aussi légère de sa vie. Olivier allait revenir bientôt. Elle voulut se faire belle pour lui. Elle s'assit dans son lit, posa les pieds par terre, hésita un instant, puis se leva. Le monde chavirait un peu autour d'elle, c'était léger, elle était légère, comme une fleur un peu balancée dans le soleil au bout d'une branche, à peine par le soupçon d'un vent. Elle écarta les bras comme une équilibriste et fit un pas, puis deux. C'était drôle, c'était mouvant, c'était sans risque, une balançoire, toute la chambre une balançoire... Elle continua, encore un pas puis un autre, vers la porte du cabinet de toilette. Elle se mit à rire, c'était si drôle, si léger...

Ted, venant de son bureau, se dirigeait vers l'escalier. Il entendit le rire d'oiseau. La porte était restée entrebâillée. Il s'arrêta et regarda. Jane ôtait sa chemise de nuit, la jetait loin d'elle, passait dans le rayon de soleil qui venait de la fenêtre, arrivait au cabinet de toilette, prenait une brosse, brossait ses cheveux d'or brûlé, longuement, largement, brossait encore. Ses cheveux devenaient une vague vivante sur ses épaules, ses bras levés faisaient pointer ses seins de fillette, une glace envoyait un reflet de soleil sur sa cuisse et sa hanche. Ted devenait violet.

OLIVIER TROUVA NON seulement du hachisch, mais de l'opium. Il en avait vu les boules brunâtres en vente dans une boutique du marché de Katmandou. En reconnaissant près d'une ferme un champ de pavots en fleur, l'idée lui vint d'en demander au paysan. L'homme comprit rapidement quand Olivier lui montra les fleurs. Il rentra dans sa maison et lui rapporta une boule d'opium grosse comme une pomme. Olivier montra l'ongle de son pouce. Le paysan sourit, remporta la pomme et apporta une noix. Une deuxième explication permit à Olivier d'obtenir une noisette, plus que suffisante pour son dessein.

Dans une autre ferme, il obtint un produit plus précieux encore : du hachisch de l'année précédente, séché, pulvérisé et malaxé avec du beurre. C'est ainsi que les Népalais le conservent d'une saison à l'autre. Quand ils veulent l'utiliser, ils font fondre le beurre et recueillent la poudre d'herbe.

Olivier pensa que le beurre rance plairait au singe, mais il n'était pas certain d'obtenir l'effet qu'il espérait. Les hippies entretiennent leur non-violence avec la marihuana, mais la plupart des tueurs américains du Syndicat sont aussi des fumeurs d'herbe...

Il décida de préparer deux bananes, une avec l'opium, l'autre avec le beurre-hachisch. Et ce fut là qu'il faillit échouer, car les bananes semblaient avoir disparu, comme tous les autres fruits et le reste du ravitaillement. Un flot ininterrompu de pèlerins traversait le village, se dirigeant vers Swayanbounath. Ils avaient déjà presque tout acheté au passage. Ils portaient des lanternes de papier de couleur, et des lampes de toutes formes. Olivier vit que les villageois, de leur côté, en disposaient partout, sur les façades des maisons, aux branches des arbres, sur les autels et les dieux des carrefours, au sommet des lingams et autour des yonis, à des fils tendus et des perches dressées.

Une bande de hippies, qui semblaient joyeux, moins « gommés » que tous ceux qu'ils avaient rencontrés jusqu'alors, arriva dans le village en chantant et s'assit en rond autour de la fontaine. Il y avait parmi eux un Belge, qui expliqua à Olivier la raison de tout ce mouvement. Ce soir, c'était la Fête des Lumières. Ce soir, la lune, à son dernier quartier, se lèverait juste à la pointe du plus haut sommet blanc de la grande Montagne. Et la moitié blanche de la lune recomposerait avec le Sein de Swayanbounath, qui était aussi la moitié d'une sphère blanche, l'image de l'Univers reconstitué dans la totalité de sa forme, terre et ciel réunis, matière et esprit, être et non-être, et dans la totalité de son contenu, de même que le blanc est la lumière qui contient toutes les couleurs.

Le garçon belge expliquait cela à Olivier en mangeant une saucisse bouillie, la dernière d'une boîte de choucroute qu'il avait apportée depuis l'Europe, et entamée la veille. Il trouvait cet événement très impressionnant et grandiose. C'était une « provo » hollandaise qui lui avait expliqué tout cela : cette petite brune, là-bas, assise près du rouquin. Elle ne parle pas le français, mais moi je comprends le flamand. Elle ne porte jamais de culotte, et toujours en jupe! Dès qu'elle s'assied, elle relève les genoux et les écarte pour qu'on lui voie le machin... Tiens, regarde! regarde!... Tu vois!... C'est ça, la liberté, elle dit : montrer son cul aussi bien que son nez. Elle est un peu tordue quand même, tu trouves pas? Personne y fait plus attention, à son machin... Peut-être parce qu'elle a le nez comme une patate! Ça compte aussi un peu, le nez, tu trouves?...

Le garçon belge se mit à rire. Lui, il ne fumait pas, il était venu parce que c'étaient les vacances. Après, il allait rentrer. Ce que lui avait expliqué la fille hollandaise, c'était un gourou qui le lui avait expliqué à elle. Ou peut-être simplement une agence de voyages... C'était pour fêter la rencontre de la Lune et du Sein que toutes les lumières allaient être allumées cette nuit.

— Toute la nuit? demanda Olivier, anxieux.

Allait-il perdre encore vingt-quatre heures pour une fête imbécile? Des fêtes! Toujours des fêtes! Il ne devait pas y avoir au monde un peuple qui célébrât sans arrêt tant de fêtes partout!

Mais le garçon belge, ayant achevé sa saucisse, déclara qu'à l'instant même où la demi-Lune se détachait de la pointe de la montagne, toutes les lumières devaient s'éteindre, et chacun rentrer dans sa maison ou son abri, ou se cacher le visage, ne plus regarder ce qui se passait en l'air, laisser la Lune et le Sein ensemble, seuls dans le ciel.

Olivier acheta aux hippies du riz cuit et des bananes et retourna près du ruisseau. Cette nuit serait peut-être l'occasion unique, ou peut-être rien ne serait-il possible. Peut-être y aurait-il des groupes de pèlerins endormis partout autour du Temple... Peut-être seraient-ils tous partis chercher un abri... Il ne pouvait pas savoir, il devait être prêt à agir, se trouver là-haut au moment de l'extinction des lumières, et avoir déjà drogué le singe.

Il prépara ses deux bananes et mangea un peu de riz. La lune était attendue en haut de la Montagne vers le milieu de la nuit. Dans l'obscurité déjà venue, des milliers de petites lumières faisaient de la Terre une réplique du Ciel. Autant d'étoiles brillaient en bas qu'en haut. Mais une partie de celles d'en bas se mouvaient, se rassemblaient en lents et longs chemins de lumière, voies lactées mobiles qui serpentaient entre les montagnes du cercle, et coulaient vers le sommet de la montagne où le Bouddha dormait au sein du Sein.

Olivier se dit qu'il ne devait plus tarder à y monter à son tour. Il vérifia une fois de plus sa machine, la poussa à proximité du sentier d'où il pourrait commencer à rouler, prête à partir au quart de seconde. Puis il balança son sac dans son dos et se mit en marche.

LA FIN DE LA DEUXIÈME
journée d'absence fut pour Jane encore plus dure
que la précédente. Dès le début de l'après-midi,
elle avait recommencé à sentir l'angoisse s'introduire peu à peu dans ses veines, lui monter derrière
le front et le presser vers le dehors pour le faire
éclater. Elle cachait sous les draps ses mains qui
tremblaient.

Yvonne ne la quitta pas, s'efforça de la distraire,
lui racontant les beautés de la forêt et de la jungle,
lui parlant de Jacques, des éléphants, des fleurs
énormes qui pendaient aux arbres et des multi-
tudes d'oiseaux de tous chants et couleurs. Jane
écoutait de moins en moins, son visage se couvrait
de sueur, et ses jambes se détendaient en spasmes
nerveux. Quand vint le soir, elle refusa de manger
et se mit à supplier Yvonne de lui faire une autre
piqûre.

Yvonne ne pouvait pas supporter de la voir
souffrir. Elle téléphona de nouveau au médecin. Il
n'était pas là. Il rappela une heure plus tard, re-
nouvela son interdiction formelle, et son conseil de
la laisser seule. Et si on savait où se trouvait ce
garçon... comment se nommait-il ?... le faire revenir
d'urgence. C'était plus important que tout.

Yvonne était certaine que Ted savait où était Olivier, certaine que, jouant des circonstances, il l'avait engagé dans quelque aventure dangereuse pour l'un et profitable pour l'autre. Elle le lui dit, et en profita pour lui dire aussi, par-dessus le marché, une fois de plus, tout ce qu'elle pensait de lui. Mais elle n'obtint que des sourires et du silence.

Elle alla embrasser Jane qui se cramponna à elle, la supplia en pleurant et en gémissant. Elle l'adjura de se calmer, Olivier allait revenir, il était allé travailler pour elle, pour la guérir, pour l'emmener. Et de toute façon, elle aurait sa piqûre demain matin : elle le savait ? demain matin. Elle viendrait même un peu plus tôt...

Elle la recoucha, la borda avec le drap léger, essuya son visage ruisselant, descendit au premier étage, prit trois comprimés de somnifère et mit le réveil à six heures du matin.

Ted attendit une heure, pour être certain qu'Yvonne était bien endormie. Puis il ouvrit son coffre, y prit une petite boîte de jade, une seringue hypodermique, une cuiller d'argent et une minuscule lampe à beurre en cuivre ciselé et repoussé, ancienne, une merveille. Il disposa tout cela dans les poches de sa robe de chambre sous laquelle il était nu.

ALORS QU'OLIVIER arrivait au pied de la Montagne du Sein, celui-ci s'illumina. Ce fut tout à coup dans la nuit un fruit de pure lumière. Olivier entendit le bruit du groupe électrogène qui alimentait les projecteurs. Les bonzes avaient pris à la vie occidentale ce qui pouvait servir leurs traditions.

Au-dessus du Sein, sur la paroi de la Tour d'Or, les yeux du Bouddha regardaient la nuit. Ce sont des yeux qui voient, ce qui se passe ici et ailleurs, et à chaque instant de la vie de chacun. Si celui qui les regarde est assez pur, assez vide d'égoïsme, de petits désirs misérables, aussi bleu que les yeux peints sur l'or, il peut voir dans leur pupille foncée ce que celles-ci voient de ce qui le concerne, lui, dans l'ensemble du monde.

Olivier montait en gardant la tête levée, et ne pouvait détacher son regard de ce regard qui ne le regardait pas. Au-dessous des deux yeux était peint en bleu, à la place du nez, un signe qui ressemblait à un point d'interrogation, et qui était le chiffre I en caractère népalais. L'unité du tout, de la diversité, de l'Unique, en qui il faut se fondre pour devenir un.

Pour Olivier, ce n'était qu'un point d'interrogation angoissant, au-dessous de ces yeux qui voyaient quelque chose, qui voyaient quoi ? Autour de lui, sur le chemin escarpé, montaient des hommes et des femmes joyeux, portant des lumières qui brûlaient avec une odeur de beurre frit et de chèvre. C'était une foule lente et heureuse, qui emportait même ses enfants, certains suspendus par une étoffe dans le dos de leur mère, d'autres portés par les pères, dans leurs bras, avec une délicatesse et une tendresse infinies. Et toute la chenille de lumières, au son des petits violons et des orchestres aigres, se hissait vers la blancheur arrondie dans le ciel, qu'Olivier ne voyait plus. Il ne voyait que le regard bleu de nuit qui regardait au loin et qui voyait, et le point d'interrogation qui lui demandait ce qu'il faisait là, lui, imbécile, loin de Jane, l'ayant une fois de plus abandonnée... Même si c'était pour elle, pour l'emporter, pour la sauver, était-ce plus important que d'être avec elle, auprès d'elle, autour d'elle, l'abri et la chaleur dont elle avait besoin ?

La tête levée, il regardait les yeux sereins, sans émotion humaine, les yeux entourés d'or qui voyaient et qui savaient. Brusquement, il comprit, il sut qu'il s'était fourvoyé dans une route d'inutilité et de stupidité, qu'il était coupable et fou. Il fit demi-tour avec la brusquerie d'une machine, et commença à se faire un chemin à coups de coudes et de cris et d'injures à travers la foule paisible et sans problèmes qui montait vers le Sein et vers la Lune, et qui s'écartait avec indulgence devant ce pauvre garçon perdu, qui venait de l'autre côté du monde, où l'on ne sait rien.

TED TRAVERSA LE palier et s'attarda devant la porte de la chambre de Jane, sous laquelle filtrait un rayon de lumière. Il écouta. Elle restait un moment silencieuse, puis tout à coup poussait une sorte de râle mêlé de sanglots. Il savait qu'à ce moment-là, c'était dans son ventre que le manque de drogue la rongeait.

Il tourna avec précaution la poignée et entra sans hâte, mais sans hésitation. Il ne fallait pas lui laisser le temps d'avoir peur et de le voir apparaître sous le visage d'un monstre, d'un dragon, d'une araignée, de Dieu savait quoi d'horrible. Il parla, en même temps qu'il entrait, d'une voix très paisible.

— Bonsoir Jane, ça ne va pas ?

Elle secoua faiblement la tête, en signe non. Ses yeux étaient écarquillés, son visage crispé, couvert de sueur, le drap qui la recouvrait à moitié froissé et humide.

— Vous avez mal ?

Elle fit « oui ».

— Ces médecins ne sont pas toujours intelligents... Surtout ici, vous savez... Pour échouer comme médecin à Katmandou, il faut vraiment n'avoir trouvé sa place nulle part...

Il s'approcha du lit et commença à poser sur la table de chevet les objets qu'il tirait de sa poche.

— Je vais vous soulager. Vous passerez une bonne nuit, et nous ne dirons rien à personne...

Elle se releva brusquement en voyant la seringue hypodermique. Il la recoucha avec des paroles très tranquilles, la calma doucement, releva la manche gauche de sa chemise de nuit, lui garrotta le bras avec un gros caoutchouc de bureau dans lequel il tourna un crayon. Des objets innocents...

Les veines mirent longtemps à se gonfler. Ted s'inquiéta un peu, elle était vraiment à bout, cette petite, ce serait ennuyeux s'il arrivait un accident. Oh, après tout, le médecin ne l'avait pas caché, il avait dit : « Logiquement, elle devrait être morte. » Il allait faire attention quand même. Bien mesurer la dose. Il n'en avait jamais usé lui-même, mais ce n'était pas la première fois qu'il l'utilisait avec ces gamines. Quand elles étaient dans les vapes, elles ne voyaient plus qu'il ressemblait à un porc, et il arrivait lui-même à l'oublier, quelques secondes...

Il alluma la lampe à beurre, ôta le couvercle de la boîte de jade. Elle contenait une poudre blanche.

— Et ça, c'est de la vraie, dit-il, pas de cette camelote pharmaceutique que vous donne le toubib.

Il prit un peu de poudre avec la cuiller d'argent, réfléchit, hésita, en reversa une partie dans la boîte, et commença à promener la cuiller au-dessus de la flamme à l'odeur de chèvre.

Olivier courait comme un fou le long du torrent qui dégringolait à flanc de montagne avant de devenir ruisseau. Il devinait les obstacles dans la nuit, sautait par-dessus les buissons et les racines, poussé, porté par une force cosmique ou divine, il l'ignorait, il savait seulement qu'il était ici et qu'il aurait dû être là-bas, et qu'il y avait l'espace et le temps qu'il fallait franchir, pulvériser, violer. Il était plus rapide que le torrent qui tombait de roche en roche avec un bruit d'eau déchirée.

— J'entends de l'eau!... J'entends de l'eau!... dit Jane... J'entends de l'eau... De l'eau!...

Elle n'avait jamais, jamais, jamais, été si heureuse, légère, universelle, répandue... Elle avait déjà oublié la piqûre. Après avoir subi dans son ventre les mille morsures d'un nœud de vipères, elle était devenue un nuage de lumière...

— Olivier est dans l'eau... Il vient... Dans l'eau... Il vient...

— Oui, dit Ted, il vient, Olivier, il arrive, il est là...

Il ôta sa robe de chambre. Les yeux extasiés de Jane regardaient à travers le plafond Olivier porté sur l'eau, dans l'eau, poisson, nénuphar, anguille, anguille énorme, anguille dans elle, fleur d'eau, Olivier, les reflets sur l'eau, le soleil, le soleil dans l'eau ; Olivier le soleil...

— Olivier...

— Il arrive, chuchota Ted... Il est là...

Il rabattit le drap, remonta la chemise de nuit et regarda Jane. Malgré sa maigreur, elle était incroyablement belle. Il s'en emplit les yeux, et s'allongea à côté d'elle.

— Olivier ?... Olivier ?... Tu es là ?... demanda Jane...

— Je suis là... Je suis là... chuchota Ted...

Il se tenait un peu loin d'elle, dans le large lit. Il éteignit les lumières et commença à la caresser. Jane poussa un immense soupir de bonheur...

— Olivier!...

La moto fonçait à mort vers Katmandou. Ses

trois phares éblouissaient les familles en marche
que son bruit épouvantait, révélaient dans des vira-
ges les grimaces sanglantes des dieux, traversaient
les villages en réveillant les hurlements de tous les
chiens. Il y eut enfin Katmandou au bout de la
route droite, plus que quelques kilomètres. Olivier
essayait d'aller plus vite encore, de forcer la manette des gaz, d'aller plus loin que le maximum,
mais elle était bloquée au fond du fond, il se couchait sur le guidon comme il l'avait vu faire aux
champions à la télévision, il entra dans la ville sans
ralentir. Une vache tranquille se tenait debout en
travers de la rue, perpendiculaire à la moto. Celle-ci
la percuta et la renversa. Olivier jaillit par-dessus
la vache étendue. Il eut encore la force de penser
que c'était le crime majeur. Si la vache était morte,
il allait faire dix ans de prison. Seulement blessée,
bousculée, si la police lui mettait la main dessus,
elle l'empoignait et l'enfermait avant de l'expulser.
Il eut la force de se relever, de courir, de marcher,
de se traîner, avant de s'écrouler dans un coin
d'ombre. Toute la peau de sa joue droite et de ses
mains était arrachée, et sa tête lui faisait un mal
atroce. Il s'évanouit.

Quand il revint à lui, il ne savait pas combien de
temps il était resté sans connaissance. La nuit était
toujours noire. Le ciel, au-dessus de lui, d'une lim-
pidité absolue, étalait un tapis d'étoiles entre les
toits de la rue étroite. Il n'y avait plus une lumière
visible nulle part. Même l'ampoule du carrefour
était éteinte. Olivier, après un peu de confusion, en
conclut que la lune devait être levée. Il s'aperçut
en effet que du côté gauche, tout le haut des maisons
recevait une tranche de lumière bleue.

Il se leva avec peine, sa tête lui faisait mal, il

ne savait pas où il était. Il regarda autour de lui et aperçut, au-dessus de tous les toits, le toit du grand temple qui montait dans la lumière de la lune. Il marcha vers lui, il reconnut peu à peu les rues, il se retrouva dans la ruelle derrière « Ted and Jack ».

La marche l'avait soulagé, sa tête était moins douloureuse. Il ouvrit très doucement la porte avec la clé. Il ne voulait réveiller personne, toute son équipée lui paraissait maintenant absurde. Pourquoi était-il revenu ? Quand il fut au bas de l'escalier, il écouta. Tout était silencieux, tout allait bien, il avait simplement perdu du temps, démoli sa moto, compromis son séjour au Népal, il s'était conduit comme un fou, il était blessé, épuisé, il avait honte, il avait envie de s'écrouler quelque part et d'oublier, il n'avait jamais rien fait de bon, il ne faisait que du mal à ceux qu'il aimait, de quoi s'était-il mêlé dans l'histoire de Marss et de sa mère ? elle le criait assez fort, qu'elle était heureuse ! Dormir, oublier... Il allait dormir sur le divan du bureau... Mais il jetterait un coup d'œil sur Jane d'abord, pour être sûr que tout allait bien. Non, à Jane, il ne pouvait pas faire de mal, il l'aimait et elle l'aimait, tout ce qu'il faisait était pour elle, il devait seulement réfléchir un peu avant de se laisser emporter par des impulsions irréfléchies, comme un gamin coléreux. Elle était calme, elle était raisonnable, elle l'aiderait.

Malgré ses précautions, il fit grincer quelques marches, entra d'abord dans le bureau pour essayer de se regarder dans une glace, il ne se rappelait pas s'il y en avait une, et s'arranger un peu, il ne voulait pas faire peur à Jane si elle était éveillée. Il pourrait se débarbouiller avec sa chemise et un peu de whisky.

Il fut étonné de trouver la lumière du bureau éclairée, le divan ouvert, et les vêtements de Ted jetés en travers n'importe comment, son énorme pantalon, sa chemise blanche, ses souliers et ses chaussettes au milieu de la pièce. Il ne pensa plus à chercher s'il y avait quelque part une glace...

Il sortit du bureau et traversa le palier. Il hésita un instant devant la porte de Jane, puis l'ouvrit doucement pour ne pas la réveiller. La chambre était obscure, mais le cabinet de toilette éclairé, et sa porte ouverte. Ce fut suffisant pour lui révéler le drap à terre, Jane écartelée sur son lit, sa chemise relevée au-dessus des seins, le bas de son ventre portant les traces fraîches de la visite d'un homme.

Un instant pétrifié, il courut vers le lit en criant « Jane ! »

Son cri la tira de sa torpeur et l'épouvanta. Elle vit se pencher vers elle, dans une moitié de nuit, un visage sanglant et grimaçant, pareil à ceux des dieux chargés de faire peur aux démons. Elle hurla et appela Olivier. Il lui dit qu'il était Olivier, essaya de la prendre dans ses bras, de la rassurer, mais ne réussit qu'à augmenter sa panique. Elle reculait devant lui, le regardait avec des yeux emplis d'horreur, essayait de s'enfoncer dans le matelas.

Brusquement, la lumière du cabinet de toilette s'éteignit. Alors Olivier sut que le salaud était encore là. Il courut vers la porte de la chambre et s'y adossa. Par la fenêtre ouverte entrait la lumière bleue de la lune, et la brise du matin qui faisait onduler le léger voilage transparent.

Les yeux d'Olivier s'accommodèrent rapidement à la demi-obscurité, et il perçut la masse noire de Ted qui venait à pas de loup vers la porte, avec laquelle lui-même se confondait.

Il serra les poings, gonfla ses muscles, fit jouer ses avant-bras pour s'échauffer, avec une haine meurtrière, carnassière, pareille à celle que pourrait éprouver le tigre s'il n'était pas un tueur innocent.

Ted arriva près de lui. Olivier cessa de respirer. Ted tendit lentement la main vers la poignée et trouva la main d'Olivier, qui se referma sur ses doigts roses comme un étau de fer.

Ted fit un « ha ! » de panique et de terreur à demi retenu. Olivier assura sa prise avec son autre main écorchée, puis frappa sauvagement Ted d'un coup de genou au bas ventre. Mais le rideau flou de la robe de chambre amortit l'impact. Il fut quand même assez violent pour que Ted se mît à beugler en se tordant. Olivier lui tenait toujours la main droite avec ses deux mains saignantes. Il se déplaça, fit un quart de tour, et abaissa violemment le bras tendu de Ted contre son genou relevé. Le coude craqua. Ted brailla. Olivier le saisit au cou et commença à l'étrangler. Mais son cou était énorme et suant, et les mains d'Olivier saignaient dans la sueur et glissaient. Ted échappa à sa prise, courut vers le cabinet de toilette. Olivier le rejoignit avant qu'il ait réussi à fermer la porte, le fit tomber et commença à lui écraser le visage à coups de tête.

Pour Jane, c'était l'enfer et l'horreur totale. Dans l'obscurité vaguement bleutée de lune, elle devinait deux démons qui se battaient en poussant des clameurs. Ils grandissaient sans arrêt, sautaient du plancher au plafond, emplissaient l'obscurité de la chambre, bientôt ils seraient sur elle... Elle parvint à se lever. Fuir, leur échapper, fuir vers la lumière, par la fenêtre bleue... Elle marcha, chancela, s'arrêta, elle ne pouvait plus... Un démon tomba jusqu'à ses pieds en rugissant. Sa peur mobilisa ses dernières forces et les décupla. Elle courut, sauta dans les rideaux, les emporta avec elle, franchit la fenêtre, s'envola vers le ciel...

Le sol de la rue de Katmandou, que depuis des milliers d'années les bêtes et les hommes sans cruauté et sans pudeur nourrissaient des produits de leurs corps, la reçut avec miséricorde et lui donna la paix. Blanche dans le rideau blanc épandu autour d'elle, elle avait l'air d'un papillon, d'une fleur née de l'aube, et qui peu à peu s'auréolait de rouge dans la lumière rose du matin.

Yvonne, réveillée par les cris et le tumulte, était montée en courant. Elle poussa l'interrupteur au moment même où Jane s'envolait par la fenêtre, vers Dieu sait quoi, et si Dieu est vraiment un juge équitable elle est montée droit dans ses bras, pour y retrouver son père innocent, sa mère aimante, Olivier amoureux, Sven et sa guitare, et tous ses copains et les fleurs et les oiseaux de ce monde, plus tout ce que ce monde ne pourra jamais contenir.

Les deux hommes étaient à terre près du lit, Ted avait repris l'avantage à cause de son poids, il écrasait Olivier de sa masse et lui serrait la gorge de sa main gauche. Mais ses doigts étaient courts et Olivier lui prit son bras cassé et le tordit. Ted poussa un cri affreux et roula sur le côté.

Yvonne vint vers eux et les frappa de ses pieds en les injuriant, et en criant le nom de Jane. D'un coup d'œil, elle avait vu sur la table de chevet la seringue, la lampe, la boîte de jade encore ouverte... Ted, l'ignoble, l'ignoble porc...

Au nom de Jane, Olivier se redressa d'un bond. Sa joue saignait sur son cou et son épaule. Il vit le lit vide, les rideaux arrachés, la fenêtre ouverte. Il saisit une chaise, en frappa à la volée le visage de Ted qui se relevait, et courut vers l'escalier.

— Ignoble porc! dit Yvonne. Ignoble ordure!
J'espère qu'il va te tuer!...

Ted, le nez écrasé, le front ouvert, ne comprenait
encore pas ce qui s'était passé. Quand il fut debout,
il vit à son tour le lit vide et la fenêtre. Il se mit à
trembler.

— Elle était... Elle était folle... dit-il. Elle était
droguée... C'est pas la première fois qu'une droguée
se fout par la fenêtre... Il m'a cassé le bras, ce salaud... Appelle le médecin!... Va téléphoner!...
Vite!...

La douleur de son coude lui arrachait entre les
mots des cris qu'il ne pouvait réprimer. Il vint vers
la table de chevet, commença à ramasser de son
bras gauche la seringue et la mit dans sa poche,
mais Yvonne le frappa sur son bras qui pendait. Il
hurla, prêt à s'évanouir. Elle lui reprit la seringue, la
reposa à côté du reste, le poussa hors de la chambre,
ferma à clef et mit celle-ci dans la poche de son pyjama...

— Descends, dit-elle, je vais téléphoner...

OLIVIER SE PENCHA
vers Jane. Ses grands yeux violets étaient ouverts
et sa bouche entrouverte. Un peu de sang coulait
de son oreille droite et du coin droit de sa bouche,
et une flaque de sang s'arrondissait comme un nuage
sous sa tête, sur le voile du rideau blanc.

Il ne pouvait pas le croire. Il lui dit très doucement : « Jane, Jane!... » Jane n'était plus Jane,
plus rien que quelque chose de cassé et qui allait,
très vite, devenir autre chose.

Il lui passa une main sous les épaules, la souleva
lentement. Sa tête roula en arrière et sa bouche
s'ouvrit comme un trou. Il ferma les yeux pour ne
pas la voir, serra contre sa joue écorchée la joue
encore chaude de cette enfant qu'il aimait et qu'il
ne pouvait plus aimer, qui n'était plus rien, plus
personne, de la viande morte, du sang sur lequel
se posaient les premières mouches de l'aube...

Au bout de la rue, le grand toit du Temple était
rose du jour levant, et plus haut que lui, au milieu
du ciel, le sommet de la Montagne immuable d'où
naissait le jour envoyait sur le visage de Jane une
lumière bleue et blanche, légère, celle qui ne dure
que quelques secondes, avant que la poussière se
lève sous les pas des hommes.

Déjà des fenêtres s'ouvraient, des gens arrivaient, s'arrêtaient avec leurs chargements de légumes, à distance, avec respect, avec compassion...

Olivier reposa lentement le buste de Jane sur le sol comme une mère pose dans son berceau son enfant endormi. Il ne lui referma pas les yeux ni la bouche. Tout cela, maintenant, ne voulait plus rien dire.

Il se releva et leva brusquement la tête. Il vit, à la fenêtre du premier étage, Ted qui le regardait. A l'autre fenêtre se tenait Yvonne. Ted rentra vivement son buste à l'intérieur.

Olivier marcha calmement vers la maison, entra dans le couloir et fit claquer la porte derrière lui. Quand il parvint en bas de l'escalier, il décrocha le sabre courbe au-dessous de la tête du buffle.

L'arme était lourde comme un marteau à forger un canon. Il commença à monter en la tenant d'une main par la poignée et de l'autre par la pointe.

Ted, appuyé de l'épaule contre la porte du living-room, poussait les verrous de sa main valide, tournait la clef, tout en interpellant Olivier dont il entendait monter le pas inexorable.

— Ecoute, Olivier, de toute façon, le médecin avait dit qu'elle était perdue!... Il te l'a pas dit à toi, mais à moi il me l'avait dit!... Perdue! Tu entends? Elle allait mourir!... C'est peut-être mieux comme ça, elle n'a pas souffert!... Yvonne a téléphoné au médecin, il arrive!... Il peut peut-être la sauver!... Y a pas de quoi en faire un drame!... Toutes ces filles, quand elles arrivent ici, elles sont déjà fichues!...

Le bruit des pas d'Olivier s'arrêta sur le palier.

— J'ai... J'ai couché avec... bon... D'accord!... Tu crois que je suis le premier?... De quoi tu crois qu'elle vivait?... Elles sont toutes pareilles!... Il faut bien qu'elles paient leur drogue!... Tout le monde leur passe dessus!... Même les Tibétains!... Au moins, moi je suis propre!...

Il y eut sur le palier un « han!», contre le bois un choc, et la moitié de la lame passa à travers la porte.

Ted fit un saut en arrière et poussa un cri, car il n'avait plus pensé à son bras cassé.

Il regarda autour de lui. La terreur et la souffrance avaient décomposé son teint rose. Il était vert avec des plaques rouges, et du sang coulait de son nez et de la peau éclatée de son front.

Yvonne arriva de la chambre à coucher, où se trouvait le téléphone. Elle regarda la porte, elle vit la lame disparaître, puis il y eut un nouveau coup et un morceau de la porte vola au milieu de la pièce.

— Il va te tuer, dit-elle, il va te tuer comme une bête!...

Ted, se tenant le bras droit avec la main gauche, suant de douleur, parvint jusqu'à la table où étaient encore entreposées les armes du safari. Il prit un chargeur de la main gauche, un chargeur pour les tigres, à huit coups, et essaya de l'introduire dans son logement, sur un fusil à fauve.

Yvonne se jeta sur lui, il la repoussa de toute sa masse. Il revint à la charge. Il saisit le fusil par le canon et la frappa à la volée, en plein visage. Elle fut projetée sur le canapé, et ne bougea plus.

Ted parvint à introduire le chargeur, s'assit sur une chaise, appuya le canon du fusil sur le bord de la table.

Une fois de plus, la lame du sabre traversa la porte et arracha un nouveau morceau du bois de teck, épais et dur, dont elle était faite.

Ted tira. Deux fois. La lame, qui était en train

de se retirer, fut stoppée net dans son mouvement de recul, et ne bougea plus.

— Olivier!... Olivier!... appela Ted, tu m'entends?... Tu es en train de fracturer ma porte, j'ai le droit de te tuer!...

Tout en parlant, il traînait sa chaise à proximité de la porte, en apportait une autre.

— Ne fais pas l'idiot! Ecoute, ces trois mille dollars, je te les donne... Tu peux recommencer ta vie partout, avec ça...

Il s'assit sur une chaise et posa le canon de son fusil sur le dossier de l'autre, devant lui. L'extrémité du canon était à quelques centimètres de la porte, à bout portant.

La lame du sabre recommença lentement à se retirer. La voix de Ted s'altéra et se précipita.

— Fais pas le con, Olivier! Tu en connais beaucoup, des garçons qui disposent de trois mille dollars, à ton âge? Tu peux devenir un type formidable! Des filles en pagaye! Et pas des droguées ou des putes!... Fais attention, Olivier, si tu continues, cette fois, je te tue!

La lame du sabre disparut de l'autre côté de la porte. Il y eut un silence qui dura une seconde, une éternité.

— Parle, bon Dieu! dis quelque chose! cria Ted.

Avec un bruit terrible, la lame, frappant en travers, fracassa tout le panneau de la porte.

Le coup de feu éclata presque avant que le sabre eût commencé à passer à travers la porte.

Le fusil tomba. Ted eut la force de se relever. Son ventre saignait par une énorme plaie. Il fit un quart de tour et se trouva en face d'Yvonne qui tenait à deux mains, maladroitement, un énorme pistolet de brousse avec lequel elle venait de lui tirer dans les reins. Elle appuya de nouveau sur la détente, et vida tout le chargeur. Les balles le traversèrent, lui arrachant le dos à la sortie et le projetant contre le mur, contre lequel il resta debout, sous la puissance de l'impact.

Puis il tomba en avant, sur le nez.

Olivier venait de passer à travers la porte brisée. Son visage écorché saignait. De sa poitrine traversée par une balle, le sang lui coulait, luisant, jusqu'à la ceinture, et commençait à atteindre la cuisse. Mobilisant tout ce qui lui restait de force, lent et lourd comme une statue de pierre, il vint, pas après pas, vers Ted étendu en charpie sur la moquette.

Quand il parvint près de lui, il fit un effort fantastique, leva à deux mains, comme le sacrificateur, le sabre vertical en prolongement de ses deux bras dressés... Mais ses forces l'abandonnèrent. Il tomba à genoux, le poids du sabre entraîna ses bras, la pointe se planta dans le plancher à travers le tapis, à quelques millimètres du cou de Ted.

Olivier, sentant qu'il allait s'évanouir, se cramponna des deux mains à la poignée du sabre, et posa sa tête sur ses mains.

Il était pareil à un chevalier qui prie.

Un coup de lumière

éblouissant entra par toutes les fenêtres, palpita et s'éteignit, laissant derrière lui dans la salle un jour éteint comme une nuit. Un éclatement formidable fit trembler le sol et les murs. Les montagnes le saisirent et se le renvoyèrent interminablement d'un bord à l'autre de la vallée, sur laquelle il roulait dans tous les sens, comme une armée de chars innombrable et affolée.

Il y eut un autre éclair, puis d'autres, de plus en plus rapprochés, et les tonnerres se rejoignirent et se soudèrent en un grondement ininterrompu, avec des paroxysmes de fracas, et des ronronnements presque paisibles.

A chaque déchirement du ciel, Olivier était secoué par un mouvement qui venait de l'intérieur de lui-même. Son corps prêt à s'éveiller luttait contre son esprit qui reculait encore le moment de retrouver ses souvenirs.

Des pansements couvraient son visage et sa poitrine. Le reste de son corps était nu, le drap du lit d'hôpital rabattu jusqu'à ses hanches. Sur toute sa chair visible, la sueur perlait et coulait...

Jacques, assis à son chevet, le regardait avec

inquiétude. Il était arrivé juste à temps pour lui donner son sang. L'interne népalais lui avait affirmé qu'il allait reprendre connaissance d'un instant à l'autre, il n'avait subi qu'une légère anesthésie. Jacques transpirait autant qu'Olivier. Il ressentait une sorte d'écœurement et un léger vertige, qu'il attribuait à la prise de sang, ou peut-être à l'odeur de l'éther qui emplissait tout l'hôpital, et qu'il détestait.

Olivier était le seul européen de la salle. Dans les autres lits gisaient des hommes du pays, qui au lieu de rester chez eux à attendre que le mal s'en allât ou que la mort vînt les en délivrer, avaient préféré se confier à des mains étrangères. C'étaient surtout des hommes jeunes, plus aptes que les vieux à accepter les changements et qui, sous l'influence de l'Occident, commençaient à souffrir de la souffrance et à craindre la mort.

Il y eut un éclair et un coup de tonnerre simultanés. Il sembla que la terre et le ciel jetés l'un contre l'autre se fracassaient et s'écroulaient. Puis un bruit énorme et doux se posa sur la ville, étouffa les éclats furieux du tonnerre qui n'en finissait pas et emplit la vallée dans toutes ses dimensions. La pluie... La mousson commençait. Chacune des gouttes de la pluie était grosse comme un fruit, et tous les dieux assemblés ne seraient pas parvenus à compter leur multitude. Elles éclataient en arrivant au sol, le brutalisaient, le décapaient, le lessivaient, emportaient vers les ruisseaux, les rivières et les fleuves une année de poussière, de déchets, d'excréments, une épaisse récolte qui après avoir noyé les imprudents et les bêtes égarées ferait pousser les plus beaux légumes du monde.

Un grand apaisement entra dans la salle, détendit

les muscles crispés, calma les nerfs porteurs des douleurs. Olivier cessa de tressaillir, et au bout d'un moment ouvrit les yeux. Il entendit le bruit de la pluie et, loin derrière lui, la colère étouffée des nuages. Il voyait un visage flou qui se penchait vers lui, et la mémoire lui revint avant même qu'il eût reconnu son père.

Jacques lui demanda doucement comment il se sentait. Il ne répondit pas. Le monde en dehors de ses yeux était noyé de brume, mais à l'intérieur de sa tête des images nettes s'étaient éveillées en même temps que lui. Il les regardait, il les reconnaissait, il était saisi par l'horreur.

Il referma les yeux mais les images étaient en lui et il savait qu'elles n'étaient pas les débris d'un cauchemar. Tout cela était vrai, vrai... Jane écartelée sur son lit, Jane étendue dans la rue, la bouche ouverte, avec un peu de sang au coin des lèvres... Cela était vrai, cela était arrivé et rien ne pouvait faire que cela ne fût vrai à tout jamais.

Il rouvrit les yeux, il vit le plafond et le visage de son père qu'il reconnut. Il essaya de parler, il n'y réussit pas tout d'abord, puis il y parvint et il demanda :

— C'est vrai ?

Jacques comprit la question et hocha la tête plusieurs fois, à petits coups, doucement, avec une grande pitié, pour dire que c'était vrai.

Olivier se réfugia dans le délire et l'inconscience. Mais sous des formes exagérées, hideuses, il y retrouvait la vérité insupportable. Il se débattit contre elle pendant des nuits et des jours. La pluie tombait sans arrêt sur Katmandou, douchait, lavait, noyait

la ville. Ses habitants avaient découvert le para-
pluie en même temps que la roue. Au-dessus du
fleuve de boue jaune coulait dans les rues un fleuve
de parapluies noirs. Mais les enfants couraient nus
sous la pluie, riaient, criaient, levaient leur visage
vers elle et la buvaient. Les vaches, les chiens,
la recevaient et s'ébrouaient, se roulaient dans les
flaques, se léchaient et se frottaient aux dieux. Tous
les corbeaux couleur de cigare s'étaient rassemblés
sur les toits du grand temple et la pluie ruisselait
sur leurs plumes imperméables. Ils aboyaient tous
ensemble leur reconnaissance et leur plaisir. La
pluie lavait le visage des dieux de toute la poudre
jaune, ou rouge ou blanche. Ils seraient neufs pour
de nouvelles offrandes. Et dans la belle terre de la
vallée, les graines se gorgeaient d'eau et éclataient.

Olivier trouva la paix quand il fut au bout de ses
forces. Il cessa de se battre et accepta la vérité.
Sa fièvre tomba, sa plaie se ferma, il reprit de la
chair sur ses os saillants. Il échangeait quelques
phrases avec son père qui venait le voir matin et
soir. Il ne parlait jamais de ce qui s'était passé.
Quelque chose s'était éteint dans son regard. Ses
yeux ressemblaient à ces pierres fines qui pendant
longtemps n'ont pas été portées et dont on dit
qu'elles sont mortes.

Dès que son état le permit, Jacques le fit transporter dans son appartement, qui occupait le premier étage d'une maison ancienne. Jacques avait
fait mettre des vitres aux fenêtres, recouvert de
tapis le sol de terre battue, suspendu aux murs des
trophées de chasse et d'admirables tableaux anciens, sur papier, représentant les aventures des
dieux. Les lits étaient faits à la façon indigène,
c'est-à-dire de matelas posés directement à terre,

mais sur des peaux de tigre, avec des draps en soie
des Indes et des couvertures en laine du Tibet. Un
Népalais souriant, que Jacques avait instruit, faisait la cuisine dans une cheminée sur un feu de
bois.

Le troisième jour Olivier put se lever, mais il ne
sortit pas de l'appartement, et ne vint même pas
jusqu'à la fenêtre. Il resta tout l'après-midi assis
dans un fauteuil anglais, écoutant le bruit énorme
de la pluie et le bruit lointain, ininterrompu, du
tonnerre qui parvenait jusqu'à la terre à travers des
épaisseurs et des épaisseurs d'eau verticale.

Lorsque son père rentra, il lui dit qu'il désirait
s'en aller le plus tôt possible. Jacques lui répondit
qu'il était encore faible, que c'était trop tôt, qu'il
devait attendre. Et Olivier dit « non ».

Ils étaient assis devant la cheminée où brûlait
un bois parfumé. Des plats mijotaient dans des
pots de terre. Derrière eux le Népalais nu-pieds,
silencieux, dressait la table. Alors Jacques se remit
à parler et dit à Olivier tout ce qui s'était passé
depuis le moment où il était tombé à genoux près
de Ted couché sur le ventre, la tête tordue et le dos
emporté. Yvonne avait pu facilement prouver,
avec la boîte pleine d'héroïne, la seringue, et grâce
à l'examen du corps de Jane, que Ted l'avait
volontairement droguée avant de...

— Excuse-moi, je n'aurais pas dû te parler de
ça, mais enfin tu le savais bien... Ils ont compris
que tu avais agi en somme comme un justicier et
qu'Yvonne avait tiré sur Ted au moment où il allait
te tuer... Il n'y avait pas de coupable. Ou plutôt le
coupable était mort... Mais toutes ces histoires
entre Occidentaux ça les embête, ils ne veulent pas
de règlements de comptes chez eux... Alors ils ont

expulsé Yvonne, immédiatement... La pauvre, elle avait le front encore ouvert d'un coup de crosse... Et toi, ils avaient décidé de t'expulser aussi, dès que tu pourrais voyager. Mais je suis parvenu à les faire revenir sur leur décision. Cela a été difficile, pas à cause de Ted, mais à cause de la vache... Heureusement qu'elle n'était pas morte. Enfin ils m'ont dit que tu pouvais rester... Je suis seul patron, maintenant, et j'ai trouvé un coffre plein de dollars!... Le salaud! il ne devait pas vendre que des statues!... L'héroïne aussi, sûrement... Tu restes avec moi, on monte une affaire formidable!... complètement modernisée!... Ted, au fond, était un minable, il n'avait pas d'envergure!... Yvonne m'attend en France, dans ses betteraves... Ce n'est pas sérieux... Je l'aime bien, mais enfin... Tu te rends compte?... des betteraves, moi? Elle est à l'abri, remarque, elle a emporté ses bijoux, il y en avait un paquet... Devine où j'ai trouvé la combinaison du coffre?... Dans le carnet d'adresses de Ted, tout simplement!.... Au mot coffre!... Il n'était quand même pas très malin!... Elle se consolera remarque, elle est encore belle... Mais entre elle et moi, ce n'était plus tellement... Ce qui me manquait, ici, c'était un copain... Alors c'est d'accord? Toi et moi?...

Il parlait, il parlait, Olivier l'avait d'abord regardé, puis s'était détourné et regardait le feu, et le bruit des mots se mélangeait avec le bruit de la pluie et le bruit du tonnerre, et rien de cela ne voulait rien dire, ce n'était que du bruit absurde et inutile...

Jacques s'arrêta un instant pour respirer. Olivier demanda à voix basse :

— Jane... Qu'est-ce qu'ils en ont fait?

Jacques, qui allait recommencer son discours et déployer ses arguments se tut. Il comprit qu'il avait parlé pour rien. Au bout de quelques secondes, il dit seulement :

— Brûlée...

Une bûche craqua, et envoya un jet d'étincelles vers un pot qui bouillait... Olivier se souvint de Sven, de Jane étendue à quelques pas des flammes, et du clochard des deux mondes...

— Personne n'aide personne...

Personne...

Il se tourna vers son père et retrouva son regard d'enfant pour l'interroger :

— Qu'est-ce que ça veut dire ?... Tout ça ?... Pourquoi ?... A quoi on sert ?...

Un père doit connaître toutes les réponses. Mais Jacques ne connaissait pas celle-là. Il souleva lentement les épaules, les laissa retomber, et soupira.

TOUTE LA PLAINE DU
Gange était sous l'eau. Après six mois de sécheresse,
une mousson effrayante avait ouvert sur le pays
les plus larges écluses du ciel. L'eau envahissait
village après village, noyait d'abord le bétail
au sol, dissolvait les murs de terre des maisons qui
s'écroulaient, recevait alors et noyait les paysans, les singes et les poules réfugiés sur les toits,
et les emportait dans ses lourds tourbillons jaunes,
hommes et bêtes mêlés parmi les arbres arrachés, et les débris pourris de toutes sortes. Les
charognards, accrochés comme des fruits sombres aux arbres qui émergeaient, s'abattaient parfois, passagers maladroits et affamés, sur un cadavre
en voyage, l'entamaient, le secouaient, s'envolaient
lorsqu'il basculait.

Sur la piste submergée, Olivier marchait dans la
pluie. Il avait quitté Katmandou avec un billet
pour Paris. Son père lui avait dit c'est la rentrée
tu devrais finir ta licence tu aurais tort d'abandonner au fond tu as eu simplement des vacances un peu
agitées quoi et puis tu rentres. Mais sa plaisanterie
l'avait gêné lui-même. Après un silence, il avait
demandé avec un peu d'anxiété :

— On se reverra ?

Olivier avait répondu :

— Oui...

Mais ni l'un ni l'autre n'était certain de la signification de ce oui. Olivier avait refusé le paquet d'argent que son père voulait lui donner. Tu es venu me réclamer trente millions, et maintenant que je t'en donne trois tu me les refuses ?

Olivier n'avait pas répondu, Jacques avait remis les dollars dans sa poche, en promettant d'en envoyer à Martine, à la grand-mère, à Yvonne, à tout le monde... Il allait très certainement, au bout de peu de temps, se trouver de nouveau sans un sou. Il repartirait vers une nouvelle aventure illusoire... ou peut-être vers les betteraves... Il n'était plus très jeune malgré son visage lisse... Il le savait...

Olivier avait accepté le billet pour Paris et un peu d'argent de voyage, afin de n'avoir pas à s'expliquer. Et qu'aurait-il expliqué ? Que voulait-il ? que savait-il ? qu'aurait-il pu dire ? Les mots lui semblaient n'avoir plus que des sens futiles, faux. Aucun d'eux ne disait plus sa vérité primitive.

Mais quand son père l'embrassa sur l'aérodrome de Katmandou, il savait qu'il n'irait pas jusqu'à Paris.

A l'escale de Delhi, il sortit de l'aérogare et entra dans la pluie. Il loua une jeep, parvint à faire comprendre au chauffeur le nom de Palnah. Le chauffeur ne savait pas où c'était. Il partit quand même, s'arrêta plusieurs fois, pour demander, à un agent, à un commerçant, à un portier d'hôtel « Palnah ? Palnah ? » Personne ne savait. Il obtint enfin le renseignement dans une gare d'autocar. Alors il s'effraya et dit à Olivier que Palnah était dans la plaine inondée et qu'on ne pouvait pas y aller. Olivier ne comprit pas, crut qu'il voulait davantage d'argent, et lui donna tout ce qui lui restait. Le chauffeur remercia en joignant les mains, se mit au

volant et partit. La pluie frappait la capote comme
la peau d'un tambour, se pulvérisait à travers,
entrait par les portières et par tous les interstices
et les joints. Elle était à l'extérieur de la jeep et à
l'intérieur. La voiture roula pendant des heures,
et parvint dans les eaux. La piste surélevée émergeait seule. A gauche et à droite, et au-dessus jusqu'aux nuages c'était le monde de l'eau. Le chauffeur continua jusqu'au moment où l'eau recouvrit
la piste et la rendit invisible. Il refusa d'aller plus
loin. Olivier descendit et continua à pied. Le chauffeur le regarda un moment s'éloigner jusqu'à ce
qu'il disparût dans l'épaisseur de la pluie. Puis il
repartit en marche arrière. Entre les eaux de gauche
et les eaux de droite, il n'avait pas la place de virer.

La pluie tombait du ciel pour noyer ce qui devait
être noyé, laver ce qui pouvait devenir neuf, et
faire éclore ce qui devait naître. Olivier marchait
dans son épaisseur vers le regard d'une enfant qui
avait attendu de lui quelque chose qu'il ne lui avait
pas donné.

La pluie entrait dans lui par ses cheveux, couvrait
son visage comme un rideau, frappait ses épaules,
traversait ses vêtements, coulait tout le long de lui
comme une rivière et rejoignait l'eau jaune et lente
qui montait et tournait lentement et montait encore.

Il marchait tout droit. Il savait que c'était tout
droit et s'il manquait la piste et se noyait tant pis.
Il marchait vers l'image d'une enfant confiante, qui
s'était posée sur lui pour s'endormir, qu'il avait écar-
tée de lui et posée à terre dans la nuit pour s'en aller.

Il marchait de moins en moins vite, car l'eau lui
montait de plus en plus haut le long des jambes.
Cela lui était égal. Il arriverait quand il arriverait.
Il jeta son sac qui l'embarrassait, il n'avait besoin

de rien. Le tonnerre dans les immenses épaisseurs des nuages était une rumeur continue, les voix d'un peuple de dieux qui parlaient avec des cailloux dans leurs bouches sans mesures.

Olivier sentit bientôt qu'il était nu. L'eau qui coulait sur lui et celle dans laquelle il marchait l'avaient dépouillé des vêtements de son passé et de ses douleurs. L'enfant nue venait au-devant de lui en souriant et en tendant vers lui ses deux mains en coupe pleines d'eau. Il allait la rejoindre, et accepter ce qu'elle lui offrait. Il ne venait pas seul, Jane était avec lui, nue avec lui, sa mère était avec lui, nue avec lui, son père, ses copains, Carlo, Mathilde, les flics marchaient avec lui dans l'épaisseur de l'eau du ciel, nus et dépouillés de leurs mensonges. Comme le soir tombait, il aperçut à l'horizon une légère bosse au-dessus de l'eau, un embryon de colline, un espoir d'élan sur lequel les familles avaient bâti leurs maisons dérisoires. Il sut que c'était Palnah et que tous ses hommes, ses femmes et ses enfants étaient en train de lutter pour sauver leurs puits, leurs bêtes, leurs maisons, leurs vies, avec l'aide de Patrick, ou d'un autre, ou de personne.

En marchant avec une peine de plus en plus grande, de toute sa volonté et de tous ses muscles, dans l'épaisseur de la pluie qui emplissait l'espace entre le ciel et la terre, il se demandait s'il allait trouver au bout de la piste noyée, sur la colline qui émergeait encore, où quelques êtres vivants luttaient pour continuer de vivre, la réponse à la question qu'il avait posée à son père :

— A quoi on sert ?...

31 mars-13 septembre 1969

ACHEVÉ   D'IMPRIMER   LE
10 DÉCEMBRE 1969 SUR LES
PRESSES   DE   L'IMPRIMERIE
BUSSIÈRE, SAINT-AMAND (CHER)

— Nº d'édit. 2688. — Nº d'imp. 1588. —
Dépôt légal : 4ᵉ trimestre 1969.
Imprimé en France